A-Z BRAD

CONTEN

REFERENCE

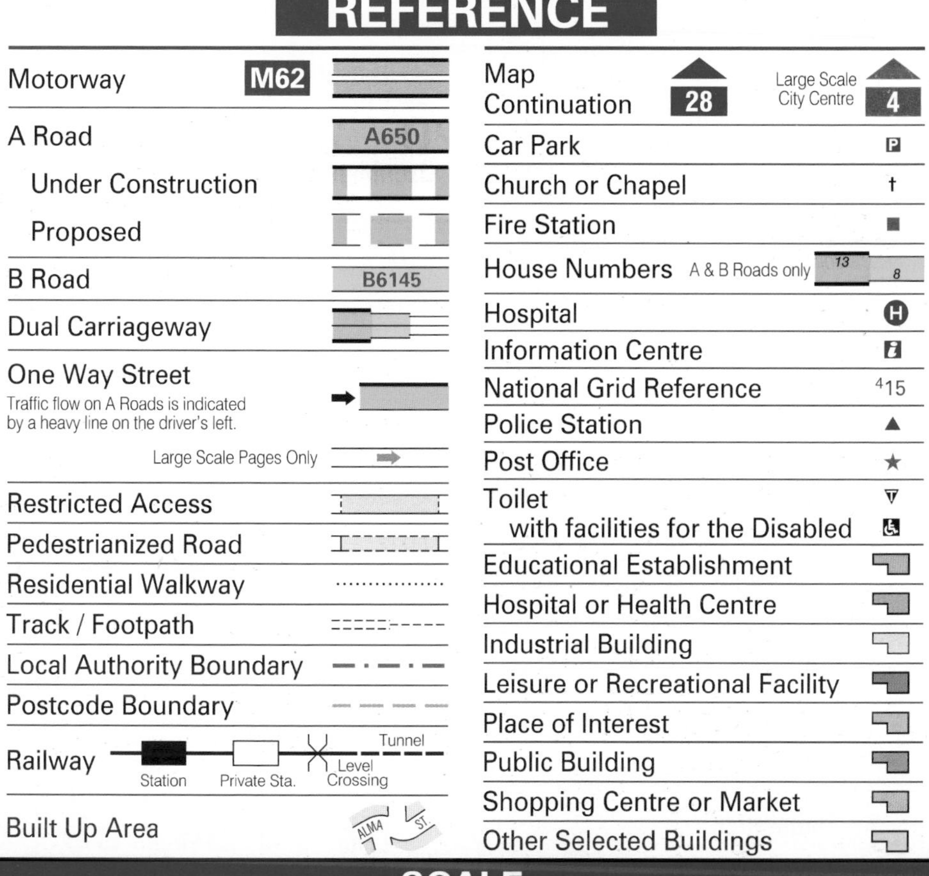

Motorway	**M62**
A Road	**A650**
Under Construction	
Proposed	
B Road	**B6145**
Dual Carriageway	
One Way Street	
Traffic flow on A Roads is indicated by a heavy line on the driver's left.	
Large Scale Pages Only	
Restricted Access	
Pedestrianized Road	
Residential Walkway	
Track / Footpath	
Local Authority Boundary	
Postcode Boundary	
Railway	Tunnel — Station — Private Sta. — Level Crossing
Built Up Area	ALMA ST

Map Continuation	**28** Large Scale City Centre **4**
Car Park	P
Church or Chapel	†
Fire Station	■
House Numbers A & B Roads only	13 8
Hospital	H
Information Centre	i
National Grid Reference	415
Police Station	▲
Post Office	★
Toilet	▽
with facilities for the Disabled	♿
Educational Establishment	
Hospital or Health Centre	
Industrial Building	
Leisure or Recreational Facility	
Place of Interest	
Public Building	
Shopping Centre or Market	
Other Selected Buildings	

SCALE

Map Pages 6-61	Map Pages 4-5
1:15840 (4 inches to 1 mile) 6.31cm to 1km	1:7920 (8 inches to 1 mile) 12.63cm to 1km
0 ¼ ½ Mile	0 ⅛ ¼ Mile
0 250 500 750 Metres	0 100 200 300 400 Metres

Copyright of Geographers' A-Z Map Company Limited

Head Office :
Fairfield Road, Borough Green, Sevenoaks, Kent TN15 8PP
Telephone: 01732 781000 (General Enquiries & Trade Sales)

Showrooms :
44 Gray's Inn Road, London WC1X 8HX
Telephone: 020 7440 9500 (Retail Sales)

www.a-zmaps.co.uk

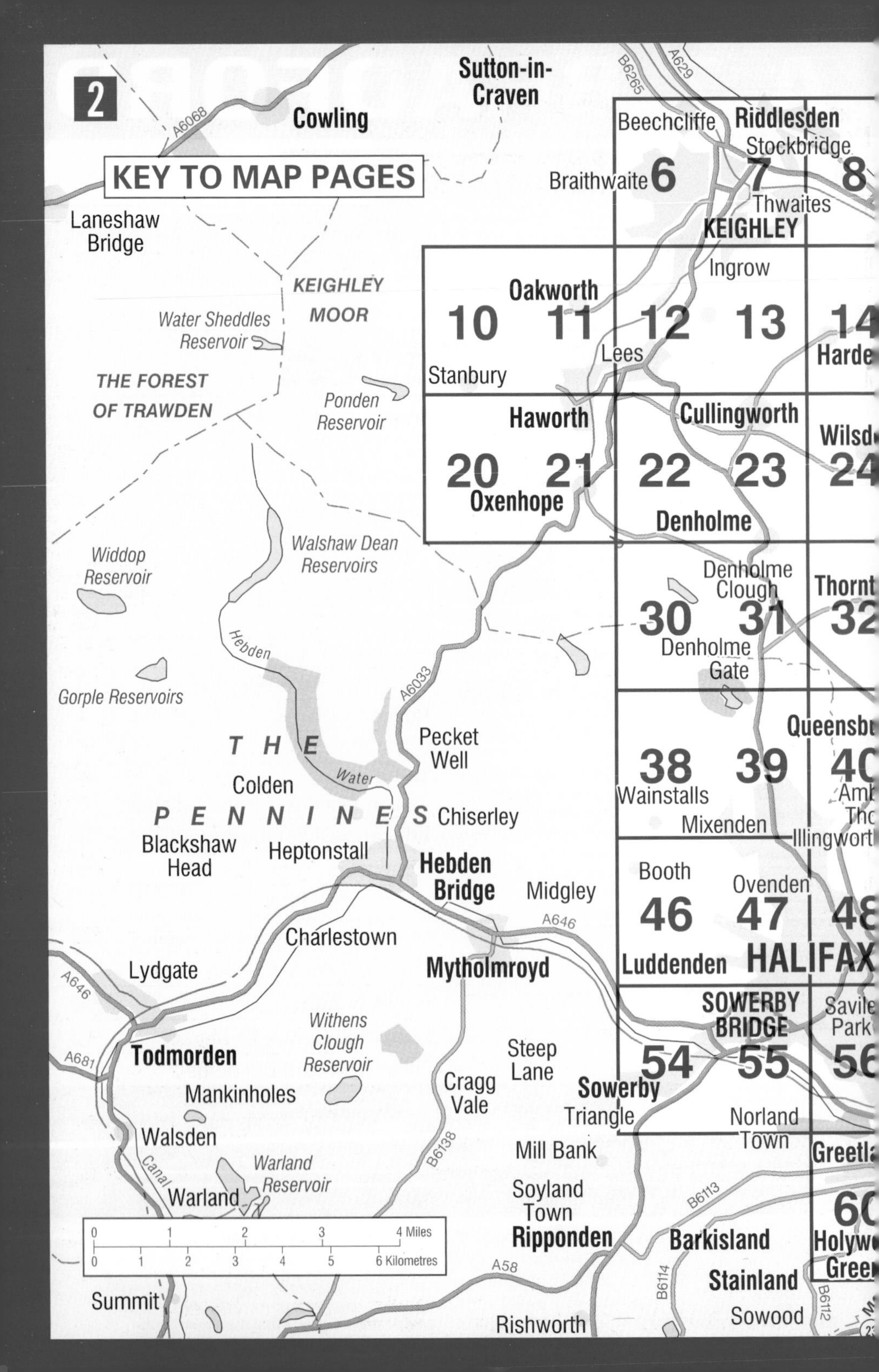

2

KEY TO MAP PAGES

Sutton-in-Craven

Cowling

Beechcliffe

Riddlesden
Stockbridge

Braithwaite **6**

7

8

Thwaites

Laneshaw
Bridge

KEIGHLEY

*KEIGHLEY
MOOR*

Ingrow

Oakworth

Water Sheddles
Reservoir

10

11

12

13

14

Lees

*THE FOREST
OF TRAWDEN*

Ponden
Reservoir

Stanbury

Harde

Haworth

Cullingworth

Wilsd

20

21

22

23

24

Oxenhope

Denholme

Widdop
Reservoir

Walshaw Dean
Reservoirs

Denholme
Clough

Thornt

30

31

32

Denholme
Gate

Gorple Reservoirs

Queensb

T H E

Pecket
Well

38

39

40

Water

Wainstalls

Amb
Th

Colden

Mixenden

Illingwort

P E N N I N E S

Chiserley

Blackshaw
Head

Heptonstall

Booth

Ovenden

**Hebden
Bridge**

Midgley

46

47

48

Charlestown

Mytholmroyd

Luddenden

HALIFAX

Lydgate

**SOWERBY
BRIDGE**

Savile
Park

*Withens
Clough
Reservoir*

Steep
Lane

54

55

56

Todmorden

Mankinholes

Cragg
Vale

Sowerby

Norland
Town

Walsden

Triangle

Greetl

*Warland
Reservoir*

Mill Bank

Warland

Soyland
Town

Barkisland

60

Ripponden

Holyw
Gree

Stainland

Summit

Rishworth

Sowood

| 0 | 1 | 2 | 3 | 4 Miles |
| 0 | 1 | 2 | 3 | 4 | 5 | 6 Kilometres |

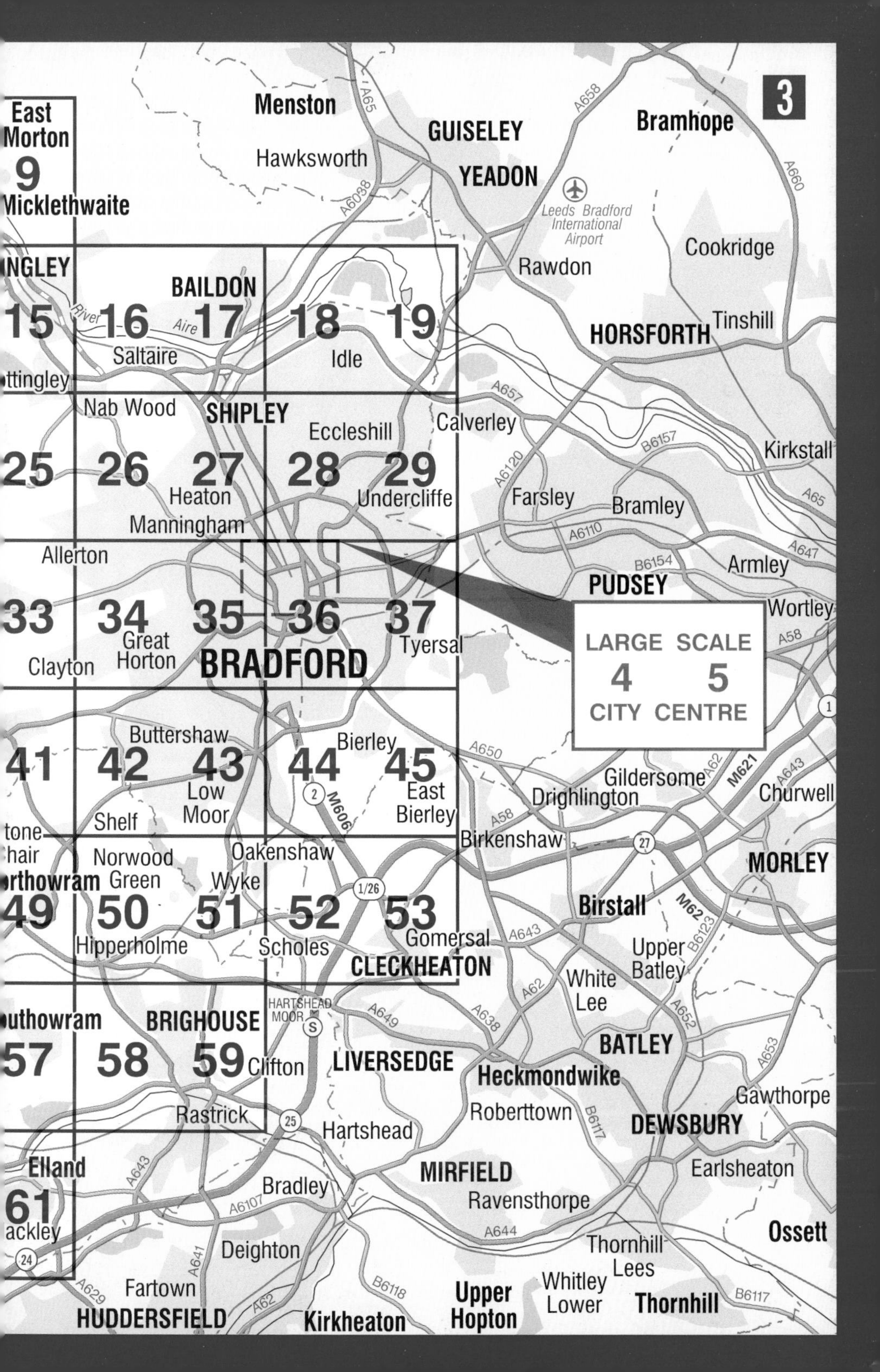

East Morton
9
Micklethwaite
Menston
GUISELEY
Bramhope
Hawksworth
YEADON
Leeds Bradford International Airport
Cookridge
Rawdon
BAILDON
15
16
17
18
19
River Aire
Saltaire
Idle
HORSFORTH
Tinshill
Nab Wood
SHIPLEY
Eccleshill
Calverley
Kirkstall
25
26
27
28
29
Heaton
Manningham
Undercliffe
Farsley
Bramley
Allerton
Armley
PUDSEY
33
34
35
36
37
Great Horton
Clayton
BRADFORD
Tyersal
Wortley
LARGE SCALE
4
5
CITY CENTRE
Buttershaw
Bierley
41
42
43
44
45
Low Moor
East Bierley
Shelf
Gildersome
Drighlington
Churwell
Birkenshaw
Norwood Green
Oakenshaw
Wyke
MORLEY
49
50
51
52
53
Hipperholme
Scholes
Gomersal
CLECKHEATON
Birstall
Upper Batley
White Lee
HARTSHEAD MOOR
BRIGHOUSE
57
58
59
Clifton
LIVERSEDGE
BATLEY
Heckmondwike
Gawthorpe
Rastrick
Roberttown
Hartshead
DEWSBURY
Elland
61
MIRFIELD
Earlsheaton
Bradley
Ravensthorpe
Ossett
Deighton
Thornhill Lees
Whitley Lower
Fartown
Upper Hopton
Thornhill
HUDDERSFIELD
Kirkheaton
A65
A658
A660
A6038
A657
B6157
A6120
A6110
A647
B6154
A58
A650
A62
M621
A643
M606
M62
B6123
A652
A649
A638
A653
B6117
A6107
A644
A641
A629
B6118

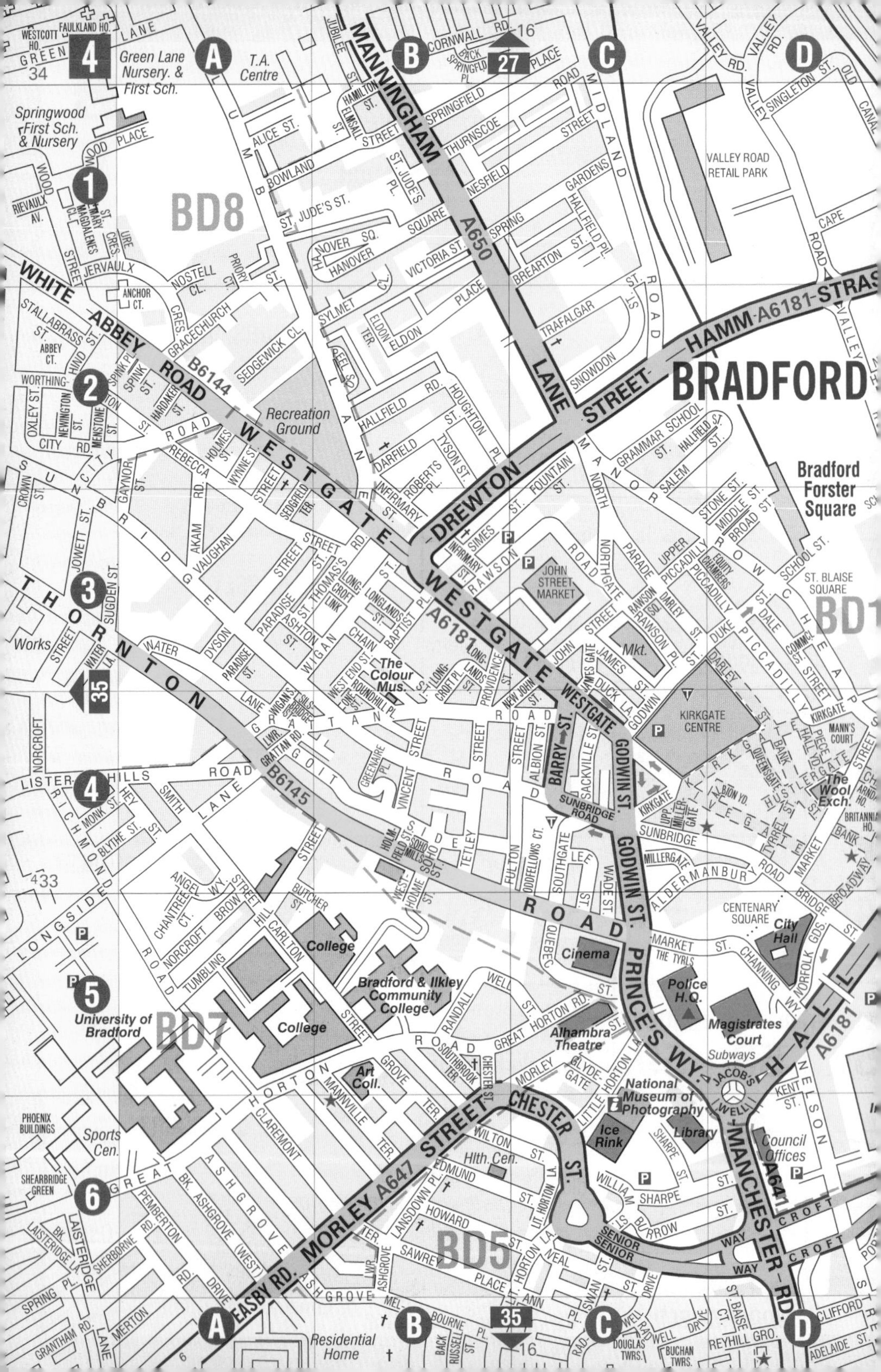

4
A
B
C
D
27
35
BD8
BD7
BD5
BD1
BRADFORD
Green Lane Nursery. & First Sch.
Springwood First Sch. & Nursery
T.A. Centre
MANNINGHAM LANE
A650
VALLEY ROAD RETAIL PARK
HAMM STRASSE
A6181
WHITE ABBEY ROAD
B6144
WESTGATE
DREWTON STREET
Recreation Ground
Bradford Forster Square
ST. BLAISE SQUARE
JOHN STREET MARKET
Mkt.
KIRKGATE CENTRE
The Colour Mus.
The Wool Exch.
THORNTON ROAD
B6145
GRATTAN ROAD
SUNBRIDGE ROAD
GODWIN ST.
PRINCE'S WY.
CENTENARY SQUARE
City Hall
Cinema
Police H.Q.
Magistrates Court
Subways
Alhambra Theatre
National Museum of Photography
Ice Rink
Library
Council Offices
JACOB'S WELL
MANCHESTER RD.
A641
College
Bradford & Ilkley Community College
University of Bradford
Art Coll.
Hlth. Cen.
Sports Cen.
PHOENIX BUILDINGS
MORLEY STREET
A647
EASBY RD.
GREAT HORTON RD.
CHESTER ST.
SENIOR WAY
CROFT ST.
LISTER HILLS ROAD
SHEARBRIDGE GREEN
Works
Residential Home
DOUGLAS TWRS.
BUCHAN TWRS.
433
34
16

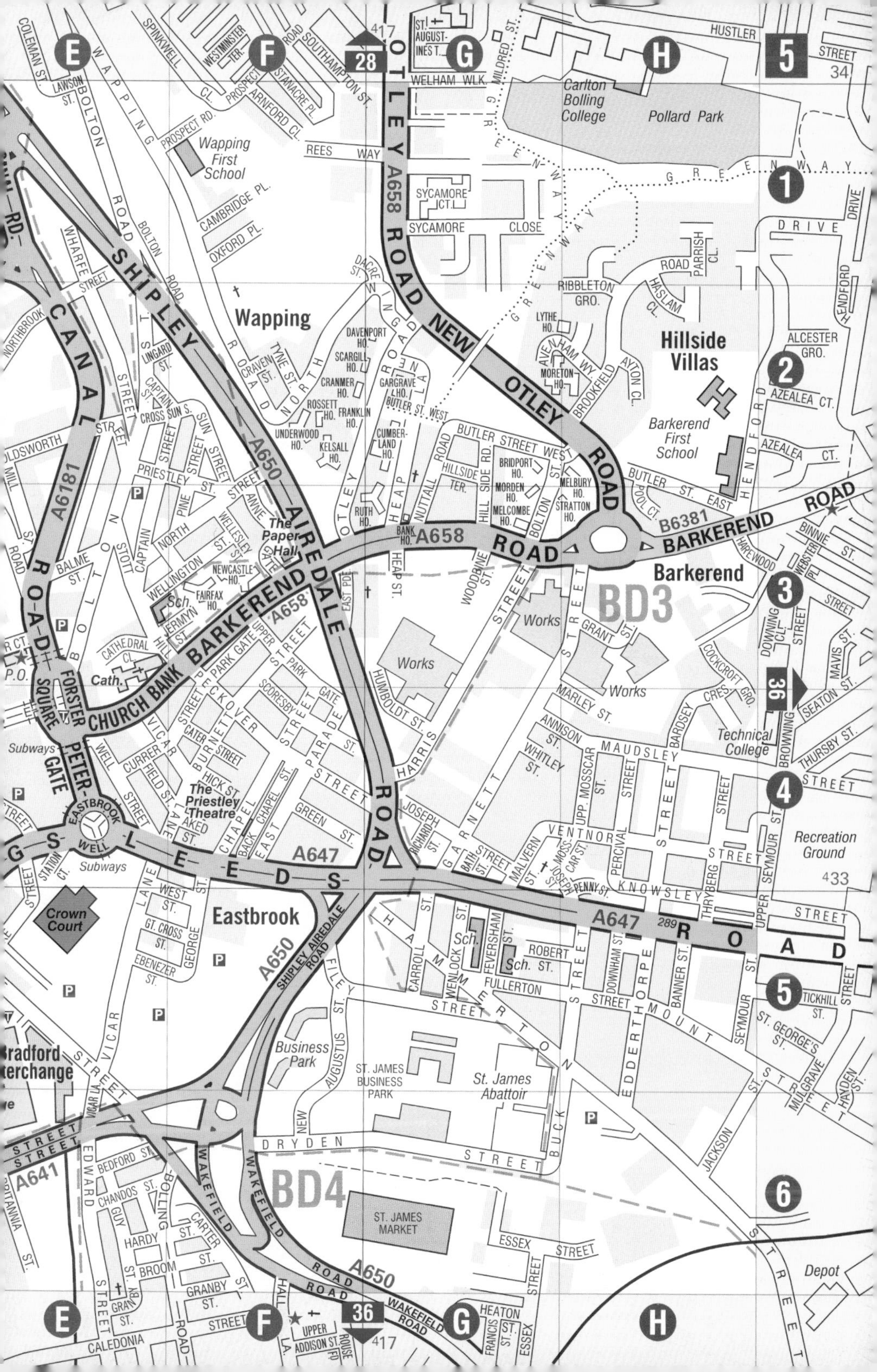

E
F
G
H
5
28
417
34
OTLEY ROAD
A658
NEW OTLEY ROAD
Carlton Bolling College
Pollard Park
GREENWAY
HUSTLER STREET
WELHAM WLK.
REES WAY
SYCAMORE CT.
SYCAMORE CLOSE
Wapping First School
Wapping
SHIPLEY AIREDALE ROAD
A650
CANAL ROAD
A6181
BOLTON ROAD
WAPPING ROAD
Hillside Villas
Barkerend First School
Barkerend
BD3
BARKEREND ROAD
B6381
CHURCH BANK
The Paper Hall
Cath.
FORSTER SQUARE
PETERGATE
Subways
EASTBROOK WELL
LEEDS ROAD
A647
Crown Court
Eastbrook
The Priestley Theatre
Works
Technical College
Recreation Ground
433
289
St. James Abattoir
ST. JAMES BUSINESS PARK
Business Park
BD4
ST. JAMES MARKET
DRYDEN STREET
WAKEFIELD ROAD
A641
Bradford Interchange
Depot
36
1
2
3
4
6

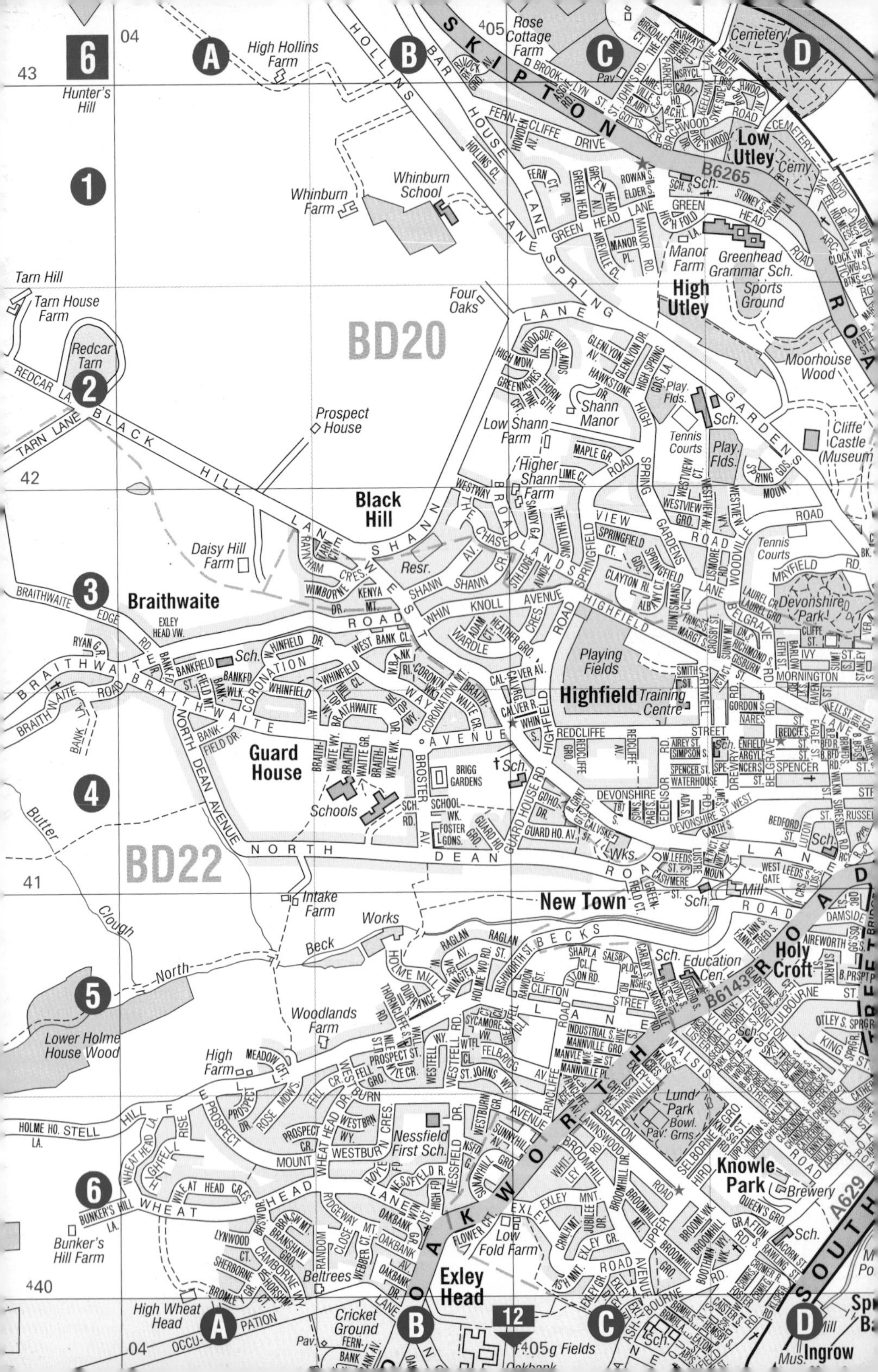
Hunter's Hill
High Hollins Farm
Rose Cottage Farm
Cemetery
SKIPTON
HOLLINS BAR
Low Utley
B6265
Whinburn School
Whinburn Farm
Greenhead Grammar Sch.
Manor Farm
High Utley
Sports Ground
Tarn Hill
Tarn House Farm
Redcar Tarn
REDCAR LA.
TARN LANE
BLACK HILL LANE
Four Oaks
BD20
SPRING LANE
Moorhouse Wood
Prospect House
Shann Manor
Low Shann Farm
Higher Shann Farm
Cliffe Castle (Museum)
Black Hill
Daisy Hill Farm
Braithwaite
BRAITHWAITE EDGE
BRAITHWAITE ROAD
Guard House
Schools
Highfield
Playing Fields
Training Centre
Devonshire Park
BRIGG GARDENS
NORTH DEAN AVENUE
NORTH DEAN ROAD
BD22
Butter Clough
Intake Farm
New Town
Works
Beck
North
Holy Croft
Education Cen.
Woodlands Farm
Lower Holme House Wood
High Farm
B6143
Lund Park
Nessfield First Sch.
Knowle Park
Brewery
HOLME HO. STELL LA.
BUNKER'S HILL
WHEAT HEAD
Bunker's Hill Farm
OAKWORTH ROAD
Low Fold Farm
Exley Head
Beltrees
High Wheat Head
Cricket Ground
OCCUPATION
A629
SOUTH STREET
Ingrow
12
04
405
43
42
41
440
A
B
C
D
1
2
3
4
5
6

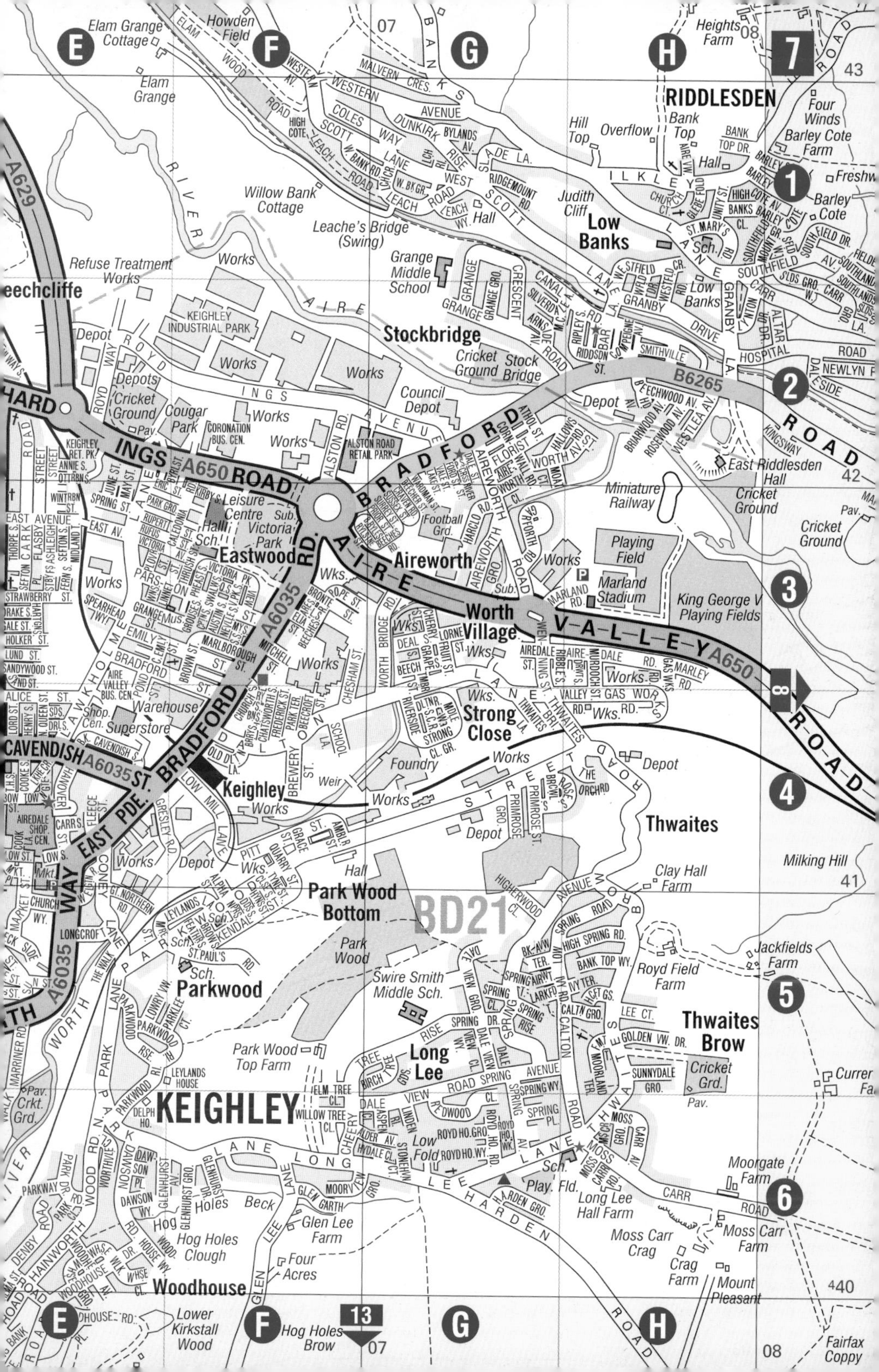

7
RIDDLESDEN
Elam Grange Cottage
Elam Grange
Howden Field
Heights Farm
Bank Top
Hill Top
Overflow
Four Winds
Barley Cote Farm
Barley Cote
Judith Cliff
Low Banks
Willow Bank Cottage
Leache's Bridge (Swing)
Refuse Treatment Works
Works
Grange Middle School
KEIGHLEY INDUSTRIAL PARK
Stockbridge
Cricket Ground
Stock Bridge
Council Depot
Cougar Park
CORONATION BUS. CEN.
ALSTON ROAD RETAIL PARK
Leisure Centre
Victoria Park
Eastwood
Aireworth
Football Grd.
Miniature Railway
East Riddlesden Hall
Playing Field
Marland Stadium
King George V Playing Fields
Worth Village
Strong Close
Foundry
Keighley
Superstore
Warehouse
AIRE VALLEY BUS. CEN.
AIREDALE SHOP. CEN.
Depot
Thwaites
Clay Hall Farm
Milking Hill
Park Wood Bottom
BD21
Park Wood
Swire Smith Middle Sch.
Parkwood
Jackfields Farm
Royd Field Farm
Thwaites Brow
Cricket Grd.
Long Lee
Park Wood Top Farm
LEYLANDS HOUSE
KEIGHLEY
Low Fold
Play. Fld.
Long Lee Hall Farm
Moorgate Farm
Moss Carr Farm
Moss Carr Crag
Crag Farm
Mount Pleasant
Glen Lee Farm
Four Acres
Hog Holes
Hog Holes Clough
Woodhouse
Lower Kirkstall Wood
Hog Holes Brow
Fairfax Coppy
Currer Fa
INGS ROAD A650
BRADFORD ROAD
AIRE VALLEY A650
BRADFORD ST.
A6035
A629
B6265
ILKLEY LANE
HARDEN ROAD
LONG LEE LANE
CARR ROAD
E F G H
1 2 3 4 5 6
8
13
07 08
43 42 41 440

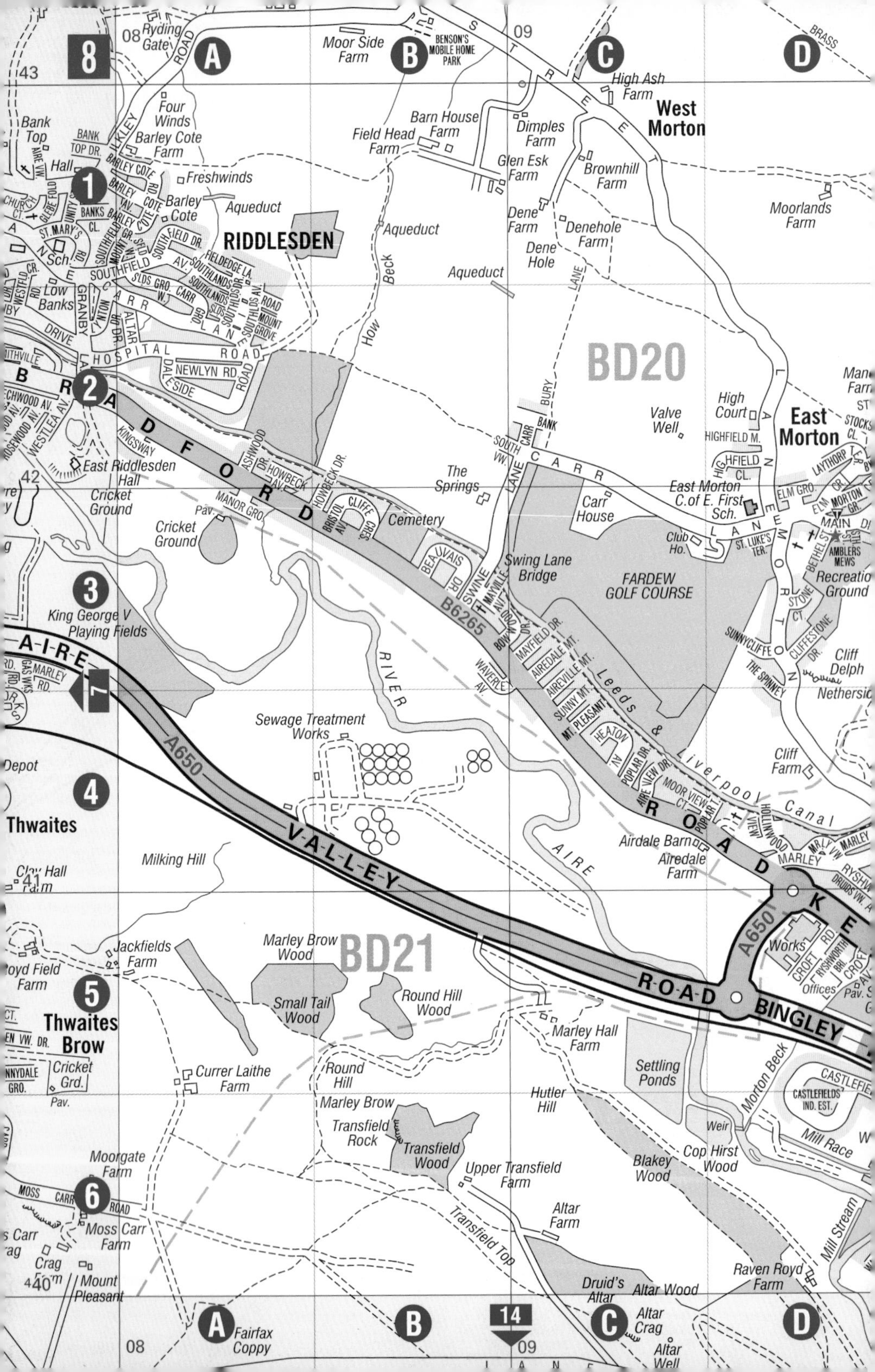
RIDDLESDEN
West Morton
East Morton
BD20
BD21
Thwaites
Thwaites Brow
Ryding Gate
Moor Side Farm
BENSON'S MOBILE HOME PARK
High Ash Farm
Four Winds
Barley Cote Farm
Barn House Farm
Field Head Farm
Dimples Farm
Glen Esk Farm
Brownhill Farm
Freshwinds
Barley Cote
Aqueduct
Dene Farm
Deneholé Farm
Dene Hole
Moorlands Farm
Bank Top
Hall
Low Banks
East Riddlesden Hall
Cricket Ground
The Springs
Valve Well
High Court
Carr House
East Morton C.of E. First Sch.
Club Ho.
Cemetery
Swing Lane Bridge
FARDEW GOLF COURSE
Recreation Ground
Cliff Delph
Cliff Farm
King George V Playing Fields
Sewage Treatment Works
Depot
Milking Hill
Clay Hall
Airdale Barn
Airedale Farm
Leeds & Liverpool Canal
RIVER AIRE
AIRE VALLEY ROAD
A650
B6265
BRADFORD ROAD
BINGLEY ROAD
Jackfields Farm
Royd Field Farm
Marley Brow Wood
Small Tail Wood
Round Hill Wood
Marley Hall Farm
Settling Ponds
Currer Laithe Farm
Round Hill
Marley Brow
Hutler Hill
Transfield Rock
Transfield Wood
Upper Transfield Farm
Transfield Top
Blakey Wood
Cop Hirst Wood
Weir
Morton Beck
CASTLEFIELDS IND. EST.
Mill Race
Mill Stream
Works
Offices
Moorgate Farm
MOSS CARR ROAD
Moss Carr Farm
Crag Farm
Mount Pleasant
Altar Farm
Druid's Altar
Altar Wood
Altar Crag
Altar Well
Raven Royd Farm
Fairfax Coppy
HOSPITAL ROAD
CARR LANE
MORTON LANE
STREET LANE
14
7
08
09
43
42
41
40

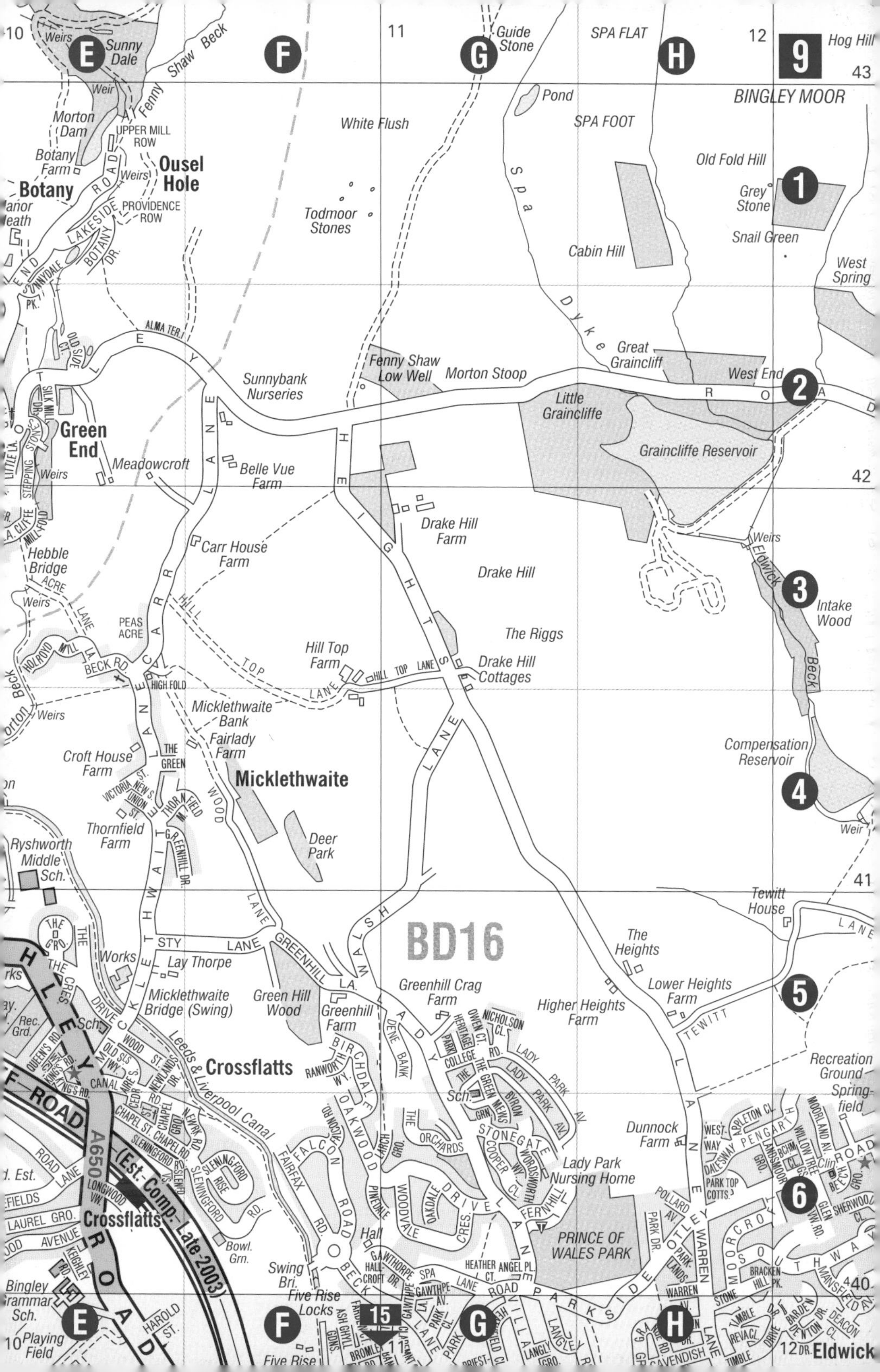
Sunny Dale
Fenny Shaw Beck
Guide Stone
SPA FLAT
Hog Hill
BINGLEY MOOR
Pond
Morton Dam
UPPER MILL ROW
White Flush
SPA FOOT
Botany Farm
Ousel Hole
Old Fold Hill
Botany
PROVIDENCE ROW
Todmoor Stones
Grey Stone
Snail Green
Cabin Hill
West Spring
Spa Dyke
ALMA TER.
Great Graincliff
Fenny Shaw Low Well
Morton Stoop
West End
Sunnybank Nurseries
Little Graincliffe
Green End
Graincliffe Reservoir
Meadowcroft
Belle Vue Farm
Drake Hill Farm
Carr House Farm
Hebble Bridge
Drake Hill
Eldwick Beck
Intake Wood
PEAS ACRE
The Riggs
Hill Top Farm
HILL TOP LANE
Drake Hill Cottages
HIGH FOLD
Micklethwaite Bank
Fairlady Farm
Croft House Farm
THE GREEN
Compensation Reservoir
Micklethwaite
Thornfield Farm
Deer Park
Ryshworth Middle Sch.
Weir
Tewitt House
BD16
The Heights
Works
STY LANE
Lay Thorpe
Lower Heights Farm
Greenhill Crag Farm
Micklethwaite Bridge (Swing)
Green Hill Wood
Greenhill Farm
Higher Heights Farm
Crossflatts
Leeds & Liverpool Canal
Recreation Ground
Springfield
Dunnock Farm
Lady Park Nursing Home
PRINCE OF WALES PARK
Crossflatts
A650
Bowl. Grn.
(Est. Comp. Late 2003)
Hall
Swing Bri.
Five Rise Locks
Bingley Grammar Sch.
Playing Field
Five Rise
15
Eldwick
BINGLEY ROAD
OTLEY ROAD
PARKSIDE
SOUTHWAY
MOORCROFT
WARREN LANE
LADY LANE
HIGHT LANE
WALSH LANE
GREENHILL LA.
MICKLETHWAITE LANE
CARR LANE
TEWITT LANE

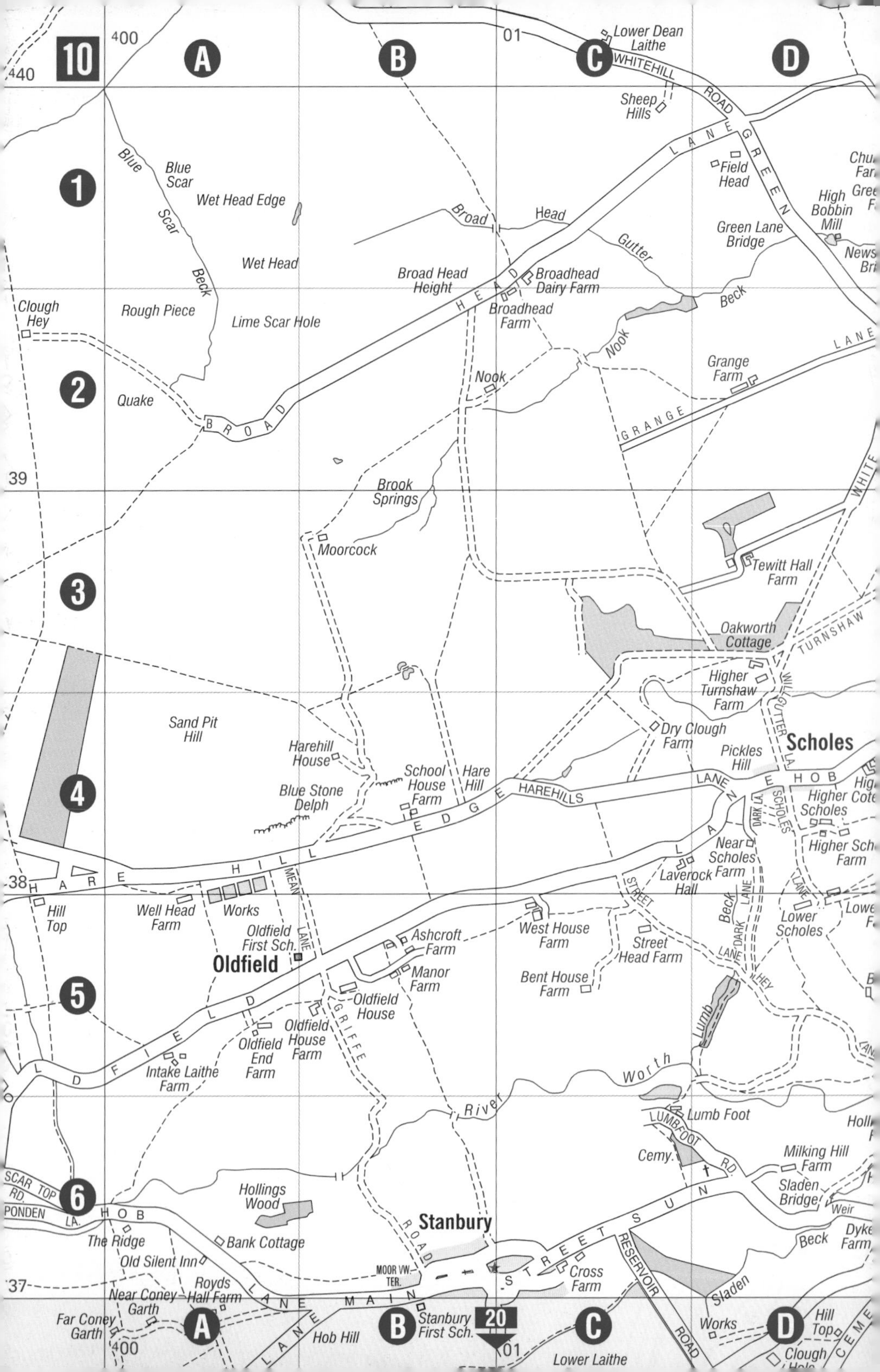

Lower Dean Laithe
Whitehill Road
Sheep Hills
Green Lane
Field Head
High Bobbin Mill
Green Lane Bridge
Blue Scar
Blue Scar Beck
Wet Head Edge
Wet Head
Broad Head
Gutter
Broad Head Height
Broadhead Dairy Farm
Broadhead Farm
Beck
Clough Hey
Rough Piece
Lime Scar Hole
Nook
Grange Farm
Grange Lane
Quake
Broad Head Lane
Brook Springs
Moorcock
Tewitt Hall Farm
Oakworth Cottage
Turnshaw
Higher Turnshaw Farm
Sand Pit Hill
Dry Clough Farm
Scholes
Pickles Hill
Gutter La.
Harehill House
School House Farm
Hare Hill
Blue Stone Delph
Harehills Lane
Hob Lane
Higher Scholes
Dark La.
Scholes
Near Scholes Farm
Laverock Hall
Higher Scholes Farm
Hare Hill Edge
Hill Top
Well Head Farm
Works
Mean Lane
Street
Lower Scholes
Oldfield First Sch.
Ashcroft Farm
West House Farm
Street Head Farm
Dark Lane
Beck Lane
Oldfield
Manor Farm
Bent House Farm
Hey Lane
Oldfield House
Griffe
Oldfield House Farm
Oldfield End Farm
Intake Laithe Farm
Oldfield Lane
Lumb
River Worth
Lumb Foot
Lumbfoot Rd.
Cemy.
Milking Hill Farm
Sladen Bridge
Scar Top Rd.
Ponden La.
Hob
Hollings Wood
Stanbury
Road
Sun Street
Weir
Beck
Dyke Farm
The Ridge
Bank Cottage
Old Silent Inn
Moor Vw. Ter.
Cross Farm
Reservoir Road
Sladen
Royds Hall Farm
Near Coney Garth
Main Lane
Far Coney Garth
Stanbury First Sch.
Hob Hill Lane
Works
Hill Top
Clough
Lower Laithe

20

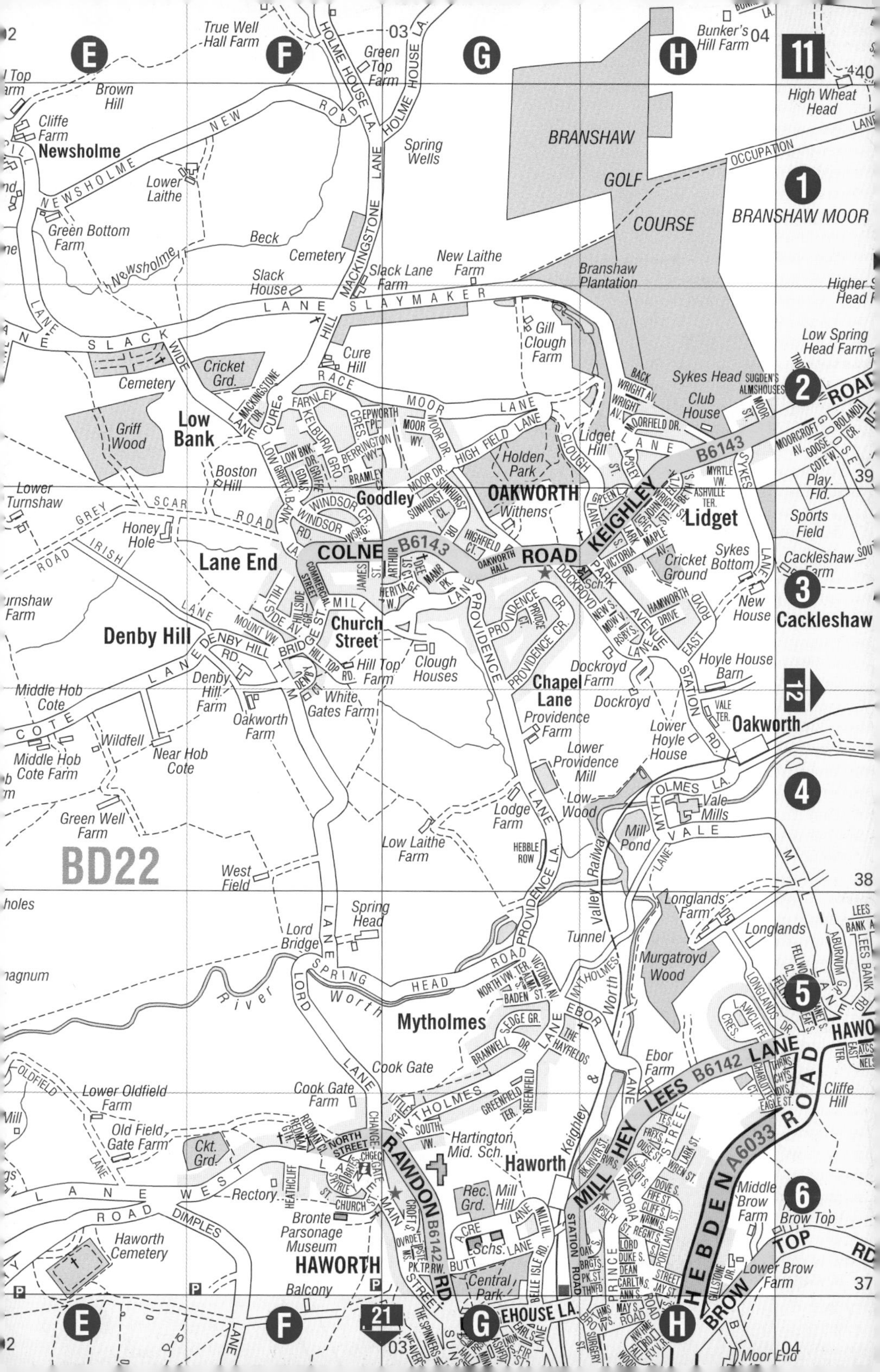
BRANSHAW
GOLF
COURSE
BRANSHAW MOOR
Newsholme
Low Bank
Goodley
OAKWORTH
Lidget
Lane End
Denby Hill
Church Street
Chapel Lane
Oakworth
Cackleshaw
Mytholmes
Haworth
HAWORTH
BD22
COLNE ROAD
KEIGHLEY ROAD
B6143
B6142
A6033
RAWDON RD.
HEBDEN ROAD
MILL HEY
LEES LANE
Bronte Parsonage Museum
Haworth Cemetery
Central Park
Hartington Mid. Sch.
Keighley & Worth Valley Railway
River Worth
Murgatroyd Wood
Griff Wood
Cricket Grd.
Cemetery
Holden Park
Withens
Sports Field
Cricket Ground
Mill Pond
Vale Mills
Tunnel
Rec. Grd.
Ckt. Grd.
Rectory
Balcony
Cook Gate
12

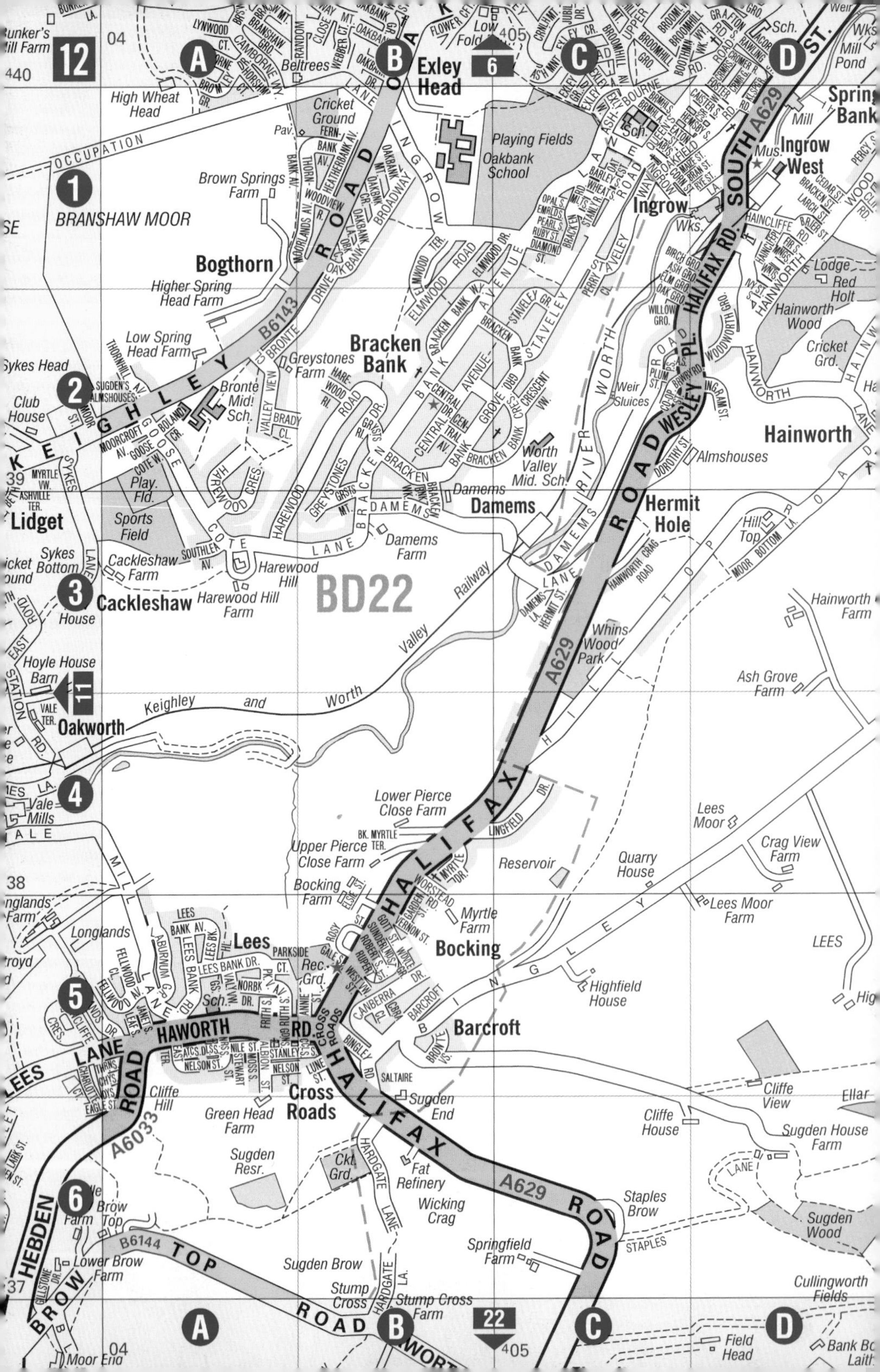12
Bunker's Hill Farm
Exley Head
Low Fold
6
High Wheat Head
Cricket Ground
Playing Fields
Oakbank School
Spring Bank
Mill Pond
Ingrow West
Ingrow
BRANSHAW MOOR
Brown Springs Farm
Bogthorn
Higher Spring Head Farm
Low Spring Head Farm
Greystones Farm
Bracken Bank
Sykes Head
Club House
Bronte Mid. Sch.
Hainworth Wood
Red Holt
Hainworth
Almshouses
Worth Valley Mid. Sch.
Weir Sluices
Lidget
Play. Fld.
Sports Field
Damems
Damems Farm
Hermit Hole
Hill Top
Cackleshaw Farm
Cackleshaw
Harewood Hill
Harewood Hill Farm
BD22
Hainworth Farm
Hoyle House Barn
11
Oakworth
Keighley and Worth Valley Railway
Whins Wood Park
Ash Grove Farm
Vale Mills
Lower Pierce Close Farm
Upper Pierce Close Farm
Lees Moor
Reservoir
Quarry House
Crag View Farm
Bocking Farm
Myrtle Farm
Lees Moor Farm
Longlands
Lees
Bocking
LEES
Rec. Grd.
Highfield House
Barcroft
Cliffe Hill
Cross Roads
Green Head Farm
Sugden End
Cliffe View
Cliffe House
Sugden House Farm
Sugden Resr.
Fat Refinery
Wicking Crag
Staples Brow
Sugden Wood
Lower Brow Farm
Sugden Brow
Springfield Farm
Stump Cross
Stump Cross Farm
Cullingworth Fields
22
Field Head
Moor End
KEIGHLEY ROAD
B6143
HALIFAX ROAD
A629
SOUTH ST.
WESLEY PL.
HAWORTH RD
A6033
HEBDEN BROW
B6144
TOP ROAD
BINGLEY ROAD
LEES LANE
HILL TOP ROAD
A B C D
1 2 3 4 5 6
04 405
440 39 38 37

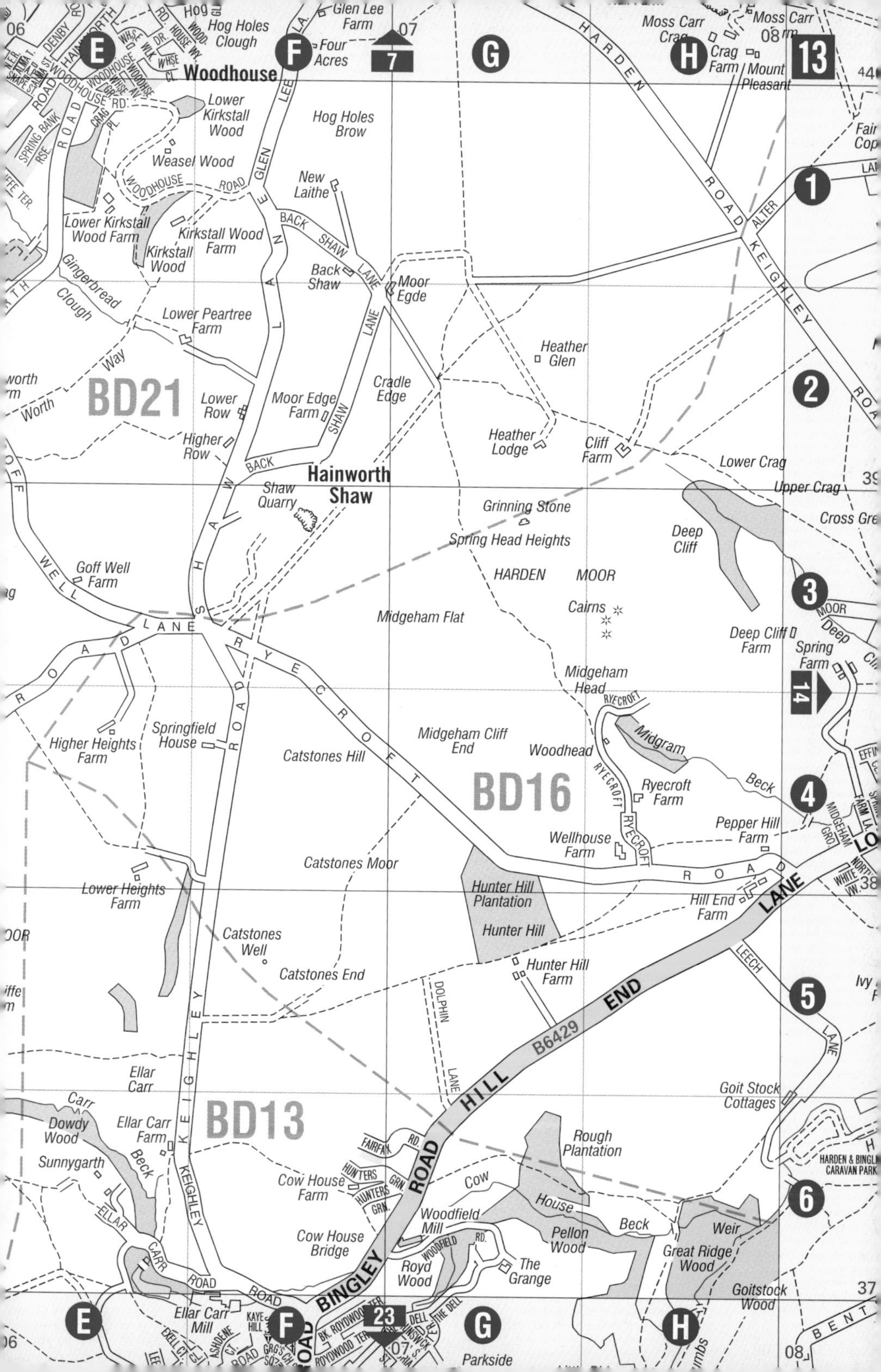
13
7
23
14
E
F
G
H
1
2
3
4
5
6
06
07
08
BD21
BD16
BD13
Woodhouse
Hainworth Shaw
Hog Holes Clough
Glen Lee Farm
Four Acres
Moss Carr Crag
Crag Farm
Mount Pleasant
Lower Kirkstall Wood
Weasel Wood
Hog Holes Brow
New Laithe
Lower Kirkstall Wood Farm
Kirkstall Wood Farm
Kirkstall Wood
Back Shaw
Moor Egde
Gingerbread Clough
Lower Peartree Farm
Heather Glen
Cradle Edge
Lower Row
Moor Edge Farm
Higher Row
Heather Lodge
Cliff Farm
Lower Crag
Upper Crag
Cross Gre
Shaw Quarry
Grinning Stone
Spring Head Heights
Deep Cliff
HARDEN MOOR
Goff Well Farm
Cairns
Midgeham Flat
Deep Cliff Farm
Spring Farm
Midgeham Head
Higher Heights Farm
Springfield House
Midgeham Cliff End
Woodhead
Midgram
Catstones Hill
Ryecroft Farm
Beck
Pepper Hill Farm
Wellhouse Farm
Catstones Moor
Lower Heights Farm
Hunter Hill Plantation
Hunter Hill
Hill End Farm
Catstones Well
Catstones End
Hunter Hill Farm
B6429
Ellar Carr
Goit Stock Cottages
Carr
Dowdy Wood
Ellar Carr Farm
Rough Plantation
Sunnygarth
Beck
Cow House Farm
Cow House Beck
HARDEN & BINGLEY CARAVAN PARK
Woodfield Mill
Pellon Wood
Weir
Cow House Bridge
Royd Wood
The Grange
Great Ridge Wood
Goitstock Wood
Ellar Carr Mill
Parkside
HARDEN ROAD
KEIGHLEY ROAD
GLEN LEE LANE
WOODHOUSE ROAD
BACK SHAW LANE
SHAW LANE
BACK SHAW
GOFF WELL LANE
ROAD LANE
SHAW
RYECROFT ROAD
KEIGHLEY ROAD
RYECROFT
HILL END LANE
LEECH LANE
DOLPHIN LANE
BINGLEY ROAD
ELLAR CARR ROAD
FAIRFAX RD.
HUNTERS GRN.
WOODFIELD RD.
ALTER
MOOR
MIDGEHAM GRO.
FARM LA.
WHITE
NORTH
BENT
44
39
38
37

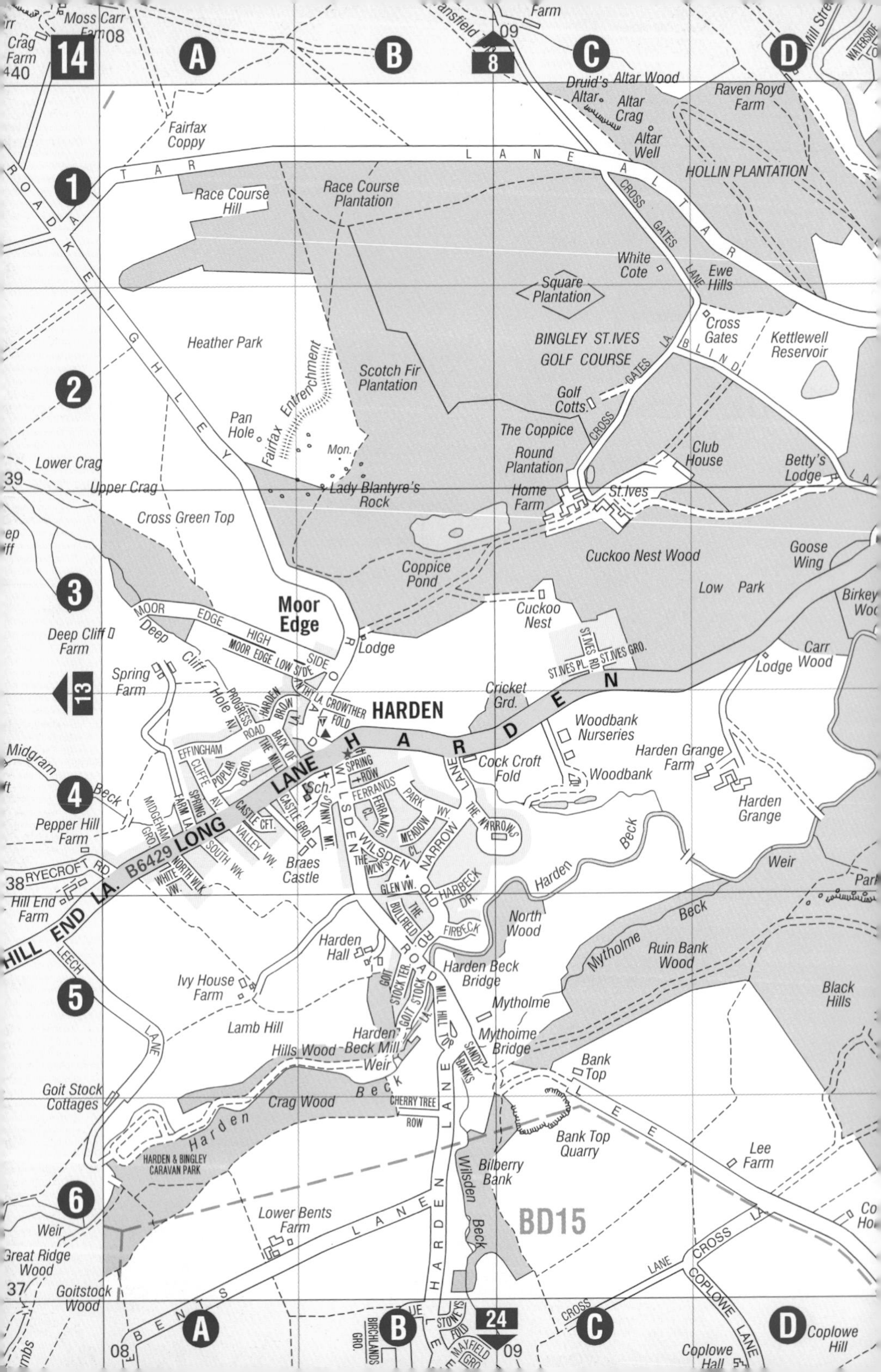

Moss Carr Farm
Crag Farm
Fairfax Coppy
Race Course Hill
Race Course Plantation
TAR LANE
ALTAR LANE
Druid's Altar
Altar Wood
Altar Crag
Altar Well
Raven Royd Farm
HOLLIN PLANTATION
CROSS GATES LANE
White Cote
Ewe Hills
Square Plantation
Cross Gates
Kettlewell Reservoir
BINGLEY ST.IVES GOLF COURSE
BLIND LA.
Golf Cotts.
KEIGHLEY ROAD
Heather Park
Fairfax Entrenchment
Scotch Fir Plantation
Pan Hole
Mon.
The Coppice
Round Plantation
Club House
Betty's Lodge
Lower Crag
Upper Crag
Lady Blantyre's Rock
Home Farm
St.Ives
Cross Green Top
Cuckoo Nest Wood
Goose Wing
Coppice Pond
Low Park
Moor Edge
MOOR EDGE HIGH SIDE
MOOR EDGE LOW SIDE
Cuckoo Nest
Deep Cliff Farm
Deep Cliff
Lodge
ST.IVES RD.
ST.IVES GRO.
ST.IVES PL.
Carr Wood
Lodge
Spring Farm
HARDEN
Cricket Grd.
HARDEN LANE
LONG LANE
B6429
Woodbank Nurseries
Harden Grange Farm
Cock Croft Fold
Woodbank
Harden Grange
Midgram Beck
Pepper Hill Farm
RYECROFT RD.
Hill End Farm
HILL END LA.
Braes Castle
Harden Beck
Weir
North Wood
Mytholme Beck
Ruin Bank Wood
Harden Hall
Ivy House Farm
Harden Beck Bridge
Mytholme
Mytholme Bridge
Black Hills
Lamb Hill
Hills Wood
Harden Beck Mill
Weir
Bank Top
Goit Stock Cottages
Crag Wood
Harden Beck
CHERRY TREE ROW
HARDEN & BINGLEY CARAVAN PARK
Bank Top Quarry
Bilberry Bank
Wilsden Beck
Lee Farm
LEE LANE
Lower Bents Farm
BD15
Weir
Great Ridge Wood
Goitstock Wood
BENTS LANE
HARDEN LANE
CROSS LANE
COPLOWE LANE
Coplowe Hill
Coplowe Hall
A
B
C
D
1
2
3
4
5
6
08
09
37
38
39
440
8
13
24

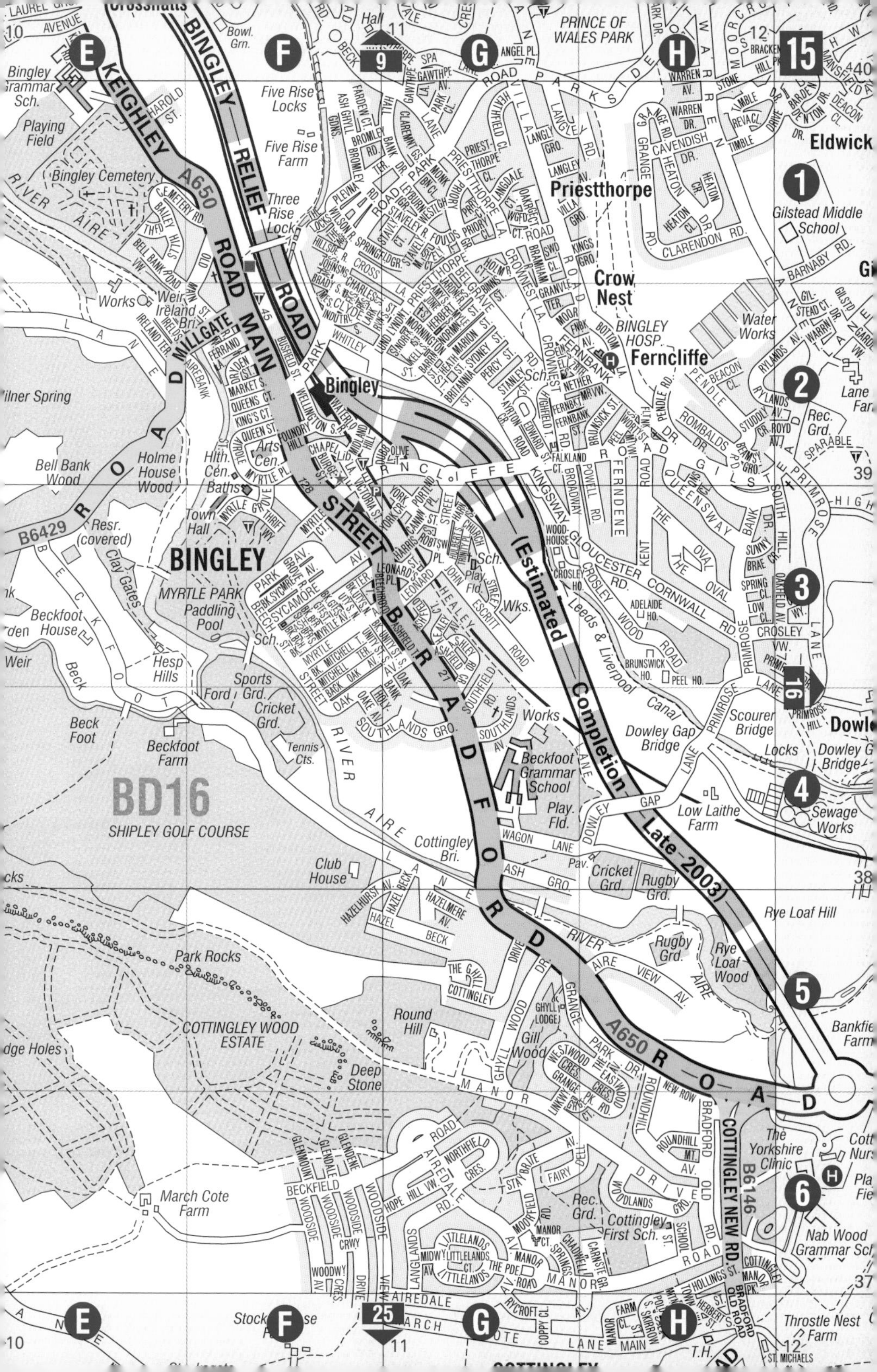
15
E
F
G
H
1
2
3
4
5
6
9
16
25
10
11
12
37
38
39
40
BINGLEY
Bingley
Priestthorpe
Crow Nest
Ferncliffe
Eldwick
BD16
SHIPLEY GOLF COURSE
COTTINGLEY WOOD ESTATE
KEIGHLEY ROAD
A650
BINGLEY RELIEF ROAD
MAIN STREET
BRADFORD ROAD
A650 ROAD
B6429
B6146
COTTINGLEY NEW RD.
(Estimated Completion Late 2003)
Leeds & Liverpool Canal
RIVER AIRE
Bingley Grammar Sch.
Playing Field
Bingley Cemetery
Five Rise Locks
Five Rise Farm
Three Rise Lock
PRINCE OF WALES PARK
Gilstead Middle School
Water Works
BINGLEY HOSP.
Works
Weir
Ireland Bri.
Bell Bank Wood
Holme House Wood
Hlth. Cen.
Baths
Town Hall
Arts Cen.
Lib.
Resr. (covered)
Clay Gates
MYRTLE PARK
Paddling Pool
Beckfoot House
Hesp Hills
Sports Grd.
Cricket Grd.
Tennis Cts.
Beck Foot
Beckfoot Farm
Beckfoot Grammar School
Play. Fld.
Cottingley Bri.
Club House
Low Laithe Farm
Sewage Works
Dowley Gap Bridge
Scourer Bridge
Locks
Rye Loaf Hill
Rye Loaf Wood
Rugby Grd.
Park Rocks
Round Hill
Deep Stone
Gill Wood
March Cote Farm
Rec. Grd.
Cottingley First Sch.
The Yorkshire Clinic
Nab Wood Grammar Sch.
Throstle Nest Farm
Bankfield Farm
MYRTLE GROVE
DOWLEY GAP LANE
MANOR ROAD
AIREDALE
MARCH COTE LANE
MAIN
GILSTEAD LANE
PRIMROSE LANE
CROSLEY WOOD ROAD
GLOUCESTER RD.
CORNWALL RD.
KINGSWAY
FERNCLIFFE ROAD
PARKSIDE ROAD
CLARENDON RD.
BECKFOOT LANE
WAGON LANE
ASH GRO.
HAZEL BECK
AIRE VIEW AV.
NORTHFIELD
WOODSIDE
BLACKHILL

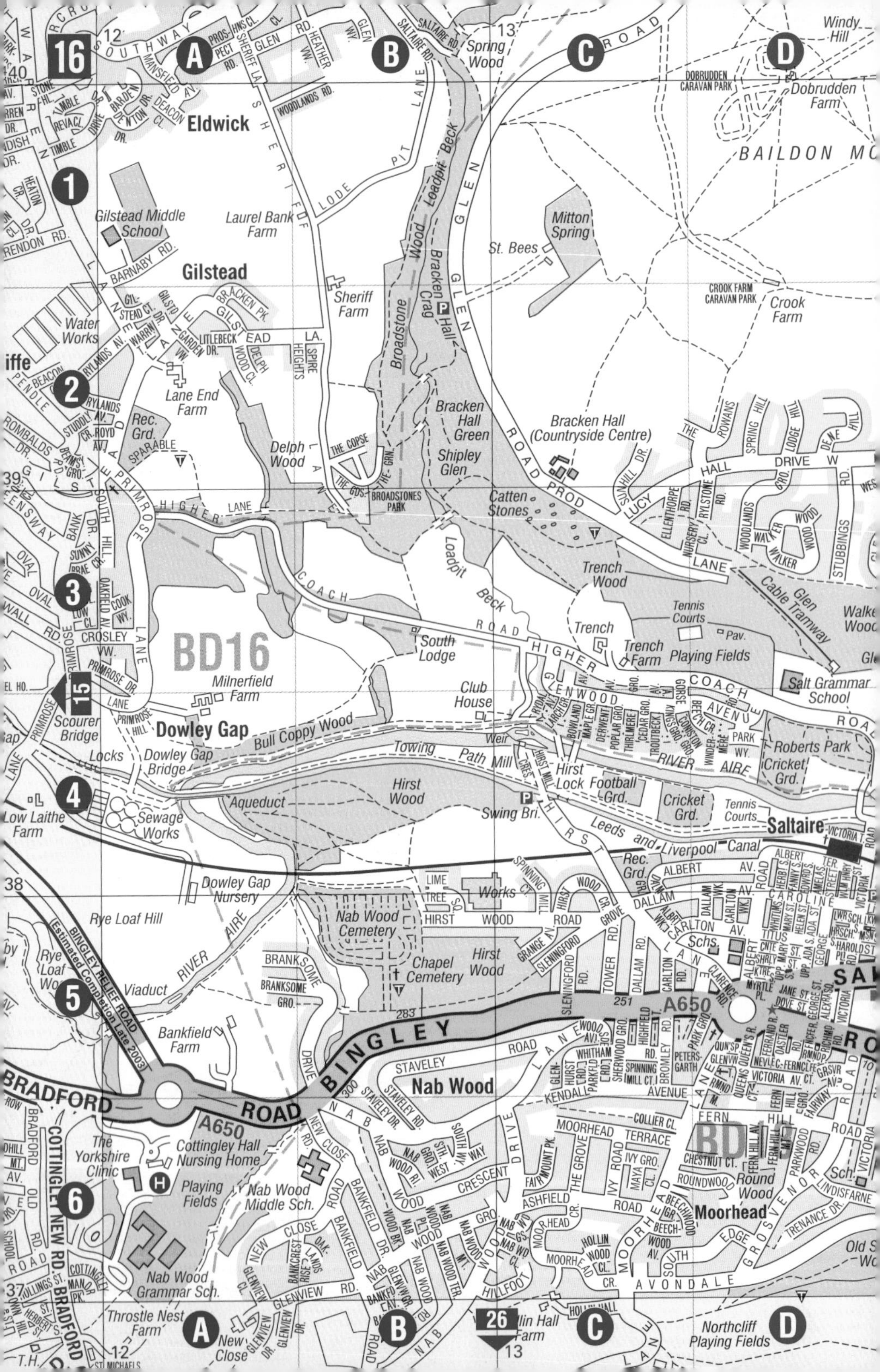
16
Eldwick
Gilstead Middle School
Laurel Bank Farm
Gilstead
Water Works
Lane End Farm
Rec. Grd.
Sheriff Farm
Delph Wood
Broadstone Wood
Loadpit Beck
Bracken Crag
Bracken Hall
Bracken Hall Green
Shipley Glen
Spring Wood
Dobrudden Caravan Park
Dobrudden Farm
Windy Hill
BAILDON MO
Mitton Spring
St. Bees
Crook Farm Caravan Park
Crook Farm
Bracken Hall (Countryside Centre)
Catten Stones
Trench Wood
Trench
Trench Farm
Tennis Courts
Playing Fields
Glen Cable Tramway
Salt Grammar School
Roberts Park
Cricket Grd.
BD16
Milnerfield Farm
South Lodge
Club House
Dowley Gap
Bull Coppy Wood
Scourer Bridge
Locks
Dowley Gap Bridge
Towing Path
Mill
Weir
River Aire
Hirst Lock
Football Grd.
Hirst Wood
Aqueduct
Swing Bri.
Low Laithe Farm
Sewage Works
Leeds and Liverpool Canal
Saltaire
Dowley Gap Nursery
Rye Loaf Hill
Nab Wood Cemetery
Chapel Cemetery
Works
Viaduct
Bankfield Farm
BINGLEY RELIEF ROAD
Estimated Completion Late 2003
BRADFORD ROAD
BINGLEY ROAD
A650
Nab Wood
The Yorkshire Clinic
Cottingley Hall Nursing Home
Playing Fields
Nab Wood Middle Sch.
Nab Wood Grammar Sch.
Throstle Nest Farm
New Close
Moorhead
Round Wood
BD18
Northcliff Playing Fields
Hollin Hall Farm
26
15
A
B
C
D
1
2
3
4
5
6
12
13
37
38
39
40

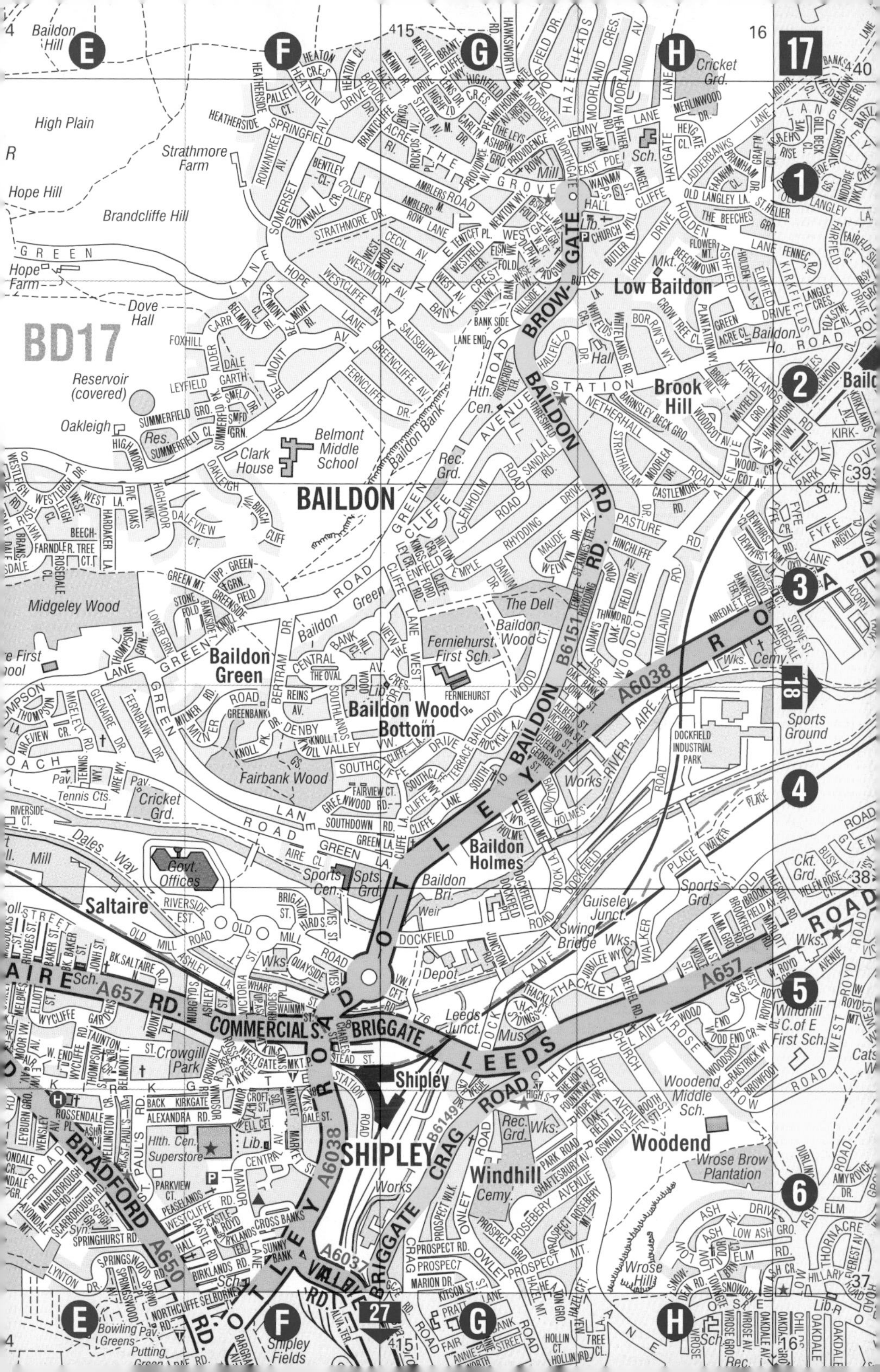

17
BD17
BAILDON
Baildon Hill
High Plain
Strathmore Farm
Hope Hill
Brandcliffe Hill
Hope Farm
Dove Hall
Reservoir (covered)
Oakleigh
Clark House
Belmont Middle School
Low Baildon
Brook Hill
Midgeley Wood
Baildon Green
Ferniehurst First Sch.
Baildon Wood
The Dell
Baildon Wood Bottom
Fairbank Wood
Cricket Grd.
Tennis Cts.
Govt. Offices
Saltaire
Dales Way
Baildon Holmes
Baildon Bri.
Dockfield Industrial Park
Sports Ground
Guiseley Junct.
Swing Bridge
Leeds Junct.
Crowgill Park
Shipley
SHIPLEY
Windhill
Windhill Cemy.
Woodend
Woodend Middle Sch.
Wrose Brow Plantation
Wrose Hill
Windhill C.of E First Sch.
Shipley Fields
Bowling Greens
A6038
A657
A650
A6037
B6151
B6149
OTLEY ROAD
BAILDON RD.
BROWGATE
LEEDS ROAD
BRIGGATE
COMMERCIAL ST.
BRADFORD RD.
CRAG ROAD
AIRE RD.
18
27

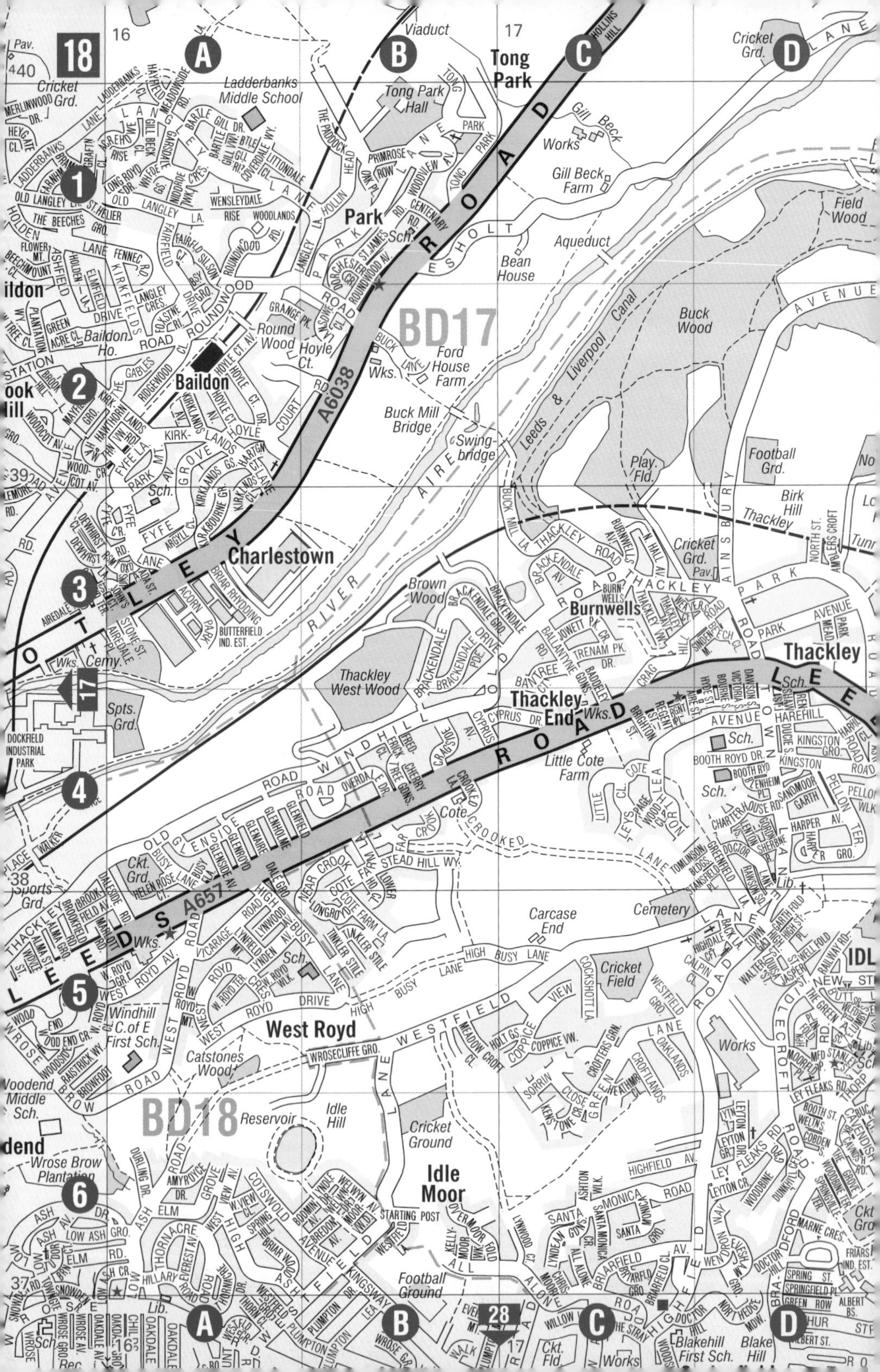
A
B
C
D
1
2
3
4
5
6
16
17
Viaduct
Tong Park
Ladderbanks Middle School
Tong Park Hall
Cricket Grd.
Works
Gill Beck
Gill Beck Farm
Field Wood
Park
Aqueduct
Bean House
Baildon
BD17
Buck Wood
Round Wood
Hoyle Ct.
Ford House Farm
Baildon Ho.
Wks.
Buck Mill Bridge
Swing-bridge
A6038
Leeds & Liverpool Canal
Play. Fld.
Football Grd.
Birk Hill
Thackley
Charlestown
River Aire
Brown Wood
Burnwells
Butterfield Ind. Est.
Cemy.
Thackley West Wood
Thackley End
Spts. Grd.
Dockfield Industrial Park
Little Cote Farm
Sch.
Lib.
Ckt. Grd.
A657
Carcase End
Cemetery
Cricket Field
West Royd
Windhill C.of E First Sch.
Catstones Wood
Woodend Middle Sch.
BD18
Reservoir
Idle Hill
Cricket Ground
Idle Moor
Wrose Brow Plantation
Football Ground
Blakehill First Sch.
Blake Hill
Friars Ind. Est.
IDLE
Sports Grd.
28
Leeds Road
Otley Road
Thackley Road
Esholt
Park Avenue
Ainsbury Avenue
Windhill Road
Crooked Lane
High Busy Lane
Westfield Lane
Highfield Road
Idlecroft Road

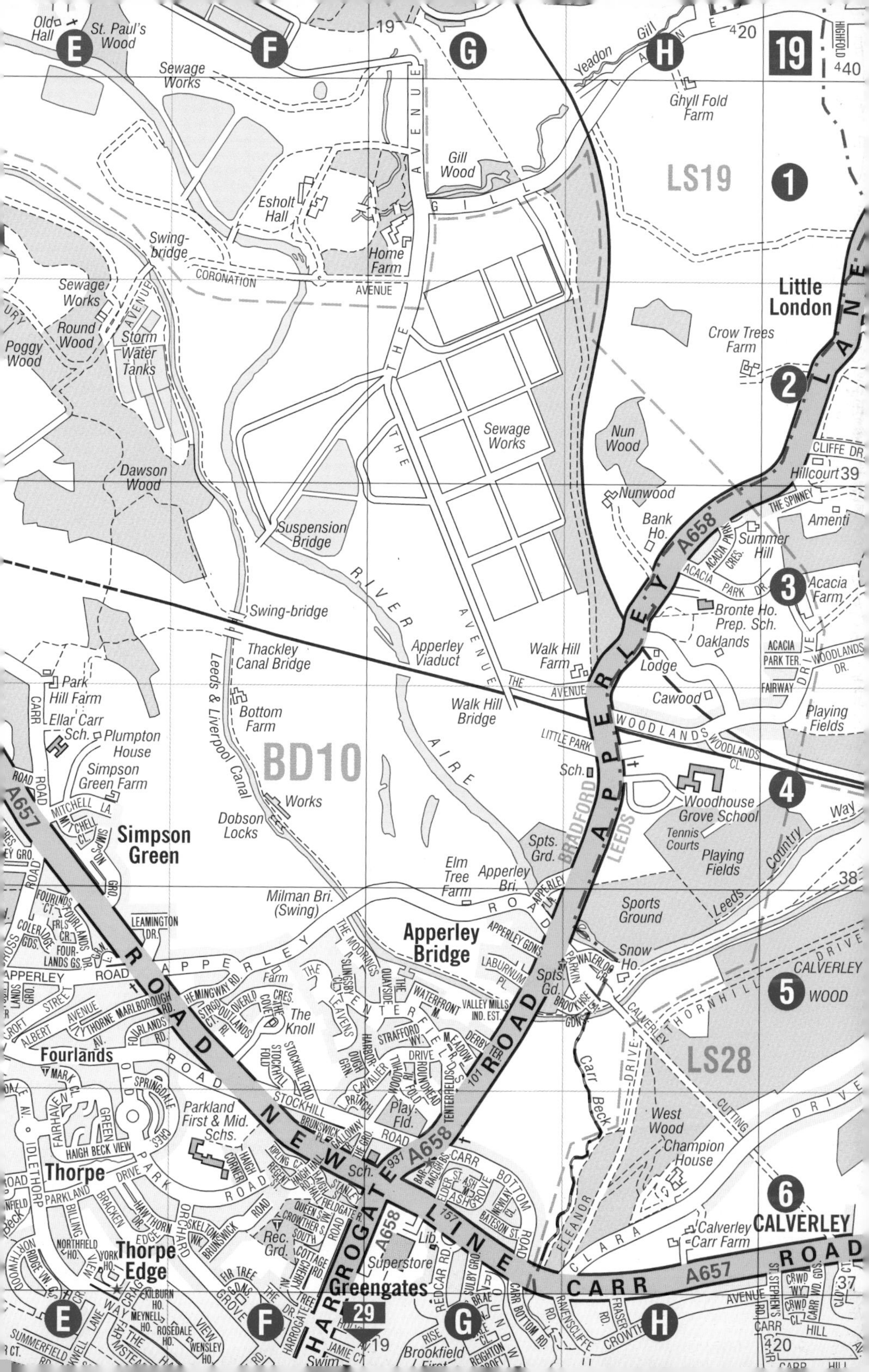

Old Hall
St. Paul's Wood
Sewage Works
Gill Wood
Yeadon Gill
Ghyll Fold Farm
LS19
Esholt Hall
Home Farm
Swing-bridge
Coronation Avenue
The Avenue
Little London
Crow Trees Farm
Sewage Works
Round Wood
Storm Water Tanks
Poggy Wood
Nun Wood
Dawson Wood
Nunwood
Hillcourt
Cliffe Dr.
The Spinney
Amenti
Bank Ho.
Summer Hill
Suspension Bridge
River Aire
A658
Apperley Lane
Acacia Park Dr.
Acacia Farm
Bronte Ho. Prep. Sch.
Oaklands
Swing-bridge
Thackley Canal Bridge
Apperley Viaduct
Walk Hill Farm
Lodge
Cawood
Woodlands Dr.
Fairway
Playing Fields
Park Hill Farm
Bottom Farm
Walk Hill Bridge
Little Park
Woodlands Cl.
Ellar Carr Sch.
Plumpton House
BD10
Sch.
Woodhouse Grove School
Simpson Green Farm
Leeds & Liverpool Canal
Works
Tennis Courts
Playing Fields
Dobson Locks
Simpson Green
Spts. Grd.
Leeds Country Way
A657
Elm Tree Farm
Apperley Bri.
Milman Bri. (Swing)
Apperley Road
Sports Ground
Apperley Bridge
Snow Ho.
Calverley Wood
Leamington Dr.
Laburnum Pl.
Spts. Gd.
Waterloo Cr.
New Line
Hemingway Rd.
The Knoll
Valley Mills Ind. Est.
Calverley Drive
Thornhill Drive
Fourlands
Carr Beck
LS28
Stockhill Road
Parkland First & Mid. Schs.
West Wood
Champion House
Thorpe
Harrogate Road
A658
Carr Bottom Road
Lib.
Rec. Grd.
Superstore
Calverley Carr Farm
Calverley
Thorpe Edge
Greengates
Carr Road
A657
Clara Drive
Cutting
29
19
20
39
38
37
40
Brookfield

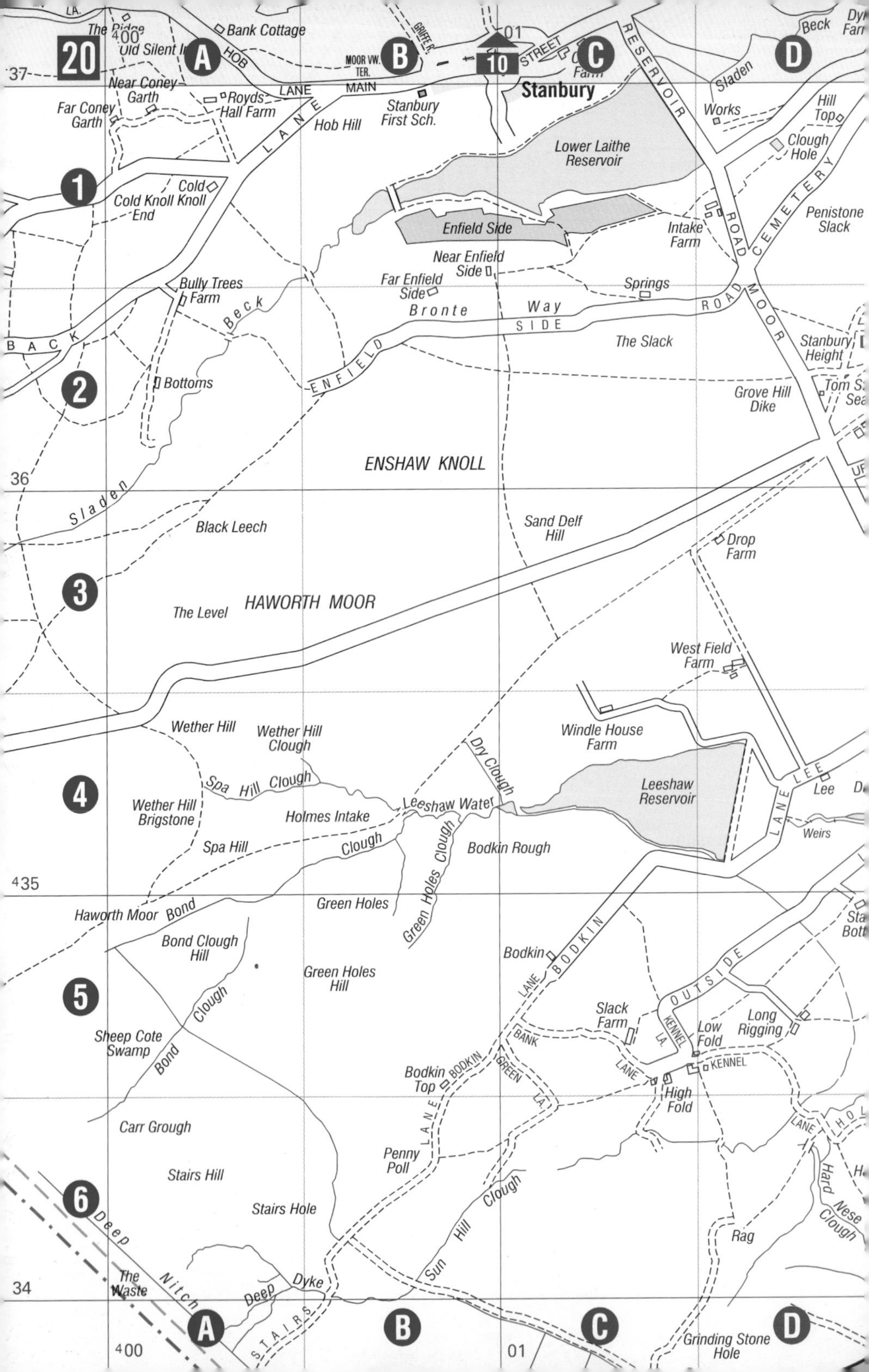
A
B
C
D
1
2
3
4
5
6
10
37
36
435
34
400
01
The Ridge
Bank Cottage
Old Silent Inn
HOB LANE
MOOR VW. TER.
GRIFFE R.
MAIN STREET
Stanbury
Near Coney Garth
Far Coney Garth
Royds Hall Farm
Hob Hill
Stanbury First Sch.
RESERVOIR ROAD
Sladen
Beck
Works
Hill Top
Clough Hole
Lower Laithe Reservoir
Cold Knoll
Cold Knoll End
Enfield Side
Intake Farm
CEMETERY
Penistone Slack
Near Enfield Side
Far Enfield Side
Springs
Bully Trees Farm
Beck
Bronte Way
SIDE ROAD
MOOR
BACK
ENFIELD
The Slack
Stanbury Height
Bottoms
Grove Hill Dike
ENSHAW KNOLL
Sladen
Black Leech
Sand Delf Hill
Drop Farm
HAWORTH MOOR
The Level
West Field Farm
Wether Hill
Wether Hill Clough
Windle House Farm
Dry Clough
Spa Hill Clough
Leeshaw Reservoir
Lee
LEE LANE
Wether Hill Brigstone
Holmes Intake
Leeshaw Water
Weirs
Spa Hill
Clough
Green Holes Clough
Bodkin Rough
Haworth Moor Bond
Green Holes
Bond Clough Hill
Bodkin
BODKIN LANE
Green Holes Hill
OUTSIDE
Slack Farm
Long Rigging
Sheep Cote Swamp
Clough
BANK LANE
KENNEL LA.
Low Fold
KENNEL
Bond
Bodkin Top
BODKIN LANE
GREEN LA.
High Fold
Carr Grough
LANE
Penny Poll
Stairs Hill
Sun Hill Clough
Hard Nese Clough
Deep Nitch
Stairs Hole
Rag
The Waste
Deep Dyke
STAIRS
Grinding Stone Hole

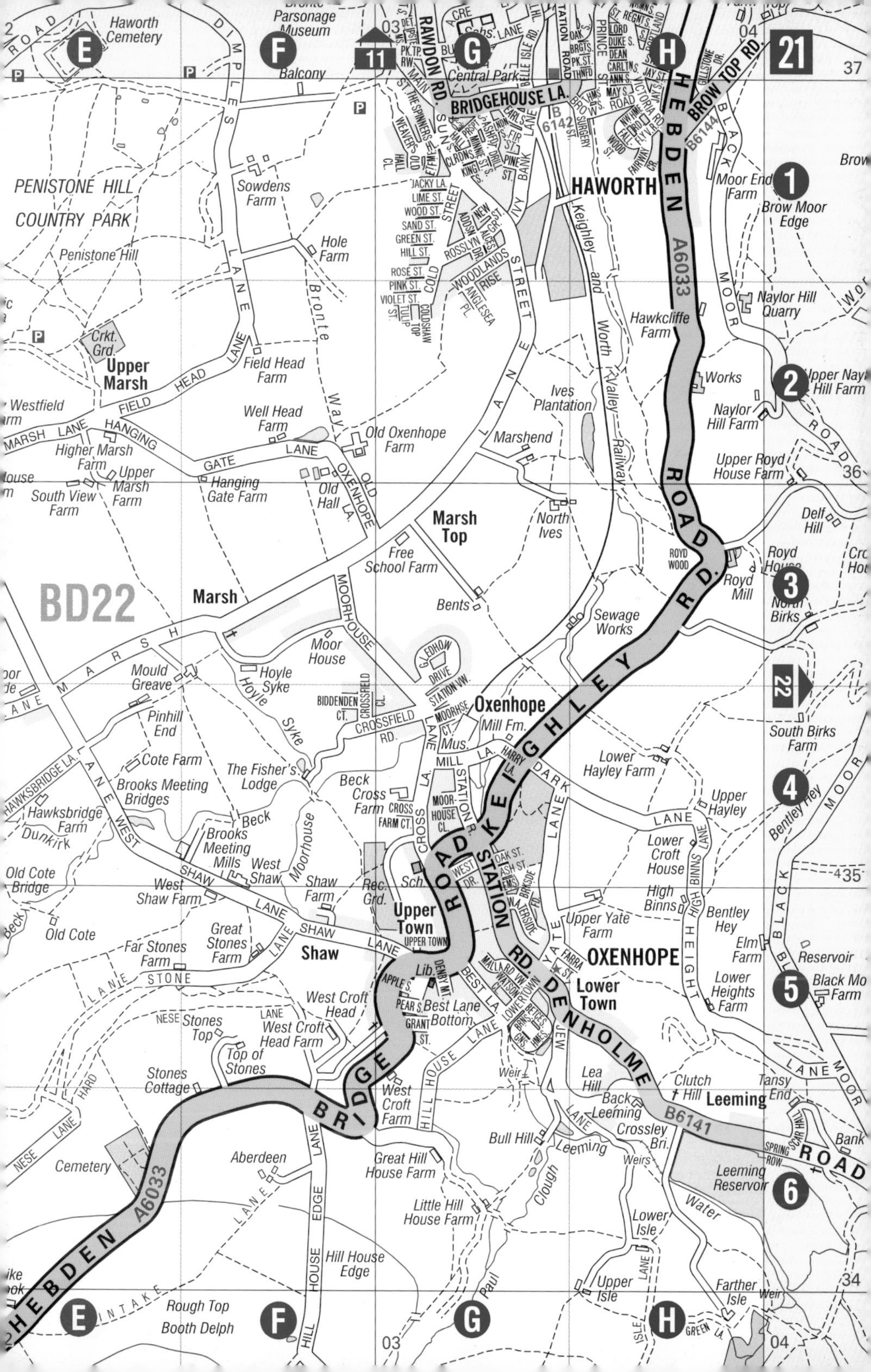

21
Haworth Cemetery
Bronte Parsonage Museum
11
Balcony
Central Park
BRIDGEHOUSE LA.
RAWDON RD.
HAWORTH
BROW TOP RD.
B6144
B 6142
PENISTONE HILL
COUNTRY PARK
Penistone Hill
Sowdens Farm
Hole Farm
Bronte Way
DIMPLES LANE
Moor End Farm
Brow Moor Edge
HEBDEN ROAD
A6033
Keighley and Worth Valley Railway
Hawkcliffe Farm
Naylor Hill Quarry
Crkt. Grd.
Upper Marsh
Field Head Farm
FIELD HEAD LANE
Westfield Farm
MARSH LANE
HANGING GATE LANE
Higher Marsh Farm
Upper Marsh Farm
South View Farm
Hanging Gate Farm
Well Head Farm
Old Oxenhope Farm
OLD OXENHOPE LA.
Old Hall
Ives Plantation
Marshend
Works
Naylor Hill Farm
Upper Naylor Hill Farm
Upper Royd House Farm
Marsh Top
North Ives
Free School Farm
Delf Hill
Royd House
ROYD WOOD
Royd Mill
North Birks
BD22
Marsh
MOORHOUSE LANE
Bents
Sewage Works
KEIGHLEY RD.
Moor House
Hoyle Syke
Mould Greave
Oxenhope
Mill Fm.
22
South Birks Farm
CROSSFIELD RD.
Pinhill End
Cote Farm
The Fisher's Lodge
Brooks Meeting Bridges
Hawksbridge Farm
HAWKSBRIDGE LA.
Dunkirk
WEST LANE
Beck Cross Farm
Lower Hayley Farm
Upper Hayley
DARK LANE
Brooks Meeting Mills
West Shaw
Old Cote Bridge
West Shaw Farm
SHAW LANE
Shaw Farm
Rec. Grd.
Upper Town
STATION RD.
Lower Croft House
High Binns
HIGH BINNS LANE
Bentley Hey
BLACK MOOR
Old Cote
Great Stones Farm
Far Stones Farm
Shaw
STONE LANE
Upper Yate Farm
OXENHOPE
Elm Farm
Reservoir
Lower Heights Farm
Black Moor Farm
Lower Town
DENHOLME RD.
West Croft Head
West Croft Head Farm
Stones Top
Top of Stones
Best Lane Bottom
HILL HOUSE LANE
Stones Cottage
BRIDGE
West Croft Farm
Lea Hill
Back Leeming
Clutch Hill
Leeming
Tansy End
Bull Hill
Crossley Bri.
B6141
ROAD
Cemetery
Aberdeen
Great Hill House Farm
Leeming Reservoir
Weirs
Clough
Little Hill House Farm
Lower Isle
Hill House Edge
HILL HOUSE EDGE LANE
Paul
Upper Isle
Farther Isle
INTAKE LANE
Rough Top
Booth Delph
GREEN LA.
HEBDEN
37
36
35
34
03
04

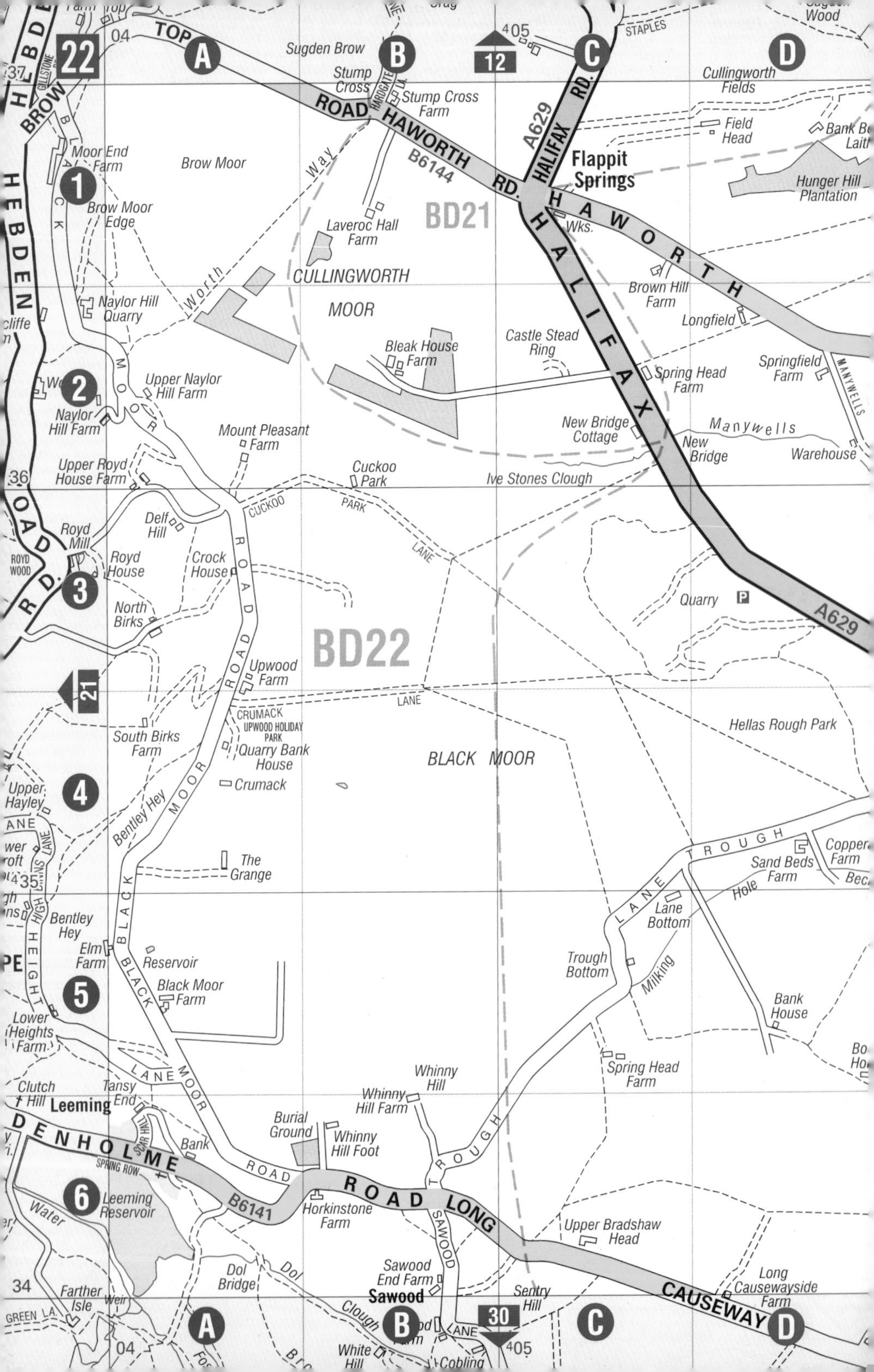

22
Sugden Brow
Stump Cross
Stump Cross Farm
TOP ROAD
HAWORTH RD.
B6144
A629
HALIFAX RD.
STAPLES
Cullingworth Fields
Field Head
Bank Bottom Laithe
Flappit Springs
Hunger Hill Plantation
Moor End Farm
Brow Moor
BD21
Brow Moor Edge
Laveroc Hall Farm
CULLINGWORTH
MOOR
Worth Way
Naylor Hill Quarry
Brown Hill Farm
Longfield
Bleak House Farm
Castle Stead Ring
Upper Naylor Hill Farm
Spring Head Farm
Springfield Farm
MANYWELLS
Naylor Hill Farm
Mount Pleasant Farm
New Bridge Cottage
Manywells
New Bridge
Warehouse
Upper Royd House Farm
Cuckoo Park
Ive Stones Clough
CUCKOO PARK LANE
Delf Hill
Royd Mill
Royd House
ROYD WOOD
Crock House
North Birks
Quarry
BD22
Upwood Farm
21
CRUMACK LANE
UPWOOD HOLIDAY PARK
Quarry Bank House
Crumack
South Birks Farm
Hellas Rough Park
BLACK MOOR
Upper Hayley
Bentley Hey
The Grange
TROUGH LANE
Copper Farm
Sand Beds Farm
Hole
Lane Bottom
Bentley Hey
Elm Farm
HIGH LANE
HEIGHT
Reservoir
Trough Bottom
Milking
Black Moor Farm
Bank House
Lower Heights Farm
LANE
MOOR ROAD
BLACK MOOR ROAD
Whinny Hill
Spring Head Farm
Clutch Hill
Tansy End
Leeming
Whinny Hill Farm
Burial Ground
Whinny Hill Foot
DENHOLME ROAD
SCAR HALL
Bank
SPRING ROW
TROUGH
Leeming Reservoir
B6141
Horkinstone Farm
LONG CAUSEWAY
SAWOOD
Upper Bradshaw Head
Water
Dol Bridge
Dol
Sawood End Farm
Sawood
Sentry Hill
Long Causewayside Farm
Farther Isle
Weir
Clough
GREEN LA.
30
White Hill
Cobling
LANE
A
B
C
D
1
2
3
4
5
6
04
405
37
36
35
34
12

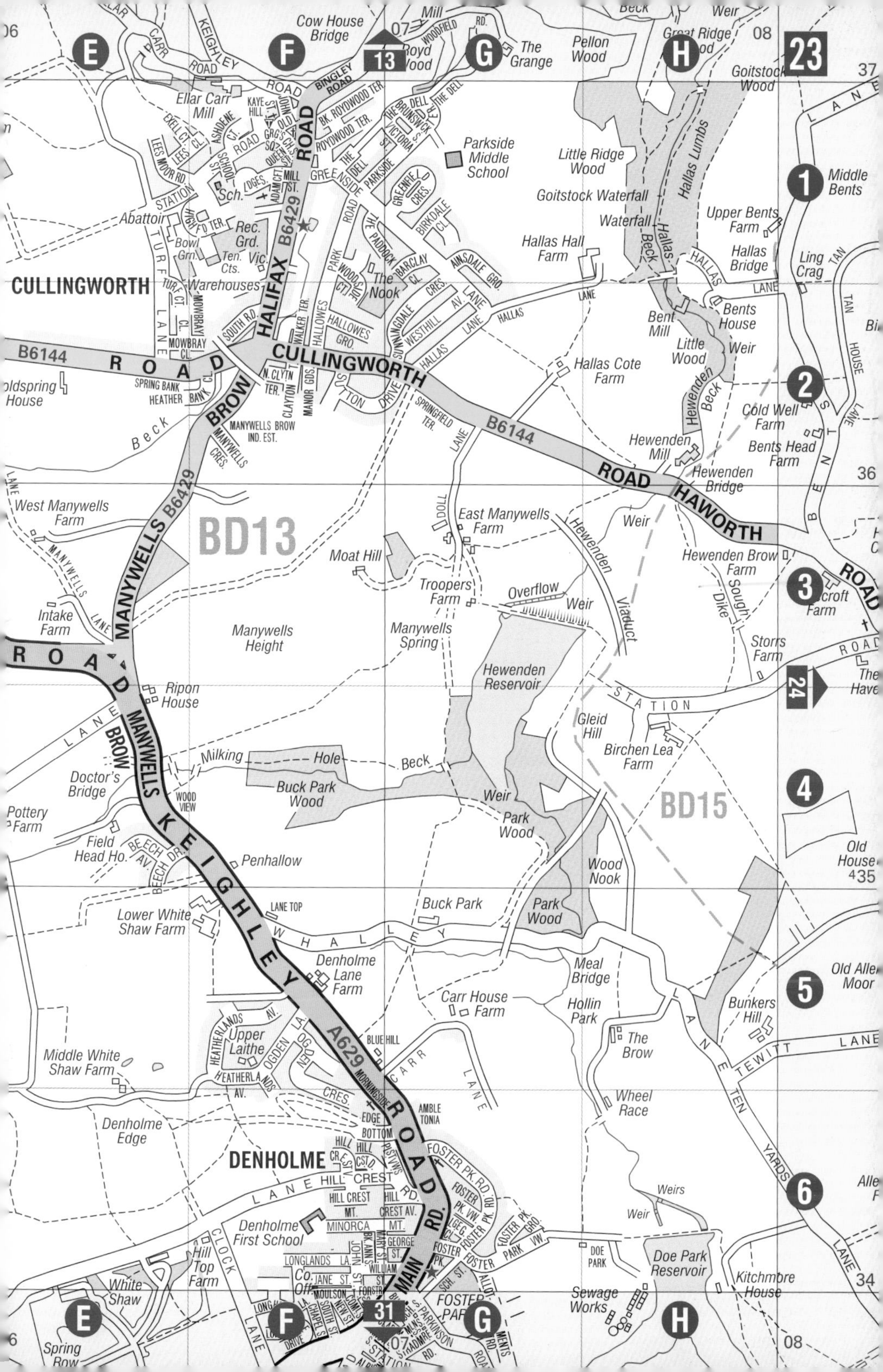

23
13
31
24
CULLINGWORTH
DENHOLME
BD13
BD15
Cow House Bridge
Royd Wood
The Grange
Pellon Wood
Great Ridge Wood
Goitstock Wood
Ellar Carr Mill
Parkside Middle School
Little Ridge Wood
Goitstock Waterfall
Waterfall
Hallas Lumbs
Middle Bents
Upper Bents Farm
Hallas Bridge
Ling Crag
Hallas Hall Farm
Abattoir
Rec. Grd.
Bowl Grn.
Ten. Cts.
Warehouses
The Nook
Bent Mill
Bents House
Little Wood
Weir
Hallas Cote Farm
Hewenden Beck
Cold Well Farm
Bents Head Farm
Hewenden Mill
Hewenden Bridge
Manywells Brow Ind. Est.
West Manywells Farm
East Manywells Farm
Moat Hill
Troopers Farm
Overflow
Hewenden Viaduct
Hewenden Brow Farm
Intake Farm
Manywells Height
Manywells Spring
Hewenden Reservoir
Storrs Farm
Ripon House
Gleid Hill
Birchen Lea Farm
Milking Hole Beck
Buck Park Wood
Doctor's Bridge
Pottery Farm
Park Wood
Field Head Ho.
Penhallow
Wood Nook
Old House
Lower White Shaw Farm
Buck Park
Denholme Lane Farm
Meal Bridge
Old Allen Moor
Carr House Farm
Hollin Park
Bunkers Hill
Upper Laithe
The Brow
Middle White Shaw Farm
Wheel Race
Denholme Edge
Weirs
Denholme First School
Doe Park Reservoir
Hill Top Farm
Kitchmore House
White Shaw
Sewage Works
Spring Row
B6144 ROAD
CULLINGWORTH
HAWORTH ROAD
HALIFAX ROAD B6429
MANYWELLS BROW
MANYWELLS B6429
KEIGHLEY ROAD A629
MANYWELLS BROW
WHALLEY LANE
STATION ROAD
HALLAS LANE
BENTS LANE
TEN YARDS LANE
TEWITT LANE
CARR LANE
HILL CREST
MAIN RD.
FOSTER PARK

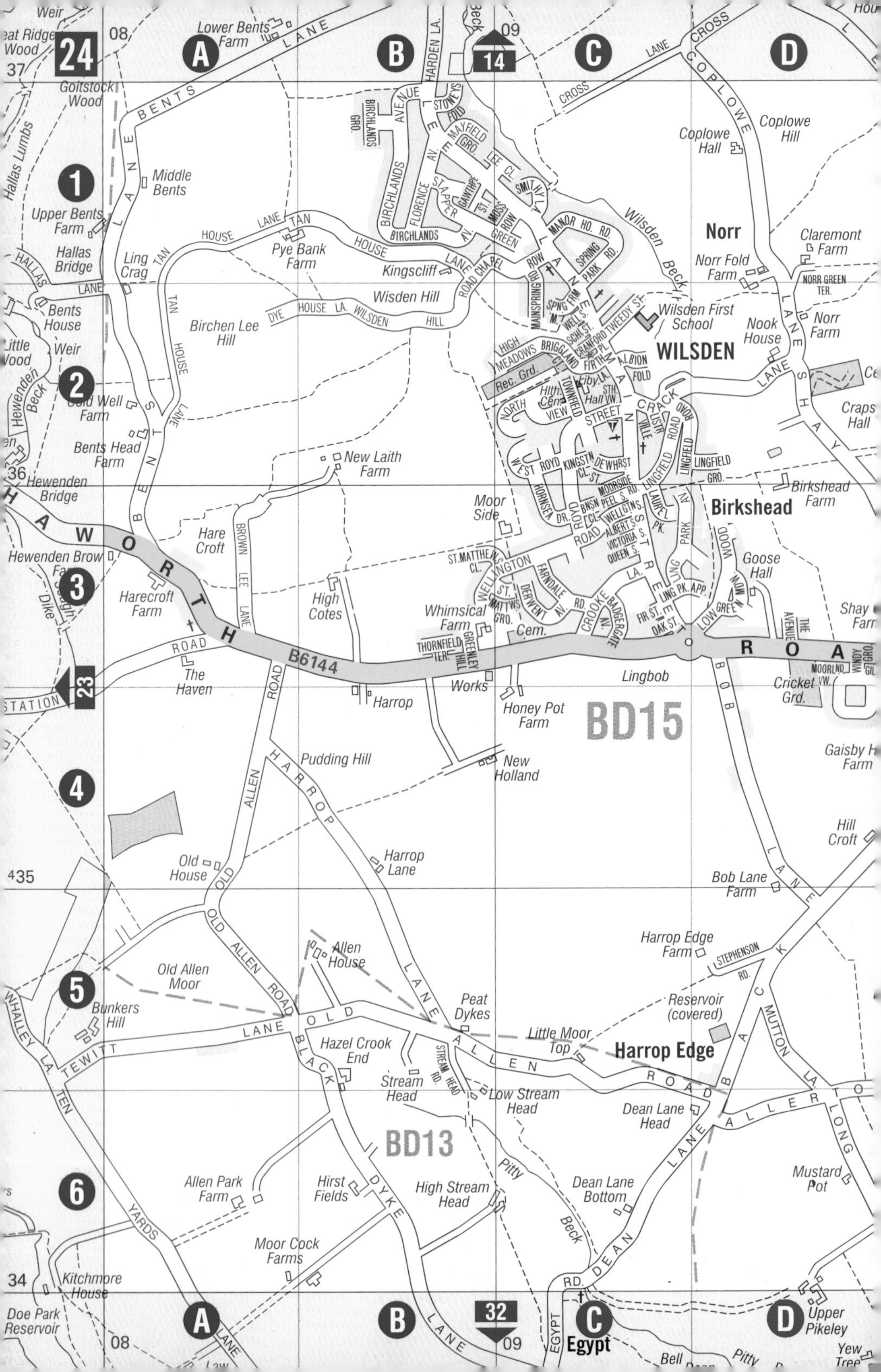
A
B
C
D
1
2
3
4
5
6
08
09
37
36
435
34
14
23
32
WILSDEN
Norr
Birkshead
Harrop Edge
Egypt
BD15
BD13
B6144
HAWORTH ROAD
BENTS LANE
HOUSE LANE
TAN HOUSE LANE
HARDEN LA.
LEE LANE
CROSS LANE
COPLOWE LANE
SHAY LANE
BIRCHLANDS AVENUE
BIRCHLANDS GRO.
MAYFIELD GRO.
FLORENCE AV.
STAPPER GRN.
STONEYS FOLD
GAWTHRP
MOSS ROW
SMITHY LA.
LEE CL.
MANOR HO. RD.
SPRING PARK RD.
CHAPEL ROW
MAINSPRING RD.
WILSDEN HILL
DYE HOUSE LA.
Wilsden Beck
Wilsden First School
TWEEDY ST.
CRANFORD PL.
HIGH MEADOWS
BRIGGLAND CT.
Rec. Grd.
ALBION FOLD
TOWNFIELD
MAIN STREET
CRACK LANE
NORTH VIEW
WEST ROYD
LINGFIELD ROAD
LINGFIELD GRO.
DEWHRST
MOORSIDE RD.
ROYD ROAD
HORNSEA DR.
LAUREL PK.
PARK AV.
WELLINGTON
ST. MATTHEWS CL.
FARNDALE RD.
DERWENT AV.
CROOKE LA.
BADGERGATE AV.
FIR ST.
OAK ST.
LING PK. APP.
LOW GREEN
WOOD VIEW
THE AVENUE
THORNFIELD TER.
GREENLEY HILL
MOORLND VW.
WINDY GRO.
BROWN LEE LANE
STATION ROAD
ALLEN ROAD
OLD ALLEN ROAD
HARROP LANE
TEWITT LANE
OLD ALLEN ROAD
BLACK DYKE LANE
STREAM HEAD RD.
BOB LANE
STEPHENSON RD.
BACK LANE
MUTTON LA.
ALLERTON
LONG LA.
DEAN LANE
EGYPT RD.
WHALLEY LA.
TEN YARDS LANE
Weir
Peat Ridge Wood
Goitstock Wood
Hallas Lumbs
Lower Bents Farm
Middle Bents
Upper Bents Farm
Hallas Bridge
Ling Crag
Bents House
Little Wood
Hewenden Beck
Cold Well Farm
Bents Head Farm
Hewenden Bridge
Hewenden Brow Farm
Harecroft Farm
The Haven
Pye Bank Farm
Kingscliff
Wisden Hill
Birchen Lee Hill
New Laith Farm
Hare Croft
High Cotes
Moor Side
Whimsical Farm
Cem.
Works
Harrop
Honey Pot Farm
Lingbob
Pudding Hill
New Holland
Old House
Harrop Lane
Old Allen Moor
Allen House
Bunkers Hill
Peat Dykes
Hazel Crook End
Little Moor Top
Stream Head
Low Stream Head
Allen Park Farm
Hirst Fields
High Stream Head
Moor Cock Farms
Kitchmore House
Doe Park Reservoir
Pitty Beck
Dean Lane Bottom
Dean Lane Head
Reservoir (covered)
Harrop Edge Farm
Bob Lane Farm
Hill Croft
Gaisby Hill Farm
Cricket Grd.
Shay Farm
Goose Hall
Birkshead Farm
Craps Hall
Norr Farm
Nook House
Norr Fold Farm
NORR GREEN TER.
Claremont Farm
Coplowe Hall
Coplowe Hill
Mustard Pot
Upper Pikeley
Yew Tree
Bell Dean
Law

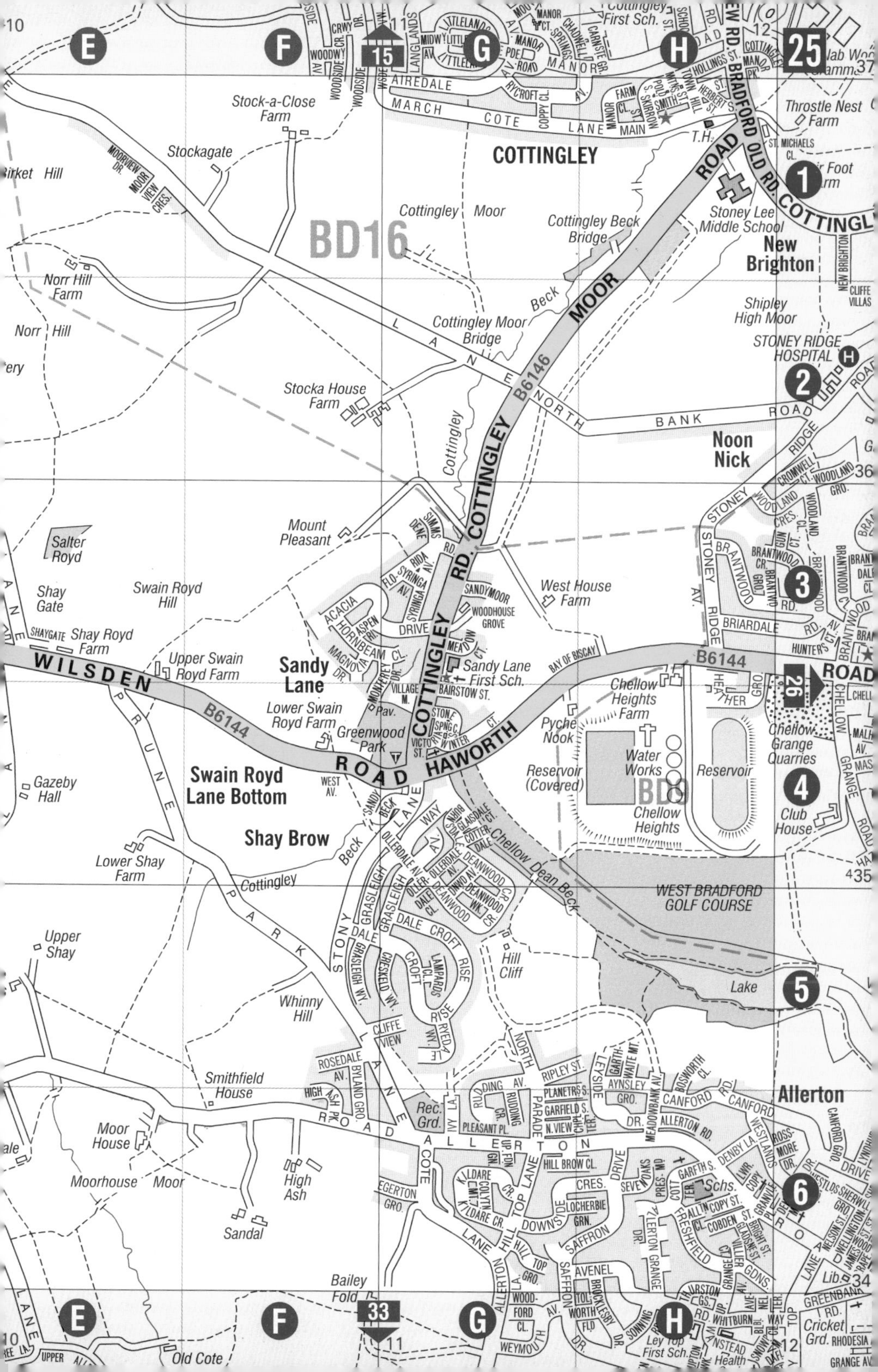
25
15
26
33
E
F
G
H
1
2
3
4
5
6
COTTINGLEY
BD16
BD9
Cottingley Moor
Stock-a-Close Farm
Stockagate
Birket Hill
Norr Hill Farm
Norr Hill
Cottingley Beck Bridge
Cottingley Moor Bridge
Stocka House Farm
Stoney Lee Middle School
New Brighton
Shipley High Moor
STONEY RIDGE HOSPITAL
Throstle Nest Farm
Noon Nick
Mount Pleasant
Salter Royd
Shay Gate
Swain Royd Hill
Shay Royd Farm
Upper Swain Royd Farm
Sandy Lane
Lower Swain Royd Farm
Greenwood Park
Sandy Lane First Sch.
West House Farm
Chellow Heights Farm
Pyche Nook
Water Works
Reservoir (Covered)
Reservoir
Chellow Heights
Chellow Grange Quarries
Club House
Swain Royd Lane Bottom
Shay Brow
Gazeby Hall
Lower Shay Farm
WEST BRADFORD GOLF COURSE
Chellow Dean Beck
Lake
Hill Cliff
Upper Shay
Whinny Hill
Smithfield House
Moor House
Moorhouse Moor
High Ash
Sandal
Bailey Fold
Old Cote
Allerton
Rec. Grd.
Ley Top First Sch.
Health
Lib.
Cricket Grd.
WILSDEN ROAD
B6144
HAWORTH ROAD
COTTINGLEY RD.
COTTINGLEY MOOR ROAD
B6146
BRADFORD OLD RD.
NORTH BANK ROAD
LANE
MARCH COTE LANE
MAIN
AIREDALE
MANOR ROAD
PRUNE PARK LANE
ALLERTON ROAD
ALLERTON LANE
STONEY RIDGE AV.
BRIARDALE RD.
CHELLOW GRANGE
CANFORD RD.
WESTLANDS DR.
SAFFRON
DOWNSIDE
HILL TOP LANE
COTE LANE
ASH LANE
FRESHFIELD
ALLERTON GRANGE DR.
BAY OF BISCAY
CLIFFE VIEW
DALE CROFT RISE
GRASLEIGH
STONY
BECK LANE
RIDGE
WOODLAND
BRANTWOOD
HUNTER'S
Cottingley
Beck

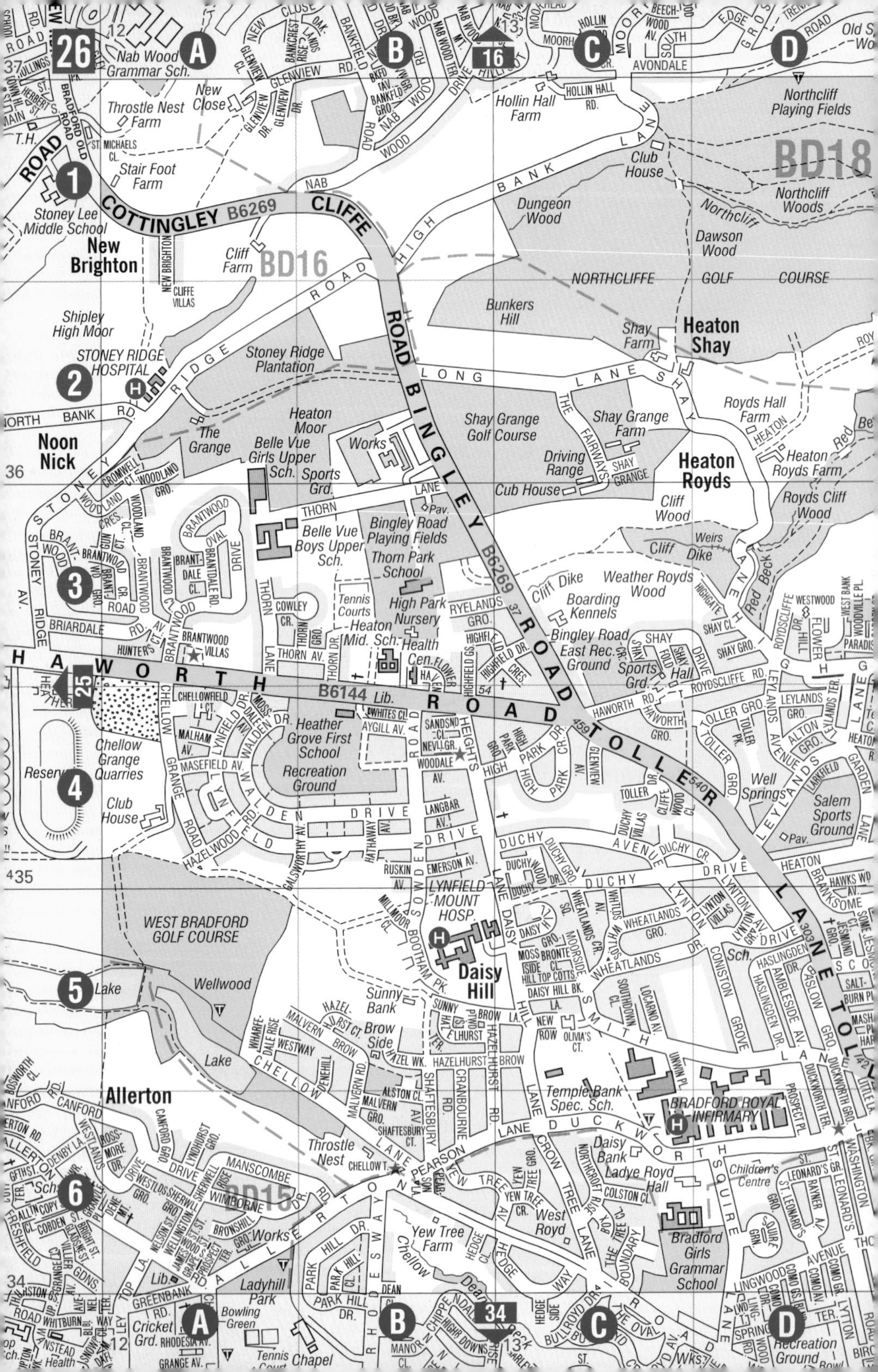
26
A
B
C
D
16
25
34
1
2
3
4
5
6
Nab Wood Grammar Sch.
New Close
Throstle Nest Farm
Stair Foot Farm
Stoney Lee Middle School
New Brighton
Cliff Farm
BD16
BD18
BD15
Hollin Hall Farm
Northcliff Playing Fields
Club House
Dungeon Wood
Northcliff Woods
Dawson Wood
NORTHCLIFFE GOLF COURSE
Bunkers Hill
Shay Farm
Heaton Shay
Shipley High Moor
STONEY RIDGE HOSPITAL
Stoney Ridge Plantation
Noon Nick
The Grange
Heaton Moor
Belle Vue Girls Upper Sch.
Sports Grd.
Works
Shay Grange Golf Course
Shay Grange Farm
Driving Range
Cub House
Royds Hall Farm
Heaton Royds Farm
Heaton Royds
Royds Cliff Wood
Cliff Wood
Cliff Dike
Weirs
Belle Vue Boys Upper Sch.
Bingley Road Playing Fields
Thorn Park School
Tennis Courts
High Park Nursery
Heaton Mid. Sch.
Health Cen.
Boarding Kennels
Weather Royds Wood
Bingley Road East Rec. Ground
Sports Grd.
Hall
Red Beck
Chellow Grange Quarries
Reservoir
Club House
Heather Grove First School
Recreation Ground
Lib.
Well Springs
Salem Sports Ground
Pav.
LYNFIELD MOUNT HOSP.
Daisy Hill
WEST BRADFORD GOLF COURSE
Wellwood
Lake
Sunny Bank
Brow Side
Allerton
Temple Bank Spec. Sch.
BRADFORD ROYAL INFIRMARY
Throstle Nest
Daisy Bank
Ladye Royd Hall
Children's Centre
West Royd
Yew Tree Farm
Chellow Dean
Bradford Girls Grammar School
Works
Lib.
Ladyhill Park
Bowling Green
Cricket Grd.
Tennis Court
Chapel
Recreation Ground
Sch.
COTTINGLEY CLIFFE ROAD B6269
BINGLEY ROAD B6269
HAWORTH ROAD B6144
TOLLER LANE
HIGH BANK LANE
NAB LANE
RIDGE ROAD
STONEY RIDGE
LONG LANE
SHAY LANE
NORTH BANK RD.
THORN LANE
DUCHY DRIVE
DUCKWORTH LANE
SMITH LANE
ALLERTON ROAD
PEARSON LANE
CHELLOW DR.
WALDEN DRIVE
LYNFIELD DRIVE
HEATON GROVE
LEYLANDS AVENUE

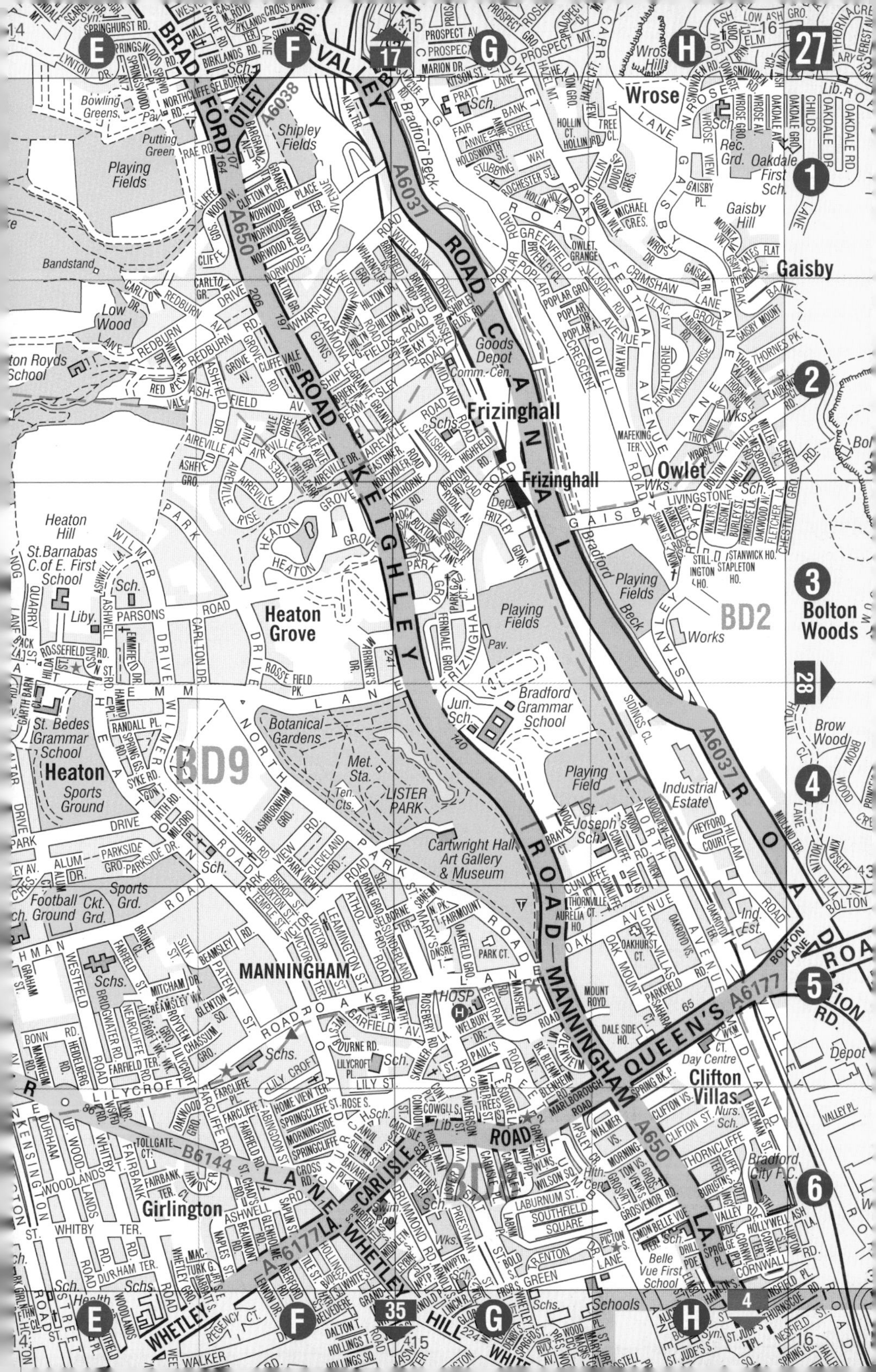
27
17
35
28
4
E
F
G
H
1
2
3
4
5
6
Wrose
Gaisby
Frizinghall
Owlet
Bolton Woods
BD2
BD9
Heaton Grove
Heaton
Heaton Hill
Low Wood
Shipley Fields
Playing Fields
MANNINGHAM
Girlington
Clifton Villas
Brow Wood
Botanical Gardens
LISTER PARK
Cartwright Hall Art Gallery & Museum
Bradford Grammar School
Industrial Estate
Goods Depot
Bradford City F.C.
St. Bedes Grammar School
St.Barnabas C.of E. First School
Oakdale First Sch.
Belle Vue First School
Sports Ground
Football Ground
Ckt. Grd.
KEIGHLEY ROAD
MANNINGHAM LANE
QUEEN'S ROAD
CANAL ROAD
BRADFORD ROAD
OTLEY ROAD
VALLEY ROAD
EMM LANE
NORTH PARK ROAD
OAK LANE
CARLISLE ROAD
LILYCROFT ROAD
WHETLEY LANE
WHETLEY HILL
GAISBY LANE
WROSE ROAD
FESTIVAL AVENUE
POWELL AVENUE
A650
A6037
A6038
A6177
B6144

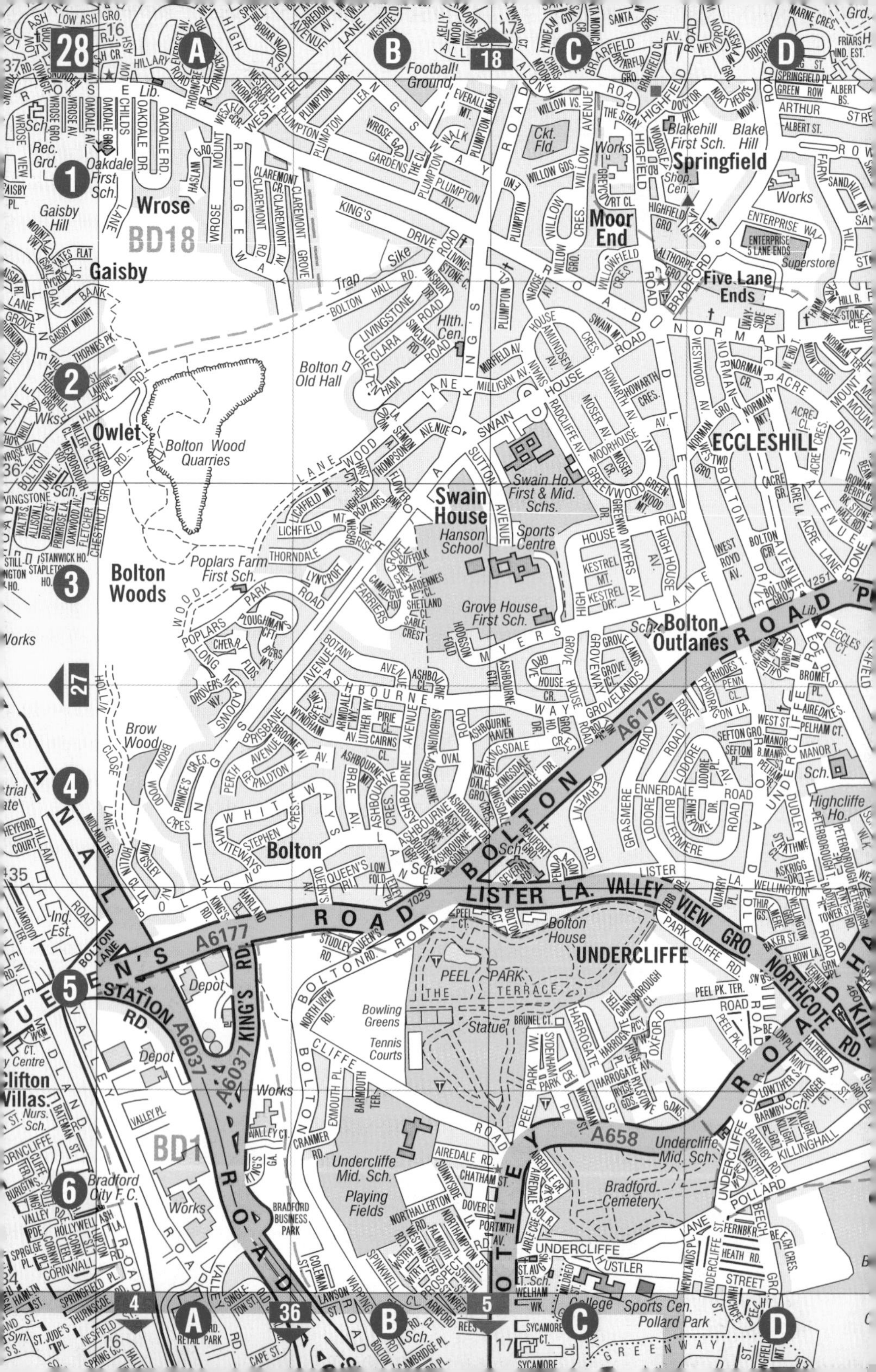
A
B
C
D
18
1
2
3
4
5
6
27
4
36
5
Wrose
BD18
Gaisby Hill
Gaisby
Oakdale First Sch.
Owlet
Bolton Wood Quarries
Bolton Woods
Poplars Farm First Sch.
Brow Wood
Bolton
Bolton Old Hall
Hlth. Cen.
Football Ground
Ckt. Fld.
Moor End
Springfield
Blakehill First Sch.
Blake Hill
Five Lane Ends
Superstore
Works
ECCLESHILL
Swain House
Hanson School
Sports Centre
Swain Ho. First & Mid. Schs.
Grove House First Sch.
Bolton Outlanes
Highcliffe Ho.
UNDERCLIFFE
Bolton House
PEEL PARK
Statue
Bowling Greens
Tennis Courts
Undercliffe Mid. Sch.
Playing Fields
Bradford Cemetery
College
Sports Cen.
Pollard Park
BD1
Bradford City F.C.
Clifton Villas
Depot
BRADFORD BUSINESS PARK
RETAIL PARK
KING'S ROAD
BOLTON ROAD
LISTER LA.
VALLEY VIEW GRO.
NORTHCOTE RD.
OTLEY ROAD
HARROGATE ROAD
CANAL ROAD
A6176
A6177
A6037
A658
STATION RD.
MIDLAND RD.
VALLEY ROAD
BOLTON HALL RD.
BOLTON LANE
SWAIN HOUSE ROAD
MYERS LANE
IDLE ROAD
NORMAN LANE
ASHBOURNE WAY
KINGS WAY
WESTFIELD LANE
UNDERCLIFFE ROAD
POLLARD LANE
PEEL PARK VW.
GREENWAY

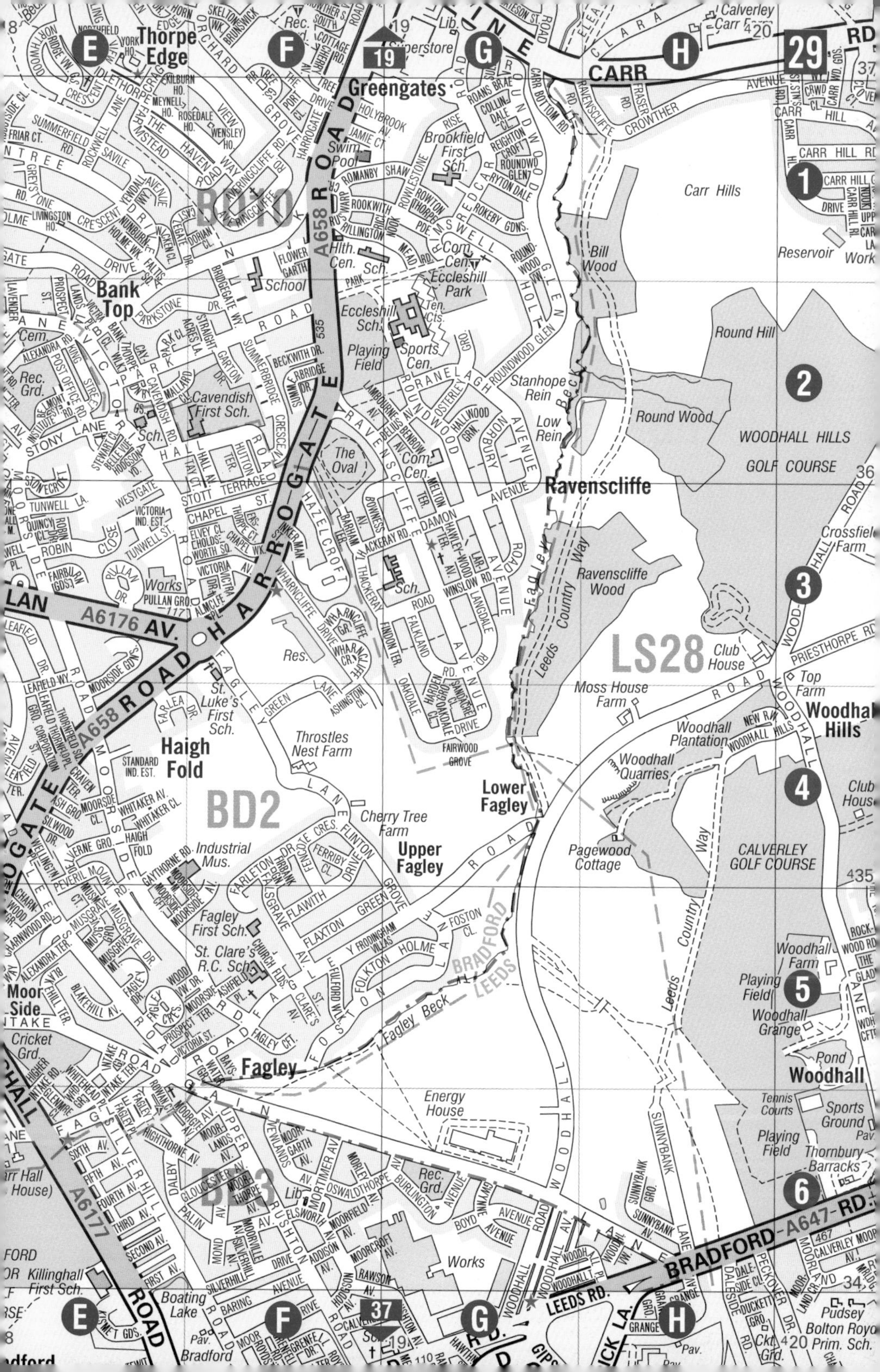

29
19
37
E
F
G
H
1
2
3
4
5
6
Thorpe Edge
Greengates
Superstore
Calverley Carr Farm
CARR
CARR HILL
Carr Hills
Reservoir
BD10
Brookfield First Sch.
Swim. Pool
Bill Wood
Eccleshill Park
Eccleshill Sch.
Playing Field
Sports Cen.
Bank Top
Cem.
Rec. Grd.
Cavendish First Sch.
Round Hill
Round Wood
WOODHALL HILLS GOLF COURSE
Stanhope Rein
Low Rein
Ravenscliffe
Ravenscliffe Wood
Leeds Country Way
Fagley Beck
The Oval
Crossfield Farm
LS28
Club House
Moss House Farm
Top Farm
Woodhall Hills
Woodhall Plantation
Woodhall Quarries
A6176 AV.
HARROGATE ROAD
A658
St. Luke's First Sch.
Res.
Throstles Nest Farm
Haigh Fold
BD2
Cherry Tree Farm
Lower Fagley
Upper Fagley
Pagewood Cottage
CALVERLEY GOLF COURSE
Industrial Mus.
Fagley First Sch.
St. Clare's R.C. Sch.
Moor Side
Cricket Grd.
BRADFORD
LEEDS
Fagley
Woodhall Farm
Playing Field
Woodhall Grange
Pond
Woodhall
Energy House
Tennis Courts
Sports Ground
Thornbury Barracks
BD3
Rec. Grd.
Works
A6177
Killinghall First Sch.
BRADFORD A647 RD.
LEEDS RD.
Boating Lake
Pudsey Bolton Royd Prim. Sch.

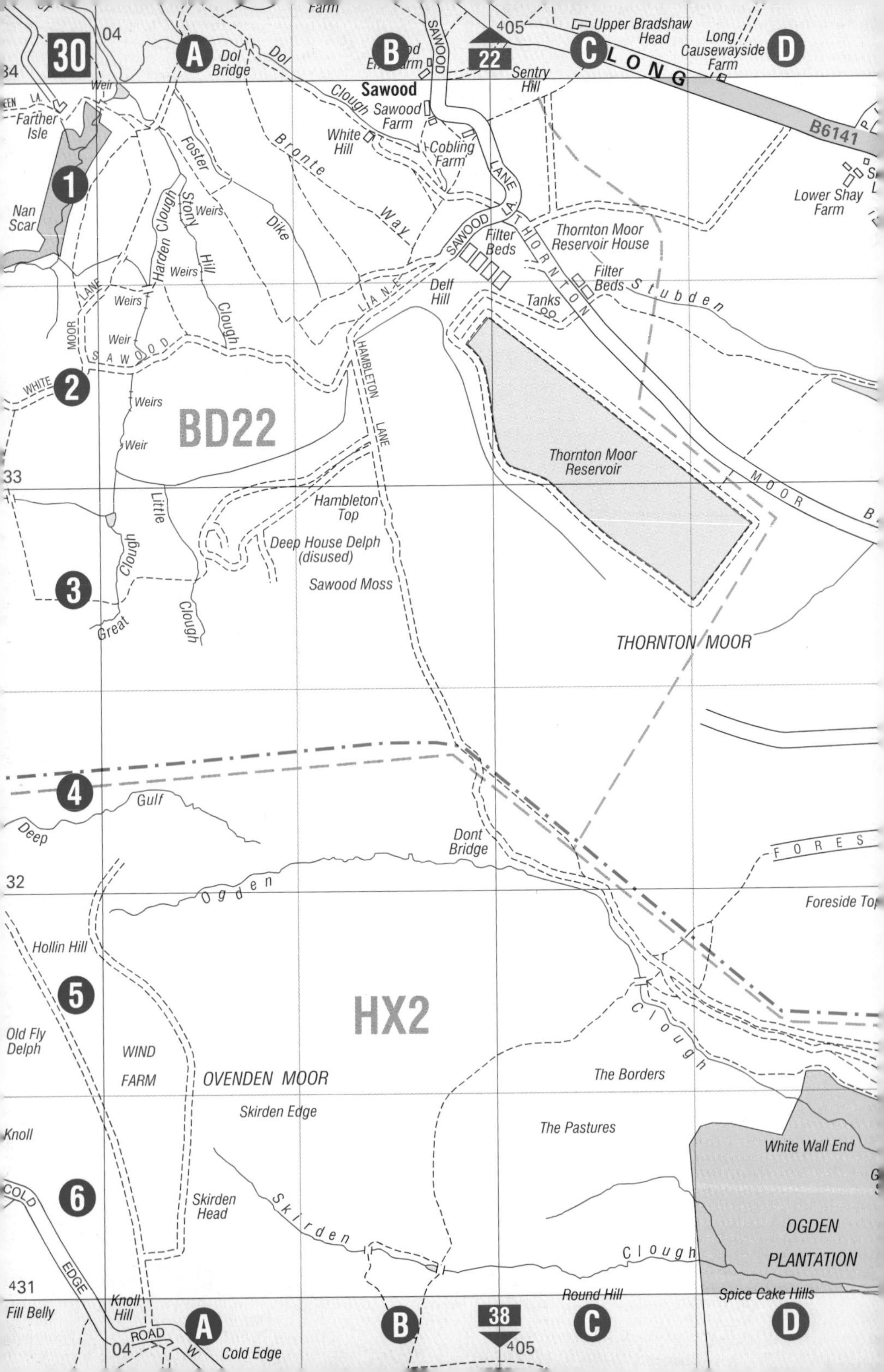
Dol Bridge
Sawood
Sawood Farm
White Hill
Cobling Farm
Sentry Hill
Upper Bradshaw Head
Long Causewayside Farm
LONG
B6141
Lower Shay Farm
Farther Isle
Nan Scar
Foster
Bronte Way
Dike
Harden Clough
Stony Hill
Weirs
Weir
Clough
SAWOOD LANE
THORNTON
Filter Beds
Thornton Moor Reservoir House
Delf Hill
Tanks
Stubden
MOOR LANE
WHITE
SAWOOD
HAMBLETON LANE
BD22
Thornton Moor Reservoir
MOOR
Hambleton Top
Deep House Delph (disused)
Sawood Moss
Little Clough
Great Clough
THORNTON MOOR
Gulf
Deep
Dont Bridge
Ogden
FORES
Foreside Top
Hollin Hill
HX2
Old Fly Delph
WIND FARM
OVENDEN MOOR
The Borders
Skirden Edge
The Pastures
White Wall End
Knoll
Skirden Head
Skirden Clough
OGDEN PLANTATION
COLD EDGE ROAD
Round Hill
Spice Cake Hills
Fill Belly
Knoll Hill
Cold Edge

22
38

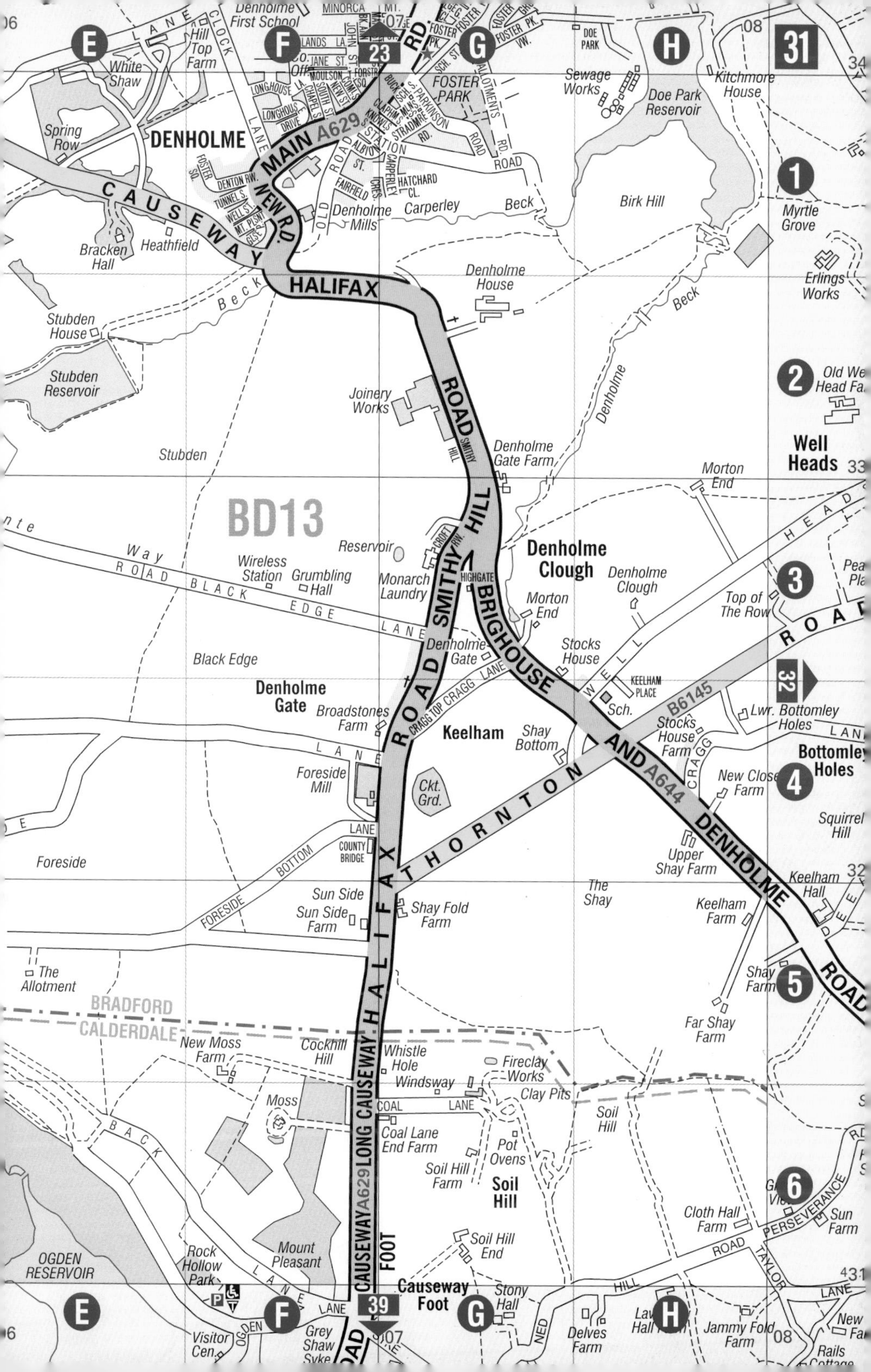
DENHOLME
Denholme First School
Hill Top Farm
White Shaw
Spring Row
Foster Park
Sewage Works
Doe Park Reservoir
Kitchmore House
Birk Hill
Myrtle Grove
Erlings Works
Denholme Mills
Carperley
Beck
Bracken Hall
Heathfield
CAUSEWAY
HALIFAX
MAIN
A629
NEW RD.
Stubden House
Stubden Reservoir
Denholme House
Joinery Works
ROAD
Stubden
Denholme Gate Farm
Morton End
Well Heads
BD13
Reservoir
Denholme Clough
Wireless Station
Grumbling Hall
Monarch Laundry
BLACK EDGE LANE
SMITHY HILL
BRIGHOUSE
Top of The Row
Black Edge
Denholme Gate
Stocks House
KEELHAM PLACE
Sch.
Broadstones Farm
Keelham
Shay Bottom
B6145
Lwr. Bottomley Holes
Bottomley Holes
Foreside Mill
Ckt. Grd.
THORNTON
AND
A644
DENHOLME
New Close Farm
Squirrel Hill
Foreside
COUNTY BRIDGE
FORESIDE BOTTOM
Upper Shay Farm
Sun Side
Sun Side Farm
Shay Fold Farm
The Shay
Keelham Hall
Keelham Farm
The Allotment
Shay Farm
Far Shay Farm
BRADFORD
CALDERDALE
New Moss Farm
Cockhill Hill
Whistle Hole
Windsway
Fireclay Works
Clay Pits
Moss
COAL LANE
Coal Lane End Farm
Soil Hill
Pot Ovens
Soil Hill Farm
LONG CAUSEWAY
BACK LANE
Cloth Hall Farm
PERSEVERANCE
Sun Farm
Mount Pleasant
Rock Hollow Park
Soil Hill End
OGDEN RESERVOIR
Causeway Foot
Stony Hall
Delves Farm
Jammy Fold Farm
Grey Shaw Syke
Visitor Cen.
23
32
39

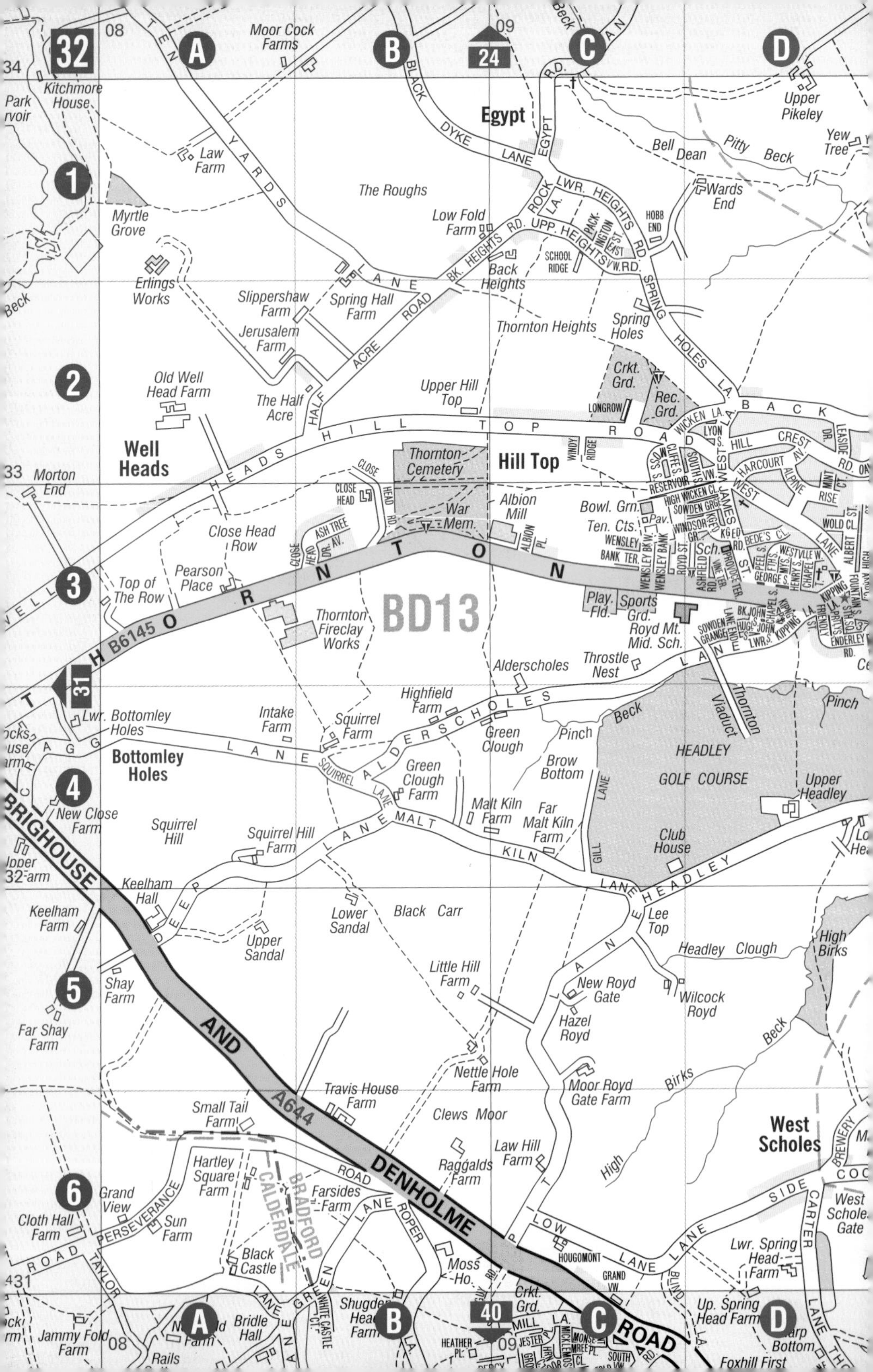
32
24
31
40
BD13
Moor Cock Farms
Kitchmore House
Park
Egypt
Upper Pikeley
Yew Tree
Law Farm
The Roughs
Bell Dean
Pitty Beck
Wards End
Myrtle Grove
Low Fold Farm
Erlings Works
Back Heights
School Ridge
Hobb End
Slippershaw Farm
Spring Hall Farm
Jerusalem Farm
Thornton Heights
Spring Holes
Old Well Head Farm
The Half Acre
Upper Hill Top
Crkt. Grd.
Rec. Grd.
Longrow
Well Heads
Hill Top
Thornton Cemetery
Morton End
Close Head
War Mem.
Albion Mill
Bowl. Grn.
Pav.
Ten. Cts.
Close Head Row
Pearson Place
Top of The Row
Thornton Fireclay Works
Play. Fld.
Sports Grd.
Royd Mt. Mid. Sch.
Sch.
Alderscholes
Throstle Nest
Highfield Farm
Intake Farm
Squirrel Farm
Lwr. Bottomley Holes
Bottomley Holes
Green Clough
Pinch Beck
Brow Bottom
Headley Golf Course
Upper Headley
Thornton Viaduct
New Close Farm
Squirrel Hill
Squirrel Hill Farm
Green Clough Farm
Malt Kiln Farm
Far Malt Kiln Farm
Club House
Keelham Hall
Keelham Farm
Lower Sandal
Black Carr
Lee Top
Upper Sandal
Headley Clough
High Birks
Shay Farm
Little Hill Farm
New Royd Gate
Wilcock Royd
Far Shay Farm
Hazel Royd
Nettle Hole Farm
Moor Royd Gate Farm
Birks Beck
Travis House Farm
Small Tail Farm
Clews Moor
Law Hill Farm
West Scholes
Hartley Square Farm
Raggalds Farm
High
Grand View
Farsides Farm
West Scholes Gate
Cloth Hall Farm
Sun Farm
Black Castle
Moss Ho.
Lwr. Spring Head Farm
Crkt. Grd.
Up. Spring Head Farm
Bridle Hall
Jammy Fold Farm
Rails
Foxhill First
Calderdale
Bradford
Ten Yards Lane
Black Dyke Lane
Egypt Rd.
Rock La.
Lwr. Heights Rd.
Upp. Heights Rd.
Bk. Heights Rd.
Half Acre Road
Spring Holes La.
Hill Top Road
Back Lane
Wicken La.
Heads Lane
Thornton Road
B6145
Alderscholes Lane
Bottomley Lane
Squirrel Lane
Malt Kiln Lane
Gill Lane
Headley Lane
Deep Lane
Brighouse and Denholme Road
A644
Low Lane
Perseverance Road
Taylor Road
Roper Lane
Green Lane
Hougomont
Grand Vw
Blind La.
Carter Lane
Brewery
Side Lane
Mill La.
Jester Pl.
Heather Pl.
Harcourt Av.
Crest Rd.
West La.
James St.
Reservoir
High Wicken Cl.
Sowden Grange
Windsor Gr.
Wensley Bank
Wensley Bank Ter.
Royd St.
Ashfield Rd.
Kipping La.
Enderley Rd.
Wold Cl.
Albert St.
Mint Ct.
Rise
Leaside Dr.
08
09
34
33
431

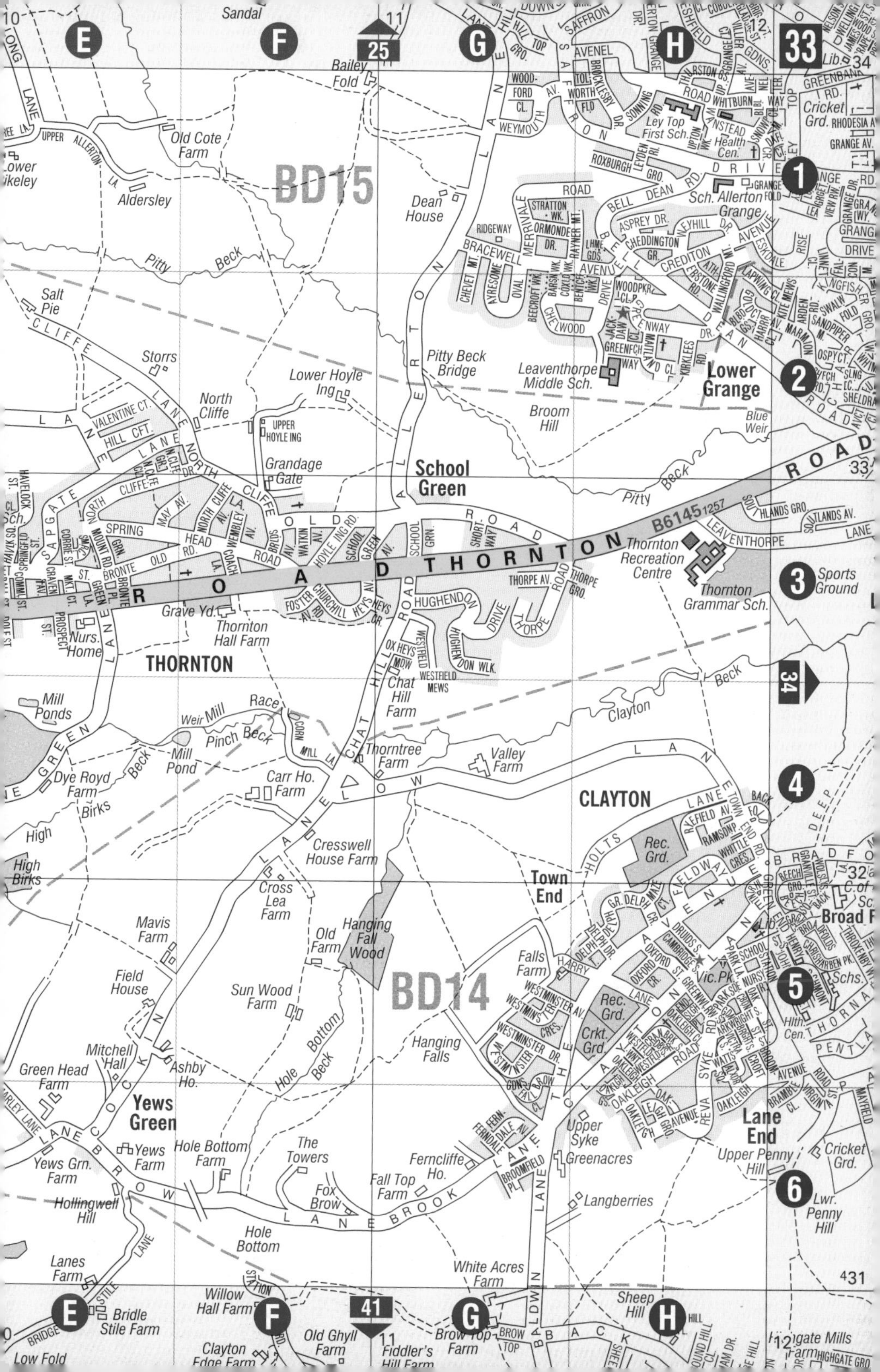

E
F
G
H
33
25
34
41
BD15
BD14
Sandal
Bailey Fold
Old Cote Farm
Lower Pikeley
Aldersley
Pitty Beck
Salt Pie
Storrs
North Cliffe
Lower Hoyle Ing
Upper Hoyle Ing
Grandage Gate
Dean House
Pitty Beck Bridge
School Green
Broom Hill
Leaventhorpe Middle Sch.
Lower Grange
Ley Top First Sch.
Health Cen.
Sch. Allerton Grange
Cricket Grd.
Blue Weir
Thornton Recreation Centre
Thornton Grammar Sch.
Sports Ground
THORNTON ROAD
B6145
Grave Yd.
Thornton Hall Farm
Nurs. Home
THORNTON
Mill Ponds
Mill Race
Weir
Pinch Beck
Mill Pond
Chat Hill Farm
Westfield Mews
Clayton Beck
Thorntree Farm
Valley Farm
Carr Ho. Farm
Dye Royd Farm
Birks
High Birks
CLAYTON
Rec. Grd.
Cresswell House Farm
Cross Lea Farm
Town End
Mavis Farm
Old Farm
Hanging Fall Wood
Field House
Sun Wood Farm
Falls Farm
Vic. Pk.
Crkt. Grd.
Lib.
Broad
Hlth. Cen.
Mitchell Hall
Ashby Ho.
Hole Bottom Beck
Hanging Falls
Green Head Farm
Yews Green
Yews Farm
Yews Grn. Farm
Hole Bottom Farm
The Towers
Ferncliffe Ho.
Upper Syke
Greenacres
Lane End
Upper Penny Hill
Cricket Grd.
Fall Top Farm
Fox Brow
Langberries
Lwr. Penny Hill
Hollingwell Hill
Hole Bottom
Lanes Farm
White Acres Farm
Willow Hall Farm
Bridle Stile Farm
Sheep Hill
Old Ghyll Farm
Brow Top Farm
Clayton Edge Farm
Fiddler's Hill Farm
Low Fold
Highgate Mills Farm
BROOK LANE
BALDWIN LANE
CLAYTON LANE
COCKIN LANE
LOW LANE
ALLERTON LANE
10
11
12
1
2
3
4
5
6

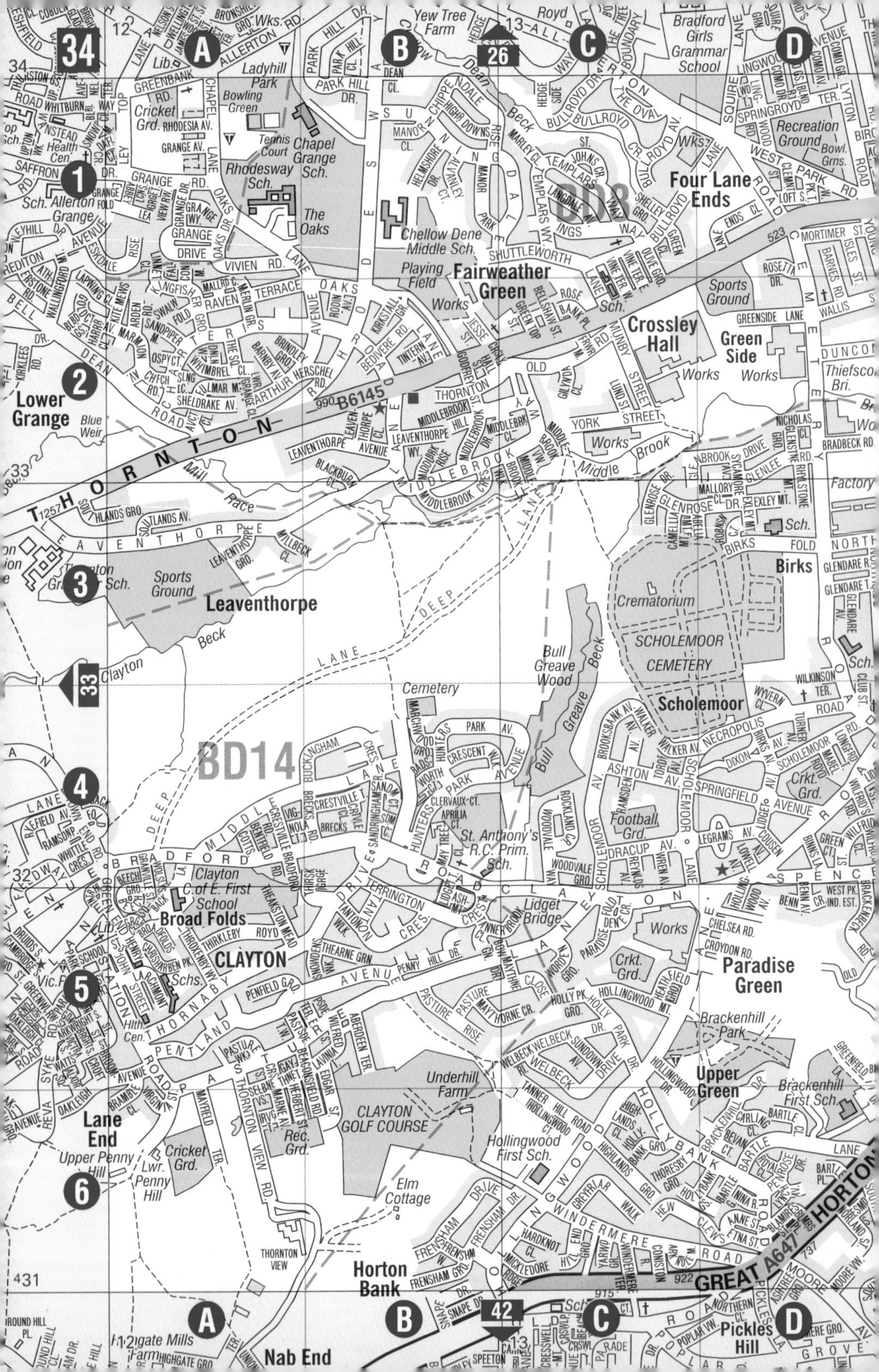

34
26
42
33
Clayton
BD8
BD14
Four Lane Ends
Fairweather Green
Crossley Hall
Green Side
Lower Grange
Leaventhorpe
Birks
Scholemoor
SCHOLEMOOR CEMETERY
Crematorium
CLAYTON
Broad Folds
Paradise Green
Upper Green
Lane End
Horton Bank
Nab End
Pickles Hill
CLAYTON GOLF COURSE
Allerton Grange
Ladyhill Park
Chapel Grange Sch.
Rhodesway Sch.
Chellow Dene Middle Sch.
Bradford Girls Grammar School
Recreation Ground
Sports Ground
Bull Greave Wood
Lidget Bridge
St. Anthony's R.C. Prim. Sch.
Clayton C. of E. First School
Hollingwood First Sch.
Brackenhill First Sch.
Brackenhill Park
Underhill Farm
Elm Cottage
Yew Tree Farm
THORNTON ROAD
B6145
GREAT HORTON A647

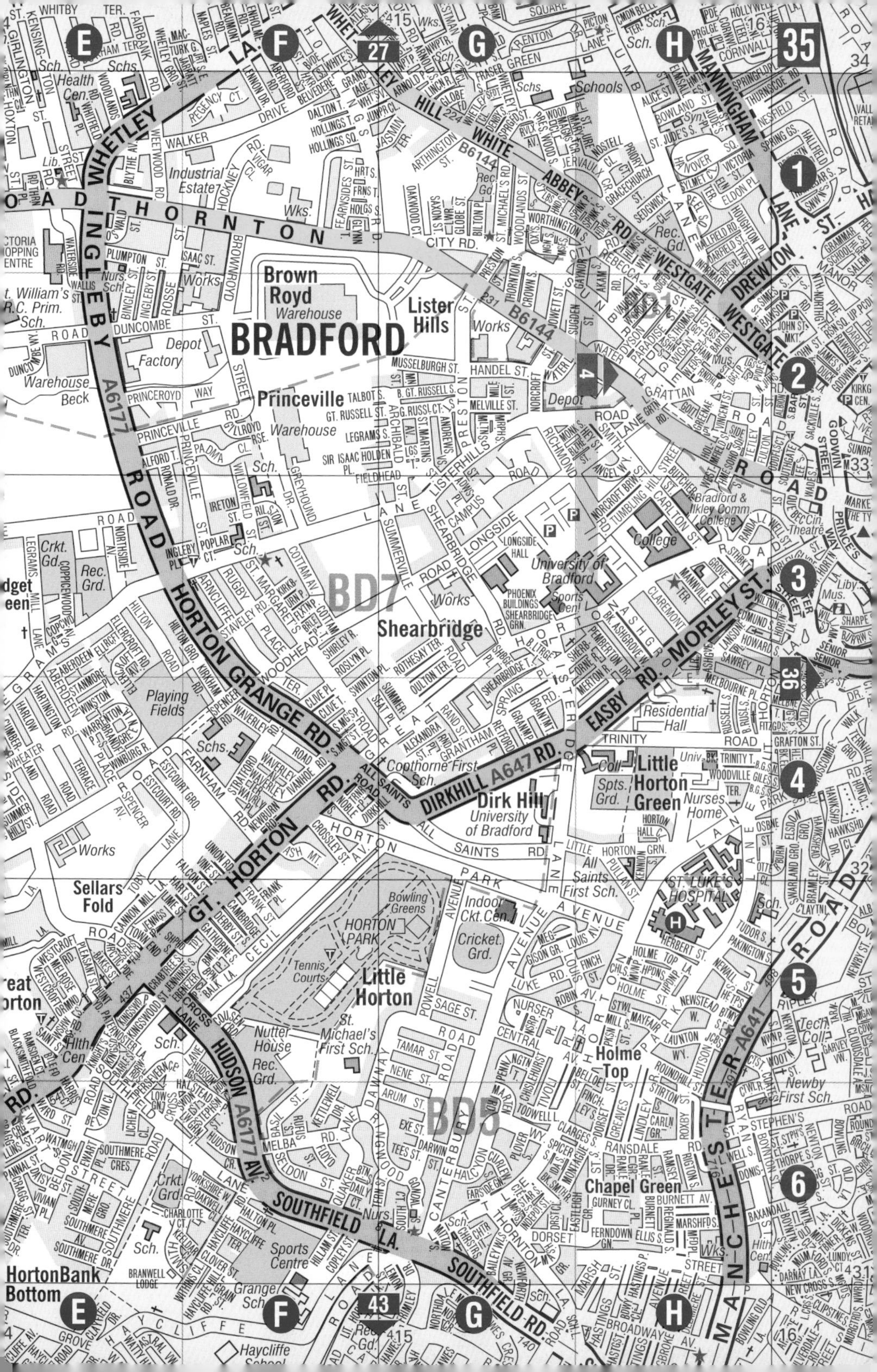

E
F
G
H
27
1
2
3
4
5
6
4
36
43
BRADFORD
Brown Royd Warehouse
Lister Hills
Princeville
Princeville Warehouse
Shearbridge
BD7
BD5
Little Horton Green
Dirk Hill
University of Bradford
Little Horton
Holme Top
Chapel Green
Sellars Fold
HortonBank Bottom
Industrial Estate
Playing Fields
Bowling Greens
HORTON PARK
Tennis Courts
Indoor Ckt.Cen.
Cricket. Grd.
Nutter House Rec. Grd.
St. Michael's First Sch.
Sports Centre
Grange Sch.
Haycliffe School
Copthorne First Sch.
All Saints First Sch.
ST. LUKE'S HOSPITAL
Nurses Home
Residential Hall
Bradford & Ilkley Comm. College
College
Tech. Coll.
Newby First Sch.
Health Cen.
Warehouse
Depot
Factory
Works
Schools
THORNTON ROAD
WHITE ABBEY RD.
WESTGATE
DREWTON
MANNINGHAM LANE
GRATTAN ROAD
MORLEY ST.
EASBY RD.
DIRKHILL A647 RD.
HORTON GRANGE RD.
INGLEBY ROAD A6177
WHETLEY LA.
GT. HORTON RD.
ALL SAINTS ROAD
HUDSON A6177 AV.
SOUTHFIELD LA.
SOUTHFIELD RD.
MANCHESTER R A641
B6144
TRINITY ROAD
LONGSIDE
GREAT HORTON

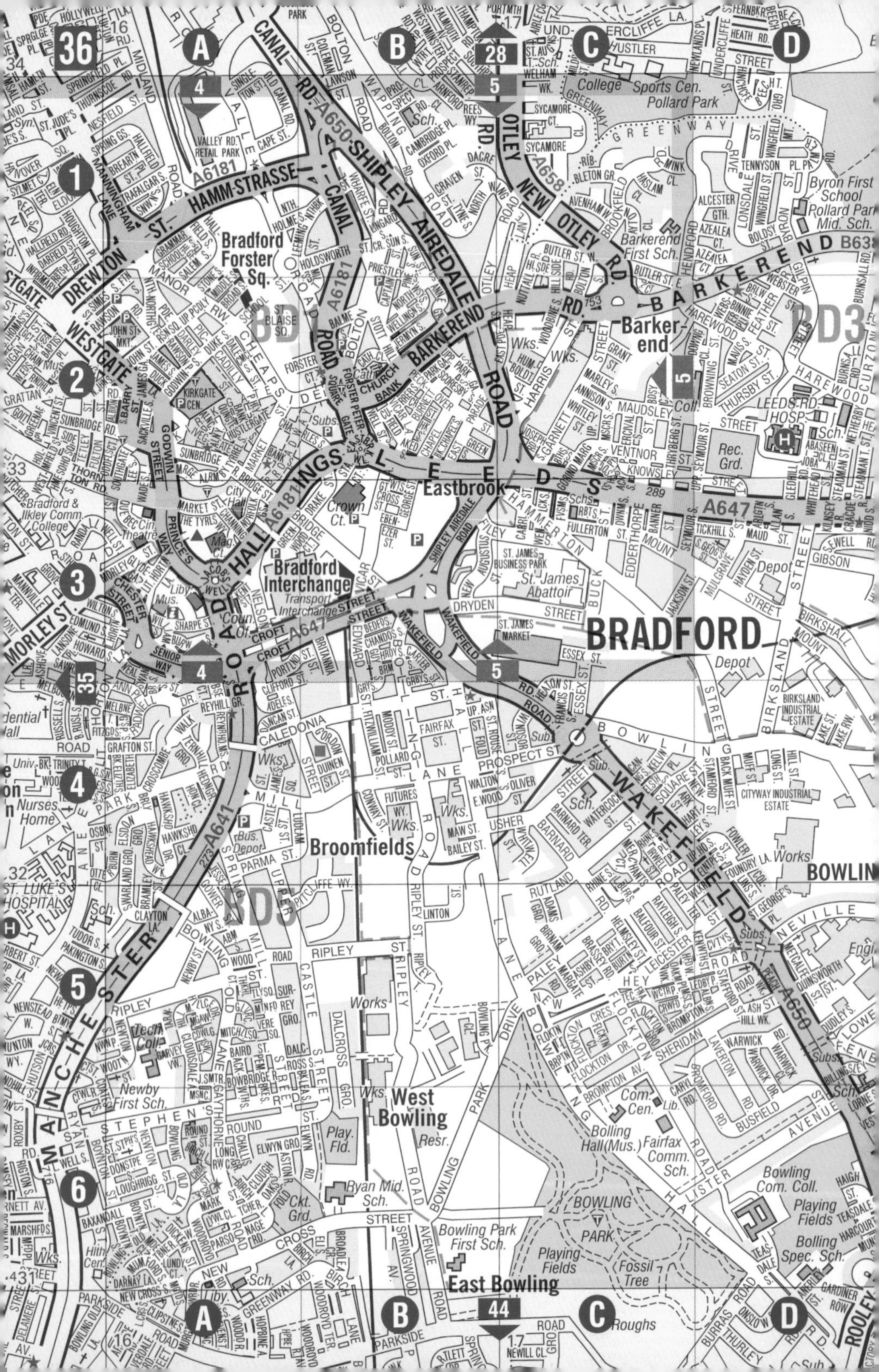

36
A
B
C
D
28
44
35
1
2
3
4
5
6
BRADFORD
BD1
BD3
BD5
Bradford Forster Sq.
Bradford Interchange
Transport Interchange
Eastbrook
Barkerend
Broomfields
West Bowling
East Bowling
BOWLING PARK
Bowling Park First Sch.
Bolling Hall (Mus.)
Fairfax Comm. Sch.
Bowling Com. Coll.
Bolling Spec. Sch.
Playing Fields
Fossil Tree
Roughs
College Sports Cen.
Pollard Park
Byron First School
Pollard Park Mid. Sch.
Barkerend First Sch.
LEEDS RD. HOSP.
Rec. Grd.
ST. JAMES BUSINESS PARK
St. James Abattoir
ST. JAMES MARKET
BIRKSLAND INDUSTRIAL ESTATE
CITYWAY INDUSTRIAL ESTATE
VALLEY RD. RETAIL PARK
KIRKGATE CEN.
City Hall
Crown Ct.
Bradford & Ilkley Comm. College
Newby First Sch.
Ryan Mid. Sch.
Tech. Coll.
Nurses Home
ST. LUKE'S HOSPITAL
Depot
Works
Play. Fld.
Ckt. Grd.
Resr.
HAMM-STRASSE
SHIPLEY AIREDALE ROAD
CANAL RD.
OTLEY RD.
NEW OTLEY RD.
BARKEREND RD.
LEEDS RD.
WAKEFIELD RD.
MANCHESTER RD.
BOWLING HALL RD.
BOWLING OLD LANE
HALL INGS
DREWTON ST.
WESTGATE
MORLEY ST.
A650
A6181
A658
A647
A641
B6381
BOWLING

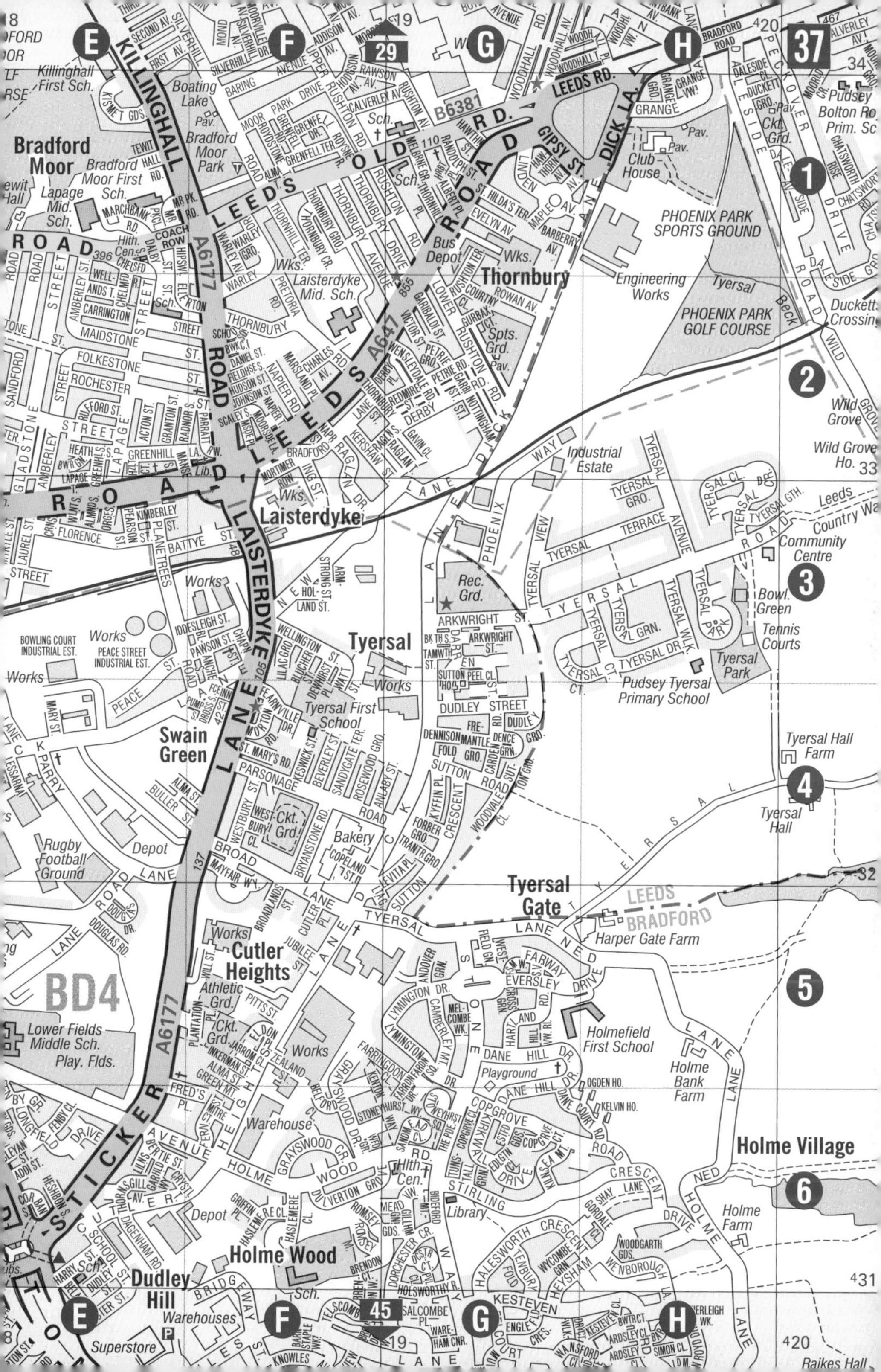
37
29
45
E
F
G
H
1
2
3
4
5
6
Bradford Moor
Killinghall First Sch.
Boating Lake
Bradford Moor Park
Bradford Moor First Sch.
Lapage Mid. Sch.
KILLINGHALL
LEEDS OLD RD.
LEEDS RD.
B6381
A6177
A647
LEEDS ROAD
Laisterdyke Mid. Sch.
Bus Depot
Thornbury
GIPSY ST.
DICK LA.
Club House
PHOENIX PARK SPORTS GROUND
PHOENIX PARK GOLF COURSE
Tyersal Beck
Engineering Works
Pudsey Bolton Rd. Prim. Sch.
Duckett's Crossing
Wild Grove
Wild Grove Ho.
Industrial Estate
Laisterdyke
LAISTERDYKE
Works
BOWLING COURT INDUSTRIAL EST.
PEACE STREET INDUSTRIAL EST.
Rec. Grd.
Tyersal
Tyersal First School
Community Centre
Leeds Country Way
Bowl. Green
Tennis Courts
Tyersal Park
Pudsey Tyersal Primary School
Tyersal Hall Farm
Tyersal Hall
Swain Green
Rugby Football Ground
Depot
Bakery
Tyersal Gate
LEEDS
BRADFORD
Harper Gate Farm
BD4
Cutler Heights
Athletic Grd.
Lower Fields Middle Sch. Play. Flds.
Holmefield First School
Holme Bank Farm
Holme Village
Holme Farm
Warehouse
Playground
Hlth. Cen.
Library
Holme Wood
Dudley Hill
Warehouses
Superstore
STICKER LANE
HOLME WOOD RD.
TYERSAL LANE
Raikes Hall

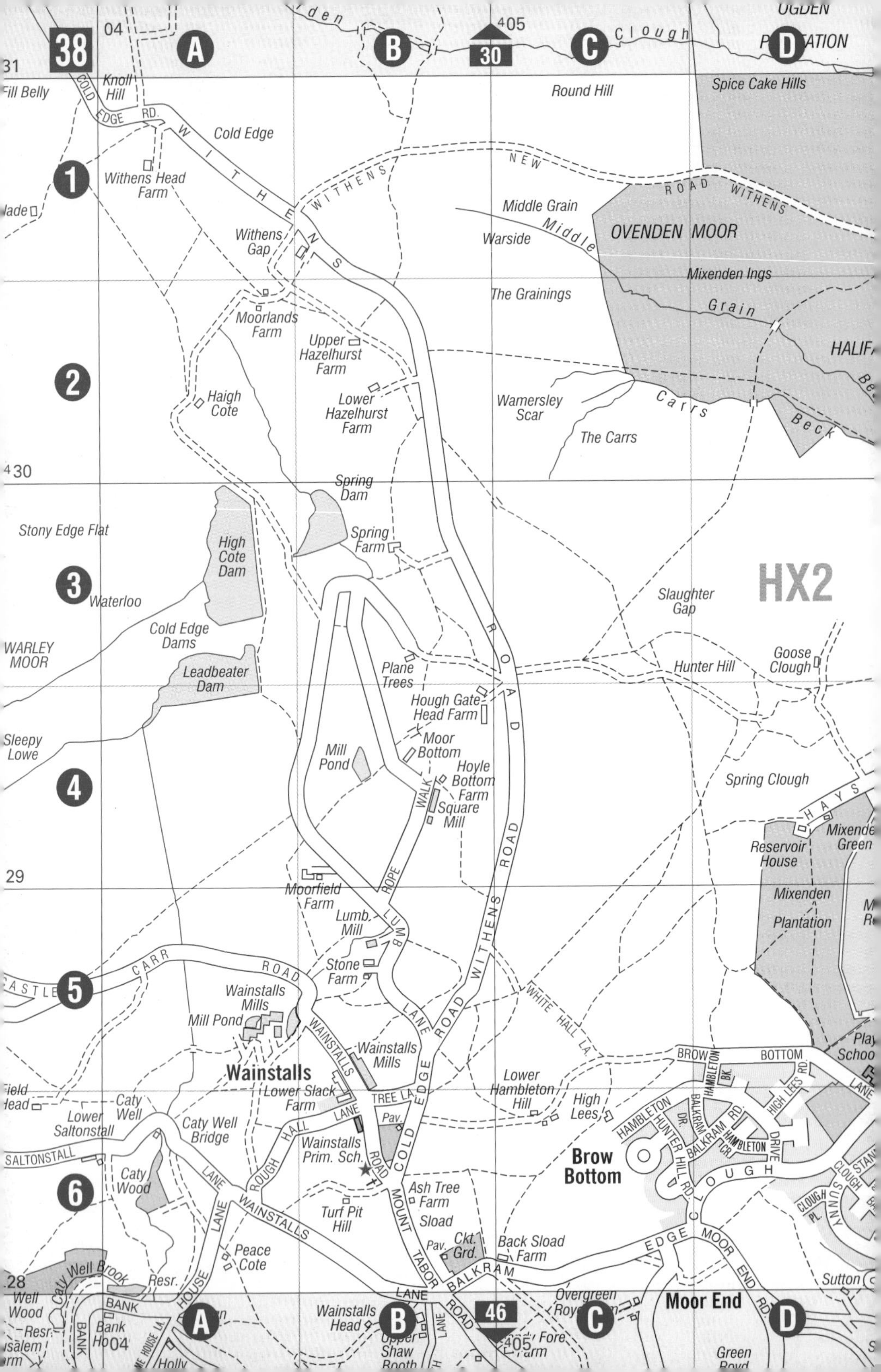
30
46
Knoll Hill
Cold Edge
Withens Head Farm
Withens Gap
Moorlands Farm
Upper Hazelhurst Farm
Lower Hazelhurst Farm
Haigh Cote
Spring Dam
Spring Farm
Stony Edge Flat
High Cote Dam
Waterloo
Cold Edge Dams
WARLEY MOOR
Leadbeater Dam
Sleepy Lowe
Round Hill
Spice Cake Hills
OGDEN PLANTATION
OVENDEN MOOR
Middle Grain
Warside
Mixenden Ings
The Grainings
Wamersley Scar
The Carrs
HX2
Slaughter Gap
Hunter Hill
Goose Clough
Spring Clough
Plane Trees
Hough Gate Head Farm
Moor Bottom
Hoyle Bottom Farm
Square Mill
Mill Pond
Moorfield Farm
Lumb Mill
Stone Farm
Wainstalls Mills
Mill Pond
Wainstalls
Lower Slack Farm
Wainstalls Prim. Sch.
Caty Well
Lower Saltonstall
Caty Well Bridge
Caty Wood
Peace Cote
Resr.
Turf Pit Hill
Ash Tree Farm
Sload
Ckt. Grd.
Back Sload Farm
Lower Hambleton Hill
High Lees
Brow Bottom
Moor End
Reservoir House
Mixenden Plantation
Sutton
Wainstalls Head
Green Royd
Well Wood
Caty Well Brook
Field Head
WITHENS ROAD
NEW WITHENS ROAD
COLD EDGE RD.
CARR ROAD
LUMB LANE
ROPE WALK
WAINSTALLS LANE
WAINSTALLS
WHITE HALL LA.
BROW BOTTOM LANE
HAMBLETON
BALKRAM RD.
HUNTER HILL RD.
HAMBLETON DRIVE
CLOUGH
EDGE MOOR END RD.
BALKRAM EDGE
TABOR LANE
MOUNT TABOR ROAD
COLD EDGE ROAD
ROUGH HALL LANE
HOUSE LANE
SALTONSTALL
HAYS LANE
HIGH LEES RD.
Middle Grain
Carrs Beck
Ogden Clough

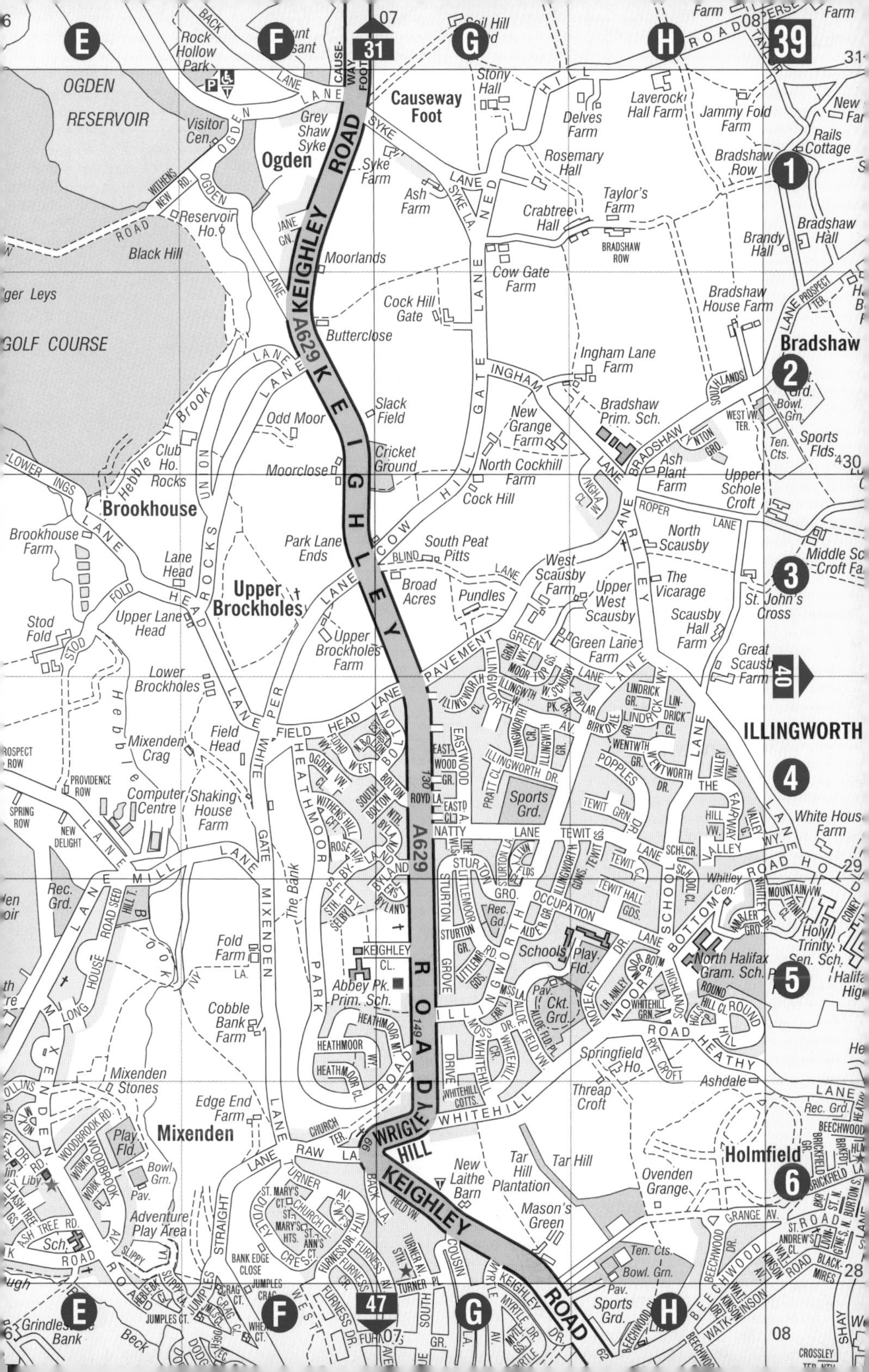
E
F
G
H
31
47
40
07
08
1
2
3
4
5
6
OGDEN RESERVOIR
Rock Hollow Park
Visitor Cen.
Ogden
Grey Shaw Syke
Causeway Foot
Stony Hall
Delves Farm
Laverock Hall Farm
Jammy Fold Farm
Rails Cottage
Bradshaw Row
Rosemary Hall
Syke Farm
Ash Farm
Reservoir Ho.
Black Hill
Crabtree Hall
Taylor's Farm
Brandy Hall
Bradshaw Hall
Moorlands
Cow Gate Farm
Cock Hill Gate
Butterclose
Bradshaw House Farm
Bradshaw
GOLF COURSE
Ingham Lane Farm
Bradshaw Prim. Sch.
Odd Moor
Slack Field
New Grange Farm
Cricket Ground
Moorclose
North Cockhill Farm
Cock Hill
Ash Plant Farm
Upper Schole Croft
Sports Flds.
Hebble Club Ho.
Rocks
Brookhouse
Brookhouse Farm
Lane Head
Upper Brockholes
Park Lane Ends
South Peat Pitts
Broad Acres
Pundles
West Scausby Farm
Upper West Scausby
North Scausby
The Vicarage
St. John's Cross
Middle Scholes Croft Farm
Stod Fold
Upper Lane Head
Upper Brockholes Farm
Green Lane Farm
Scausby Hall Farm
Great Scausby Farm
Lower Brockholes
ILLINGWORTH
Field Head
Mixenden Crag
Computer Centre
Shaking House Farm
Sports Grd.
White House Farm
Rec. Grd.
Fold Farm
Cobble Bank Farm
Abbey Pk. Prim. Sch.
Schools
Play Fld.
Ckt. Grd.
North Halifax Gram. Sch.
Holy Trinity Sen. Sch.
Mixenden Stones
Edge End Farm
Mixenden
Springfield Ho.
Threap Croft
Ashdale
Tar Hill
Tar Hill Plantation
New Laithe Barn
Holmfield
Ovenden Grange
Mason's Green
Play Fld.
Bowl. Grn.
Adventure Play Area
Ten. Cts.
Sports Grd.
Grindlestone Bank
KEIGHLEY ROAD
A629
WRIGLEY HILL

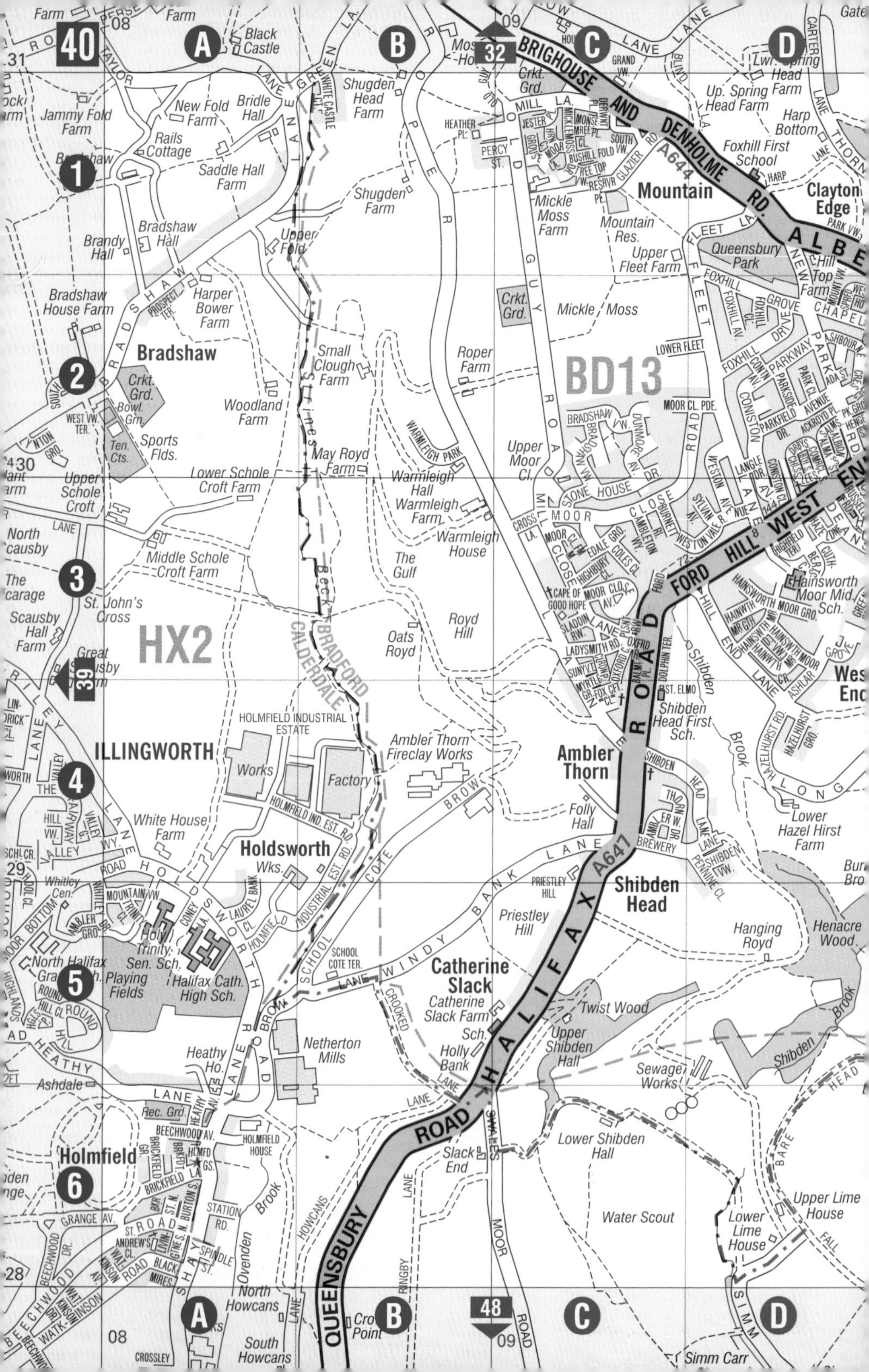

Black Castle
Shugden Head Farm
BRIGHOUSE AND DENHOLME RD.
A644
Mountain
Clayton Edge
Queensbury Park
Foxhill First School
New Fold Farm
Bridle Hall
Jammy Fold Farm
Rails Cottage
Saddle Hall Farm
Shugden Farm
Mickle Moss Farm
Mountain Res.
Upper Fleet Farm
Bradshaw Hall
Brandy Hall
Upper Fold
Harper Bower Farm
Bradshaw House Farm
Bradshaw
Mickle Moss
BD13
Small Clough Farm
Roper Farm
Woodland Farm
Sports Flds.
May Royd Farm
Warmleigh Hall
Warmleigh Farm
Warmleigh House
Upper Moor Cl.
Lower Schole Croft Farm
Upper Schole Croft
Middle Schole Croft Farm
The Gulf
St. John's Cross
HX2
Royd Hill
Oats Royd
Scausby Hall Farm
Hainsworth Moor Mid. Sch.
FORD HILL WEST END
A647
HOLMFIELD INDUSTRIAL ESTATE
ILLINGWORTH
Works
Factory
Ambler Thorn Fireclay Works
Ambler Thorn
Shibden Head First Sch.
Folly Hall
Lower Hazel Hirst Farm
White House Farm
Holdsworth
Wks.
Shibden Head
Priestley Hill
Hanging Royd
Henacre Wood
Holy Trinity Sen. Sch.
Halifax Cath. High Sch.
North Halifax Gram. Sch.
Playing Fields
Catherine Slack
Catherine Slack Farm
Twist Wood
Upper Shibden Hall
Heathy Ho.
Netherton Mills
Holly Bank
Sewage Works
Ashdale
Holmfield
Holmfield House
Slack End
Lower Shibden Hall
Water Scout
Upper Lime House
Lower Lime House
North Howcans
South Howcans
Cross Point
QUEENSBURY ROAD
HALIFAX ROAD
Simm Carr
32
39
48

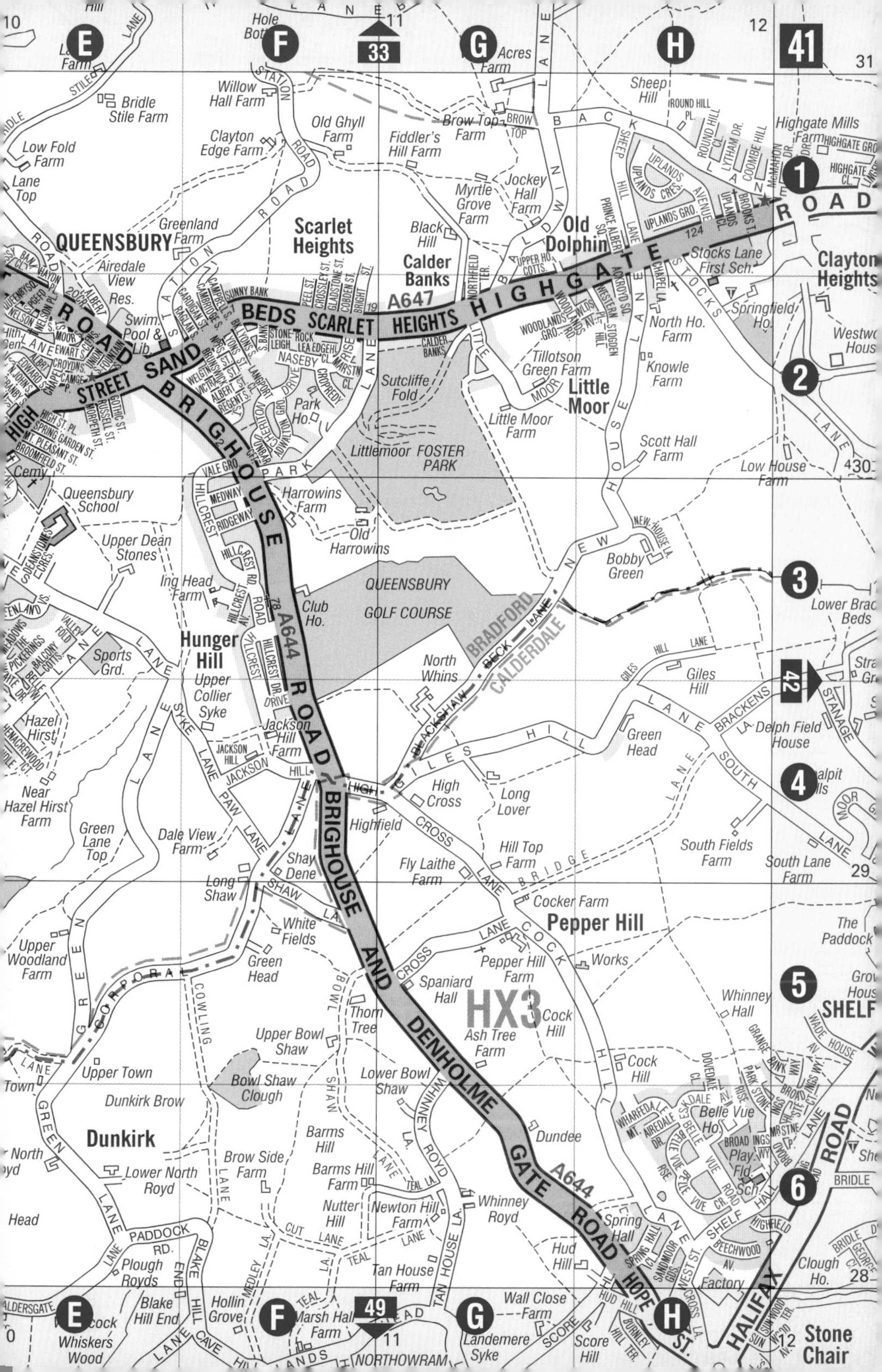

41
33
42
49
E
F
G
H
1
2
3
4
5
6
10
11
12
31
30
29
28
Hole Bottom
Acres Farm
Willow Hall Farm
Bridle Stile Farm
Low Fold Farm
Lane Top
Sheep Hill
Old Ghyll Farm
Brow Top Farm
Fiddler's Hill Farm
Clayton Edge Farm
Highgate Mills Farm
Jockey Hall Farm
Myrtle Grove Farm
Greenland Farm
QUEENSBURY
Scarlet Heights
Black Hill
Calder Banks
Old Dolphin
Stocks Lane First Sch.
Clayton Heights
Airedale View Res.
Swim. Pool & Lib.
Springfield Ho.
North Ho. Farm
Tillotson Green Farm
Knowle Farm
Little Moor
Sutcliffe Fold
Park Ho.
Little Moor Farm
Scott Hall Farm
Littlemoor FOSTER PARK
Low House Farm
Cemy.
Queensbury School
Harrowins Farm
Old Harrowins
Upper Dean Stones
Bobby Green
Ing Head Farm
QUEENSBURY GOLF COURSE
Club Ho.
Lower Brac Beds
Hunger Hill
Upper Collier Syke
Sports Grd.
North Whins
BRADFORD
CALDERDALE
Giles Hill
Green Head
Delph Field House
Hazel Hirst
Jackson Hill Farm
High Cross
Long Lover
Near Hazel Hirst Farm
Green Lane Top
Dale View Farm
Highfield
Shay Dene
Long Shaw
Hill Top Farm
Fly Laithe Farm
South Fields Farm
South Lane Farm
Cocker Farm
Pepper Hill
The Paddock
White Fields
Upper Woodland Farm
Green Head
Pepper Hill Farm
Works
Spaniard Hall
HX3
Cock Hill
Whinney Hall
SHELF
Thorn Tree
Ash Tree Farm
Upper Bowl Shaw
Cock Hill
Upper Town
Lower Bowl Shaw
Bowl Shaw Clough
Belle Vue Ho.
Dunkirk Brow
Dunkirk
Barms Hill
Dundee
BROAD INGS Play. Fld.
Sch.
Brow Side Farm
Lower North Royd
Barms Hill Farm
Nutter Hill
Newton Hill Farm
Whinney Royd
Spring Hall
Head
Plough Royds
Tan House Farm
Hud Hill
Clough Ho.
Factory
Blake Hill End
Hollin Grove
Marsh Hall Farm
Wall Close Farm
Whiskers Wood
Landemere Syke
Score Hill
Stone Chair
A647
A644
HIGHGATE
SCARLET HEIGHTS
BEDS
SAND
STREET
HIGH
ROAD
BRIGHOUSE ROAD
BRIGHOUSE AND DENHOLME GATE ROAD
STATION ROAD
BACK LANE
BALDWIN LANE
SHEEP HILL LANE
STOCKS LANE
NEW HOUSE LANE
NEW HOUSE LA.
BLACKSHAW BECK LANE
GILES HILL LANE
HILL LANE
BRACKENS LA.
SOUTH LANE
STANAGE
MOOR LANE
HIGH CROSS LANE
BRIDGE
JACKSON HILL
SYKE LANE
PAW LANE
SHAW LA.
CROSS LANE
COCK HILL LANE
CORPORAL LANE
GREEN LANE
COWLING LANE
BOWL SHAW LANE
WHINNEY ROYD LA.
TEAL LA.
CUT LANE
TAN HOUSE LA.
MEDLEY LA.
PADDOCK RD.
BLAKE HILL END
CAVE HILL
HALIFAX ROAD
HOPE ST.
HUD HILL
BURNLEY HILL TER.
WEST ST.
CROSS LA.
SHELF HALL LANE
BEECHWOOD AV.
BRIDLE
NORTHOWRAM
ALDERSGATE
PARK LANE
HILLCREST
MEDWAY
RIDGEWAY
VALE GRO.
HILLCREST RD.
HILLCREST AV.
HILLCREST DR.
DRIVE
NASEBY
PARK
SUNNY BANK
CALDER BANKS
UPLANDS
UPLANDS CRES.
UPLANDS GRO.
UPLANDS AVENUE
ROUND HILL PL.
ROUND HILL CL.
LYTHAM DR.
COOMBE HILL
HIGHGATE CL.
WOODLANDS GRO.
WOODLANDS RD.
PRINCE ALBERT SQ.
UPPER HO. COTTS.
NORTHFIELD TER.
DEAMSTONES CRES.
WHARFEDALE MT.
AIREDALE DR.
ESKDALE AV.
BELLE VUE CR.
DOVEDALE CL.
PARK STONE RISE
BROAD INGS WAY
WADE HOUSE AV.
SPRING HALL CL.
SANDMOOR GDS.

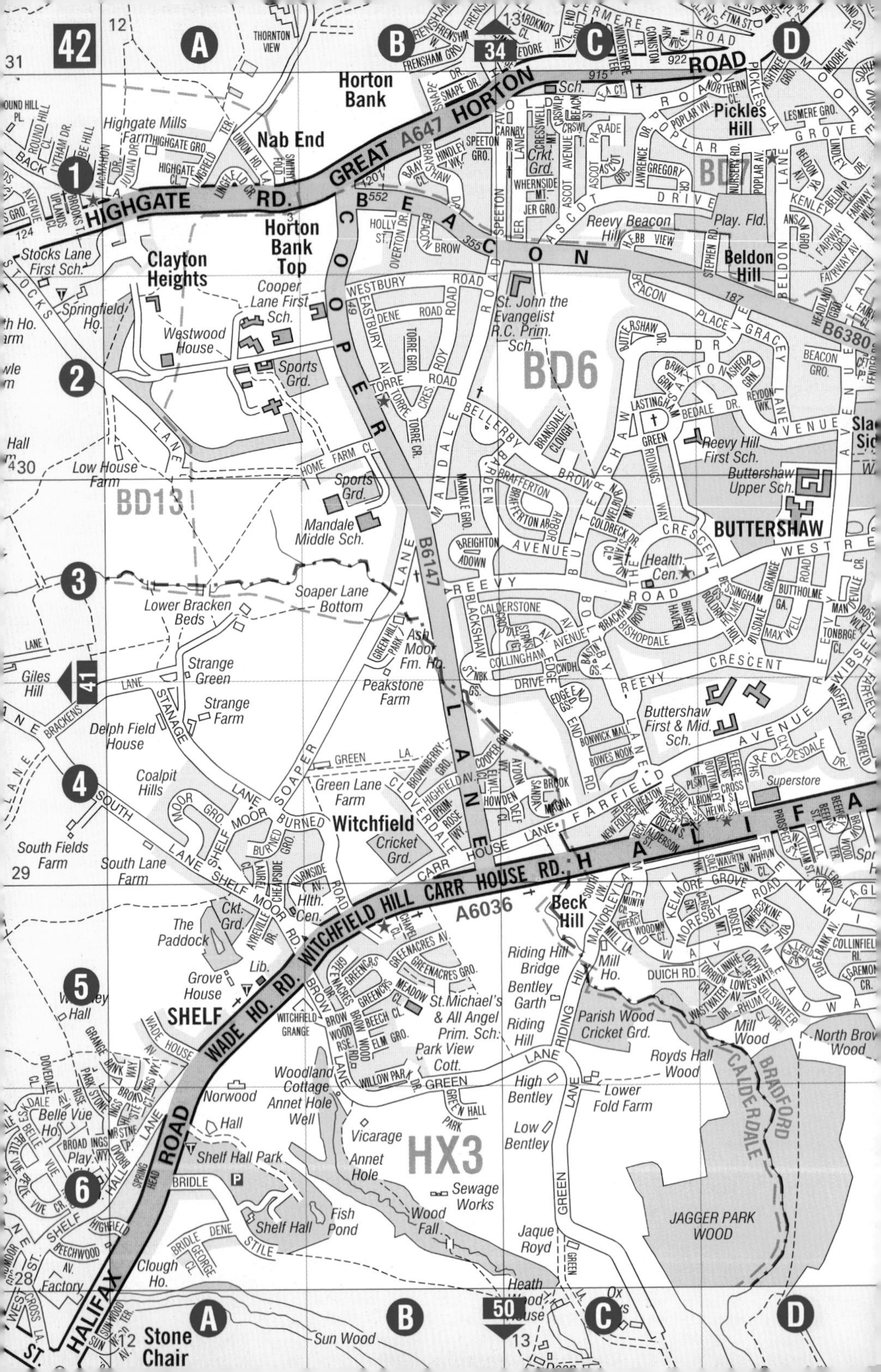

A
B
C
D
1
2
3
4
5
6
34
41
50
Horton Bank
Nab End
Highgate Mills Farm
Horton Bank Top
Clayton Heights
GREAT HORTON ROAD
A647
HIGHGATE RD.
B6380
B6147
B552
COOPER LANE
BEACON
Stocks Lane First Sch.
Springfield Ho.
Cooper Lane First Sch.
Westwood House
Sports Grd.
St. John the Evangelist R.C. Prim. Sch.
BD6
BD7
BD13
Pickles Hill
Beldon Hill
Reevy Beacon Hill
Play. Fld.
Crkt. Grd.
Reevy Hill First Sch.
Buttershaw Upper Sch.
BUTTERSHAW
Health Cen.
Low House Farm
Mandale Middle Sch.
Lower Bracken Beds
Soaper Lane Bottom
Ash Moor Fm. Ho.
Strange Green
Strange Farm
Peakstone Farm
Giles Hill
Delph Field House
Coalpit Hills
Green Lane Farm
Witchfield
Cricket Grd.
Buttershaw First & Mid. Sch.
Superstore
South Fields Farm
South Lane Farm
The Paddock
Ckt. Grd.
Hlth. Cen.
A6036
CARR HOUSE RD.
WITCHFIELD HILL
WADE HO. RD.
HALIFAX ROAD
Beck Hill
Riding Hill Bridge
Bentley Garth
Riding Hill
Mill Ho.
Grove House
Lib.
SHELF
St.Michael's & All Angel Prim. Sch.
Park View Cott.
Parish Wood Cricket Grd.
Royds Hall Wood
Mill Wood
North Brow Wood
Woodland Cottage
Annet Hole Well
Norwood
Hall
High Bentley
Lower Fold Farm
Low Bentley
Belle Vue Ho.
Play.
Shelf Hall Park
Vicarage
Annet Hole
HX3
Sewage Works
Shelf Hall
Fish Pond
Wood Fall
Jaque Royd
JAGGER PARK WOOD
CALDERDALE
BRADFORD
Clough Ho.
Factory
Heath Wood House
Sun Wood
Stone Chair

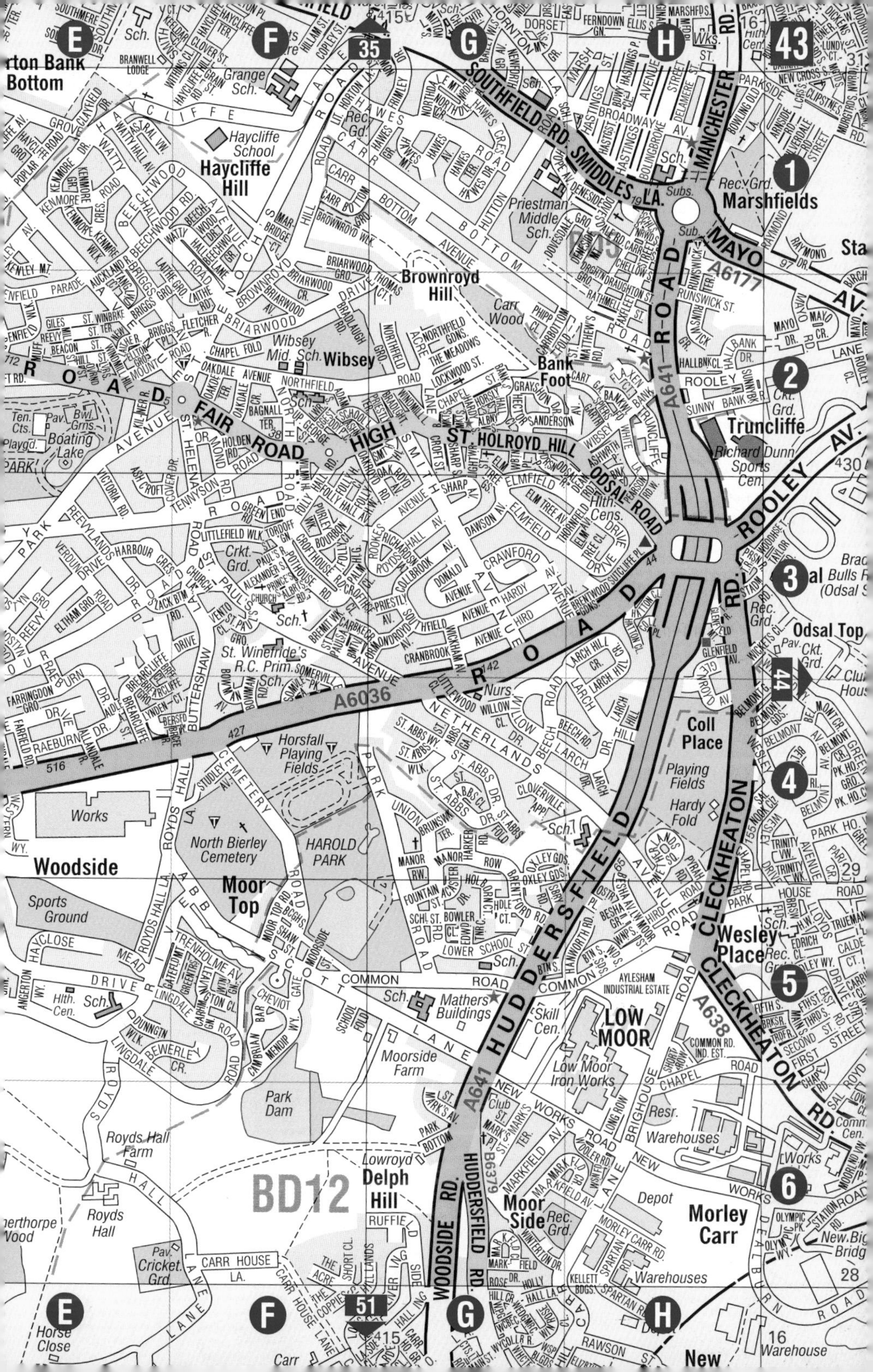
E
F
G
H
35
rton Bank Bottom
Grange Sch.
Haycliffe School
Haycliffe Hill
HAYCLIFFE
SOUTHFIELD RD.
SMIDDLES LA.
MANCHESTER RD.
Marshfields
Rec. Grd.
Priestman Middle Sch.
MAYO AV.
A6177
Brownroyd Hill
Carr Wood
CARR BOTTOM AVENUE
BD5
Wibsey Mid. Sch.
Wibsey
Bank Foot
A641
ROAD
ROOLEY LA.
Truncliffe
Richard Dunn Sports Cen.
ROOLEY AV.
FAIR ROAD
HIGH ST.
HOLROYD HILL
ODSAL ROAD
Boating Lake
Crkt. Grd.
St. Winefride's R.C. Prim. Sch.
Bulls Head (Odsal S
Odsal Top
44
A6036
ROAD
Coll Place
Playing Fields
Hardy Fold
Horsfall Playing Fields
Works
Woodside
North Bierley Cemetery
HAROLD PARK
Moor Top
Sports Ground
HUDDERSFIELD RD.
CLECKHEATON RD.
Wesley Place
A638
Mathers Buildings
AYLESHAM INDUSTRIAL ESTATE
Skill Cen.
LOW MOOR
Low Moor Iron Works
COMMON RD. IND. EST.
Moorside Farm
Park Dam
Royds Hall Farm
Royds Hall
BD12
Lowroyd
Delph Hill
B6379
Moor Side
Rec. Grd.
Warehouses
Depot
Morley Carr
New Bierley Bridge
Pav. Cricket Grd.
WOODSIDE RD.
HUDDERSFIELD RD.
51
Horse Close
Warehouse
New
1
2
3
4
5
6

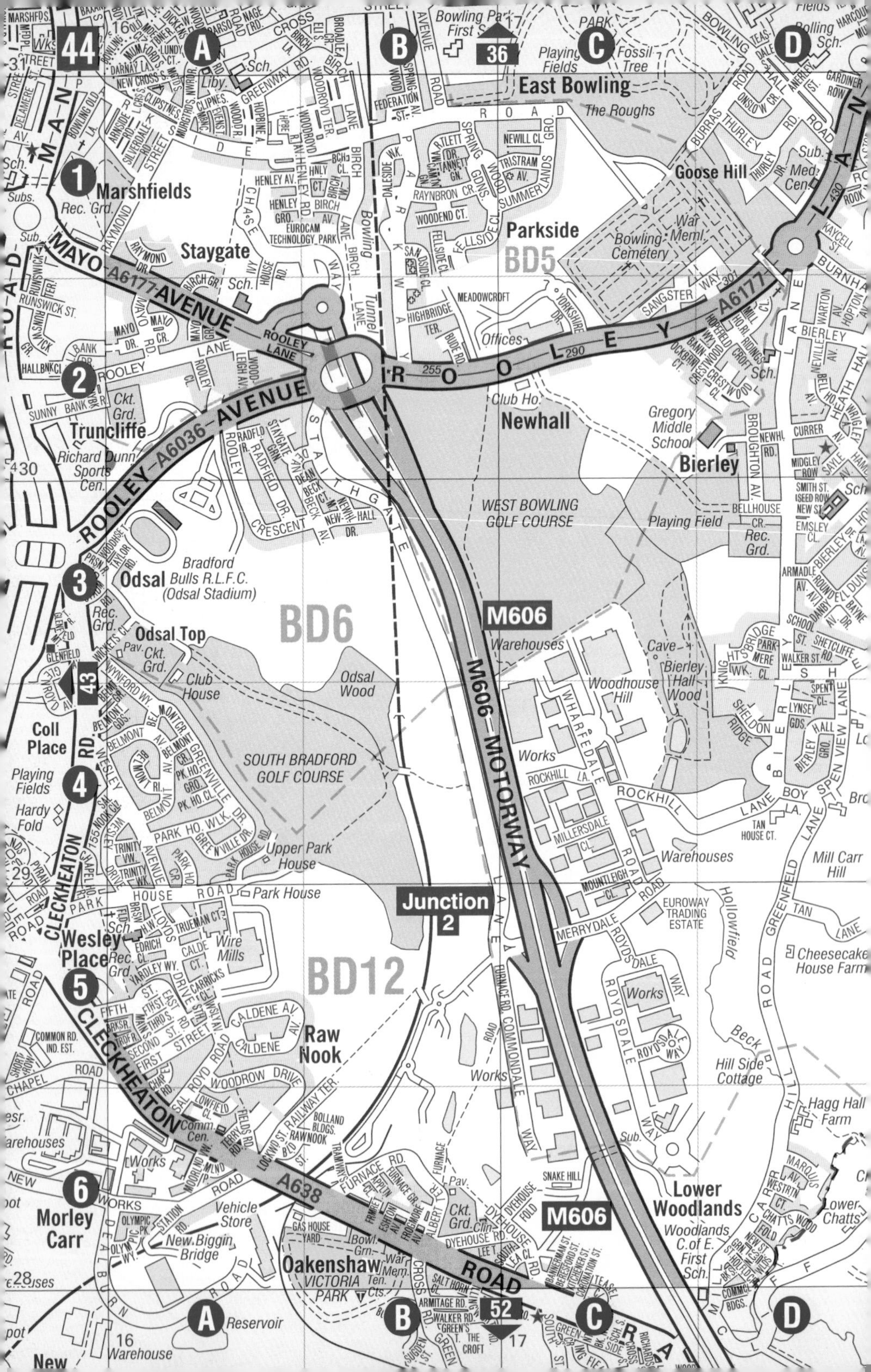

44
36
43
52
A
B
C
D
1
2
3
4
5
6
East Bowling
The Roughs
Playing Fields
Fossil Tree
Bowling Park First Sch.
Goose Hill
Marshfields
Rec. Grd.
Staygate
Parkside
BD5
Bowling Cemetery
War Meml.
Sangster Way
Mayo Avenue
A6177
Rooley Lane
Rooley Avenue
A6036
Rooley
Newhall
Club Ho.
Gregory Middle School
Bierley
Truncliffe
Ckt. Grd.
Richard Dunn Sports Cen.
West Bowling Golf Course
Playing Field
Rec. Grd.
Odsal
Bradford Bulls R.L.F.C. (Odsal Stadium)
BD6
M606
Odsal Top
Warehouses
Cave
Bierley Hall Wood
Woodhouse Hill
Odsal Wood
Club House
Coll Place
M606 Motorway
Works
South Bradford Golf Course
Playing Fields
Hardy Fold
Rockhill Lane
Warehouses
Mill Carr Hill
Upper Park House
Park House
Junction 2
Euroway Trading Estate
Hollowfield
Wesley Place
Wire Mills
BD12
Cheesecake House Farm
Works
Raw Nook
Beck
Hill Side Cottage
Cleckheaton Road
Works
Hagg Hall Farm
Comm. Cen.
A638
Lower Woodlands
Morley Carr
Vehicle Store
New Biggin Bridge
M606
Lower Chatts
Woodlands C.of E. First Sch.
Oakenshaw
Victoria Park
Reservoir
Warehouse
New
16
17

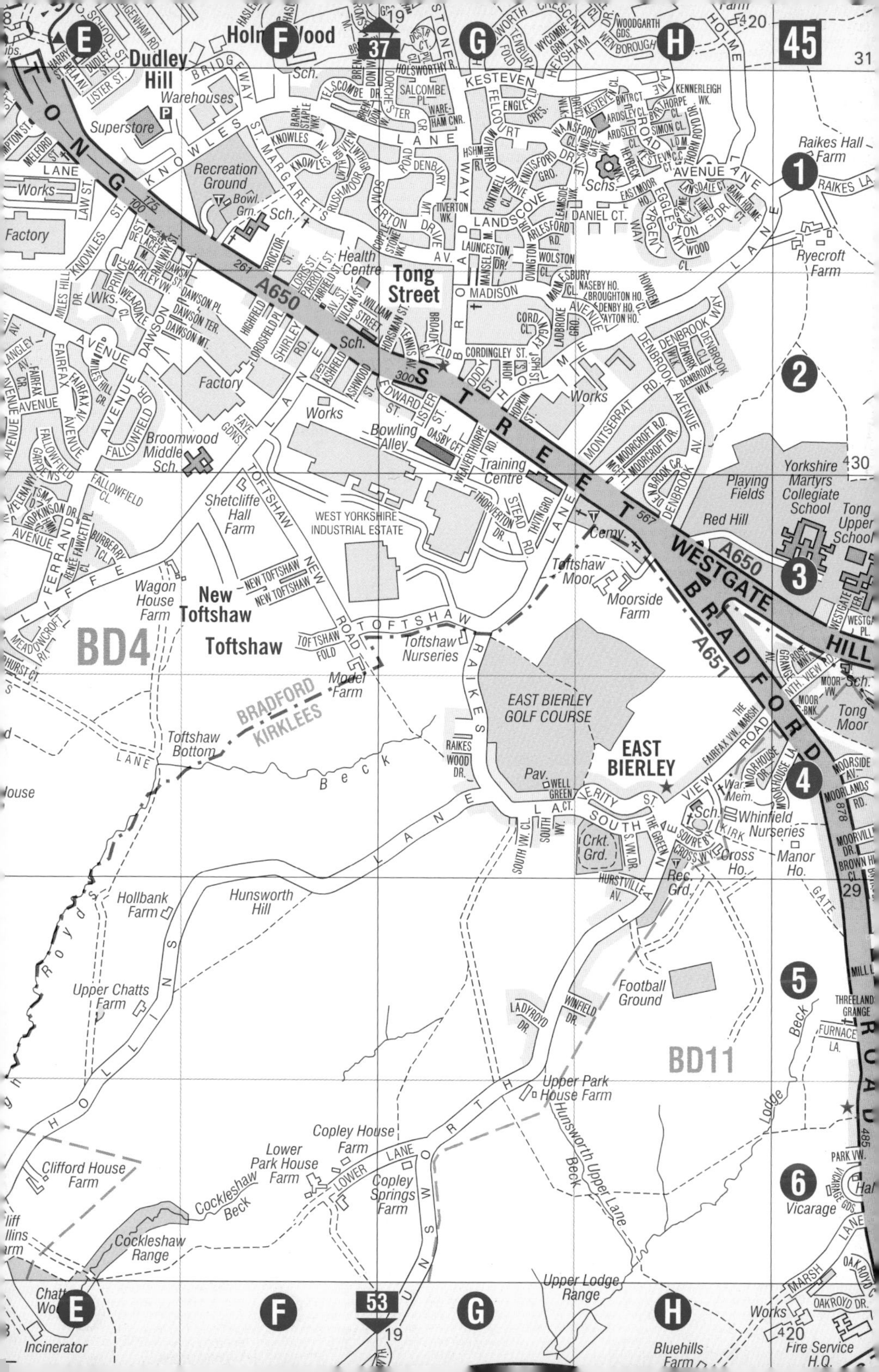

45
37
53
E
F
G
H
1
2
3
4
5
6
Dudley Hill
Holme Wood
Tong Street
New Toftshaw
Toftshaw
East Bierley
BD4
BD11
Tong Street
A650
A651
Westgate Hill
Bradford Road
Warehouses
Superstore
Recreation Ground
Bowl. Grn.
Sch.
Health Centre
Factory
Works
Wks.
Broomwood Middle Sch.
Bowling Alley
Training Centre
West Yorkshire Industrial Estate
Shetcliffe Hall Farm
Wagon House Farm
Toftshaw Moor
Moorside Farm
Toftshaw Nurseries
Model Farm
Bradford
Kirklees
Toftshaw Bottom
East Bierley Golf Course
Raikes Hall Farm
Ryecroft Farm
Yorkshire Martyrs Collegiate School
Tong Upper School
Playing Fields
Red Hill
Tong Moor
War. Mem.
Whinfield Nurseries
Cross Ho.
Manor Ho.
Crkt. Grd.
Rec. Grd.
Pav.
Cemy.
Hollbank Farm
Hunsworth Hill
Upper Chatts Farm
Football Ground
Upper Park House Farm
Copley House Farm
Lower Park House Farm
Copley Springs Farm
Clifford House Farm
Cockleshaw Beck
Cockleshaw Range
Upper Lodge Range
Hunsworth Beck
Upper Lane
Bluehills Farm
Incinerator
Vicarage
Fire Service H.Q.
Knowles Lane
Kesteven
Landscove
Madison
Denbrook Avenue
Montserrat Rd.
Toftshaw Lane
Toftshaw Road
Raikes Lane
Hollins Lane
Hunsworth Lane
Lower Lane
South View Road
Verity St.
Holme Lane
Cliffe Lane
Royds
Fairfax Avenue
Dawson Avenue
Fallowfield Dr.
Ferrand Avenue
Threelands Grange
Furnace La.
Marsh Lane
Oakroyd Dr.
Park Vw.
19
20
29
30
31
420
430

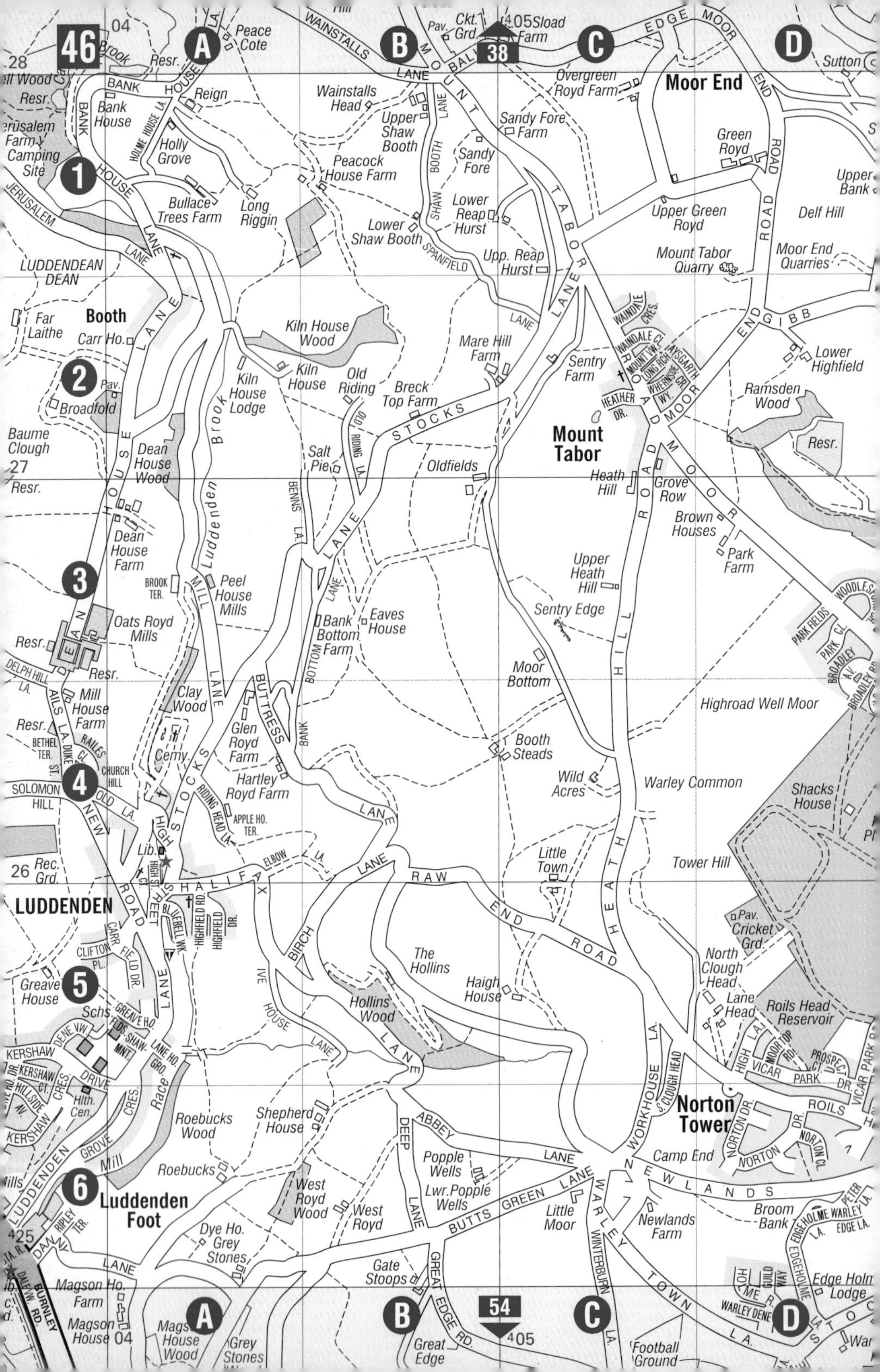

Moor End
Mount Tabor
Booth
LUDDENDEAN DEAN
LUDDENDEN
Luddenden Foot
Norton Tower
Peace Cote
Reign
Bank House
Holly Grove
Bullace Trees Farm
Long Riggin
Wainstalls Head
Upper Shaw Booth
Peacock House Farm
Lower Shaw Booth
Sandy Fore Farm
Sandy Fore
Lower Reap Hurst
Upp. Reap Hurst
Overgreen Royd Farm
Sload Farm
Green Royd
Upper Green Royd
Mount Tabor Quarry
Delf Hill
Upper Bank
Moor End Quarries
Lower Highfield
Ramsden Wood
Kiln House Wood
Kiln House
Kiln House Lodge
Old Riding
Breck Top Farm
Mare Hill Farm
Sentry Farm
Far Laithe
Carr Ho.
Broadfold
Baume Clough
Dean House Wood
Dean House Farm
Salt Pie
Oldfields
Heath Hill
Grove Row
Brown Houses
Park Farm
Upper Heath Hill
Sentry Edge
Peel House Mills
Oats Royd Mills
Mill House Farm
Bank Bottom Farm
Eaves House
Moor Bottom
Highroad Well Moor
Clay Wood
Glen Royd Farm
Booth Steads
Wild Acres
Warley Common
Shacks House
Hartley Royd Farm
Cemy.
Little Town
Tower Hill
The Hollins
Haigh House
Hollins Wood
North Clough Head
Lane Head
Cricket Grd.
Roils Head Reservoir
Greave House
Roebucks Wood
Shepherd House
Roebucks
West Royd Wood
West Royd
Popple Wells
Lwr. Popple Wells
Camp End
Little Moor
Newlands Farm
Broom Bank
Dye Ho.
Grey Stones
Gate Stoops
Magson Ho. Farm
Magson House
Magson House Wood
Great Edge
Football Ground
Edge Holme Lodge
WAINSTALLS LANE
MOUNT TABOR LANE
BANK HOUSE LANE
HOLME HOUSE LA.
JERUSALEM LANE
BOOTH HOUSE LANE
DEAN HOUSE LANE
STOCKS LANE
OLD RIDING LA.
BENNS LA.
BOTTOM LANE
BANK BOTTOM
BUTTRESS LANE
SHAW BOOTH LANE
SPANFIELD LANE
EDGE MOOR
MOOR END ROAD
GIBB
HIGH ROAD MOOR
HEATH HILL ROAD
RAW END ROAD
WORKHOUSE LA.
NEWLANDS
WARLEY TOWN LA.
WINTERBURN LA.
BUTTS GREEN LANE
ABBEY LANE
DEEP LANE
GREAT EDGE RD.
HALIFAX LANE
ELBOW LA.
BIRCH LANE
IVE HOUSE LANE
HIGH STREET
NEW ROAD
OLD LA.
SOLOMON HILL
LUDDENDEN GROVE
DANNY LANE
BURNLEY RD.
BROOK TER.
MILL LANE
RIDING HEAD LA.
APPLE HO. TER.
Luddenden Brook
Mill Race
Lib.
Rec. Grd.
Resr.
Pav.
Ckt. Grd.
Hlth. Cen.
Schs.
Sutton
1
2
3
4
5
6
A
B
C
D
38
54
04
405
28
27
26
25

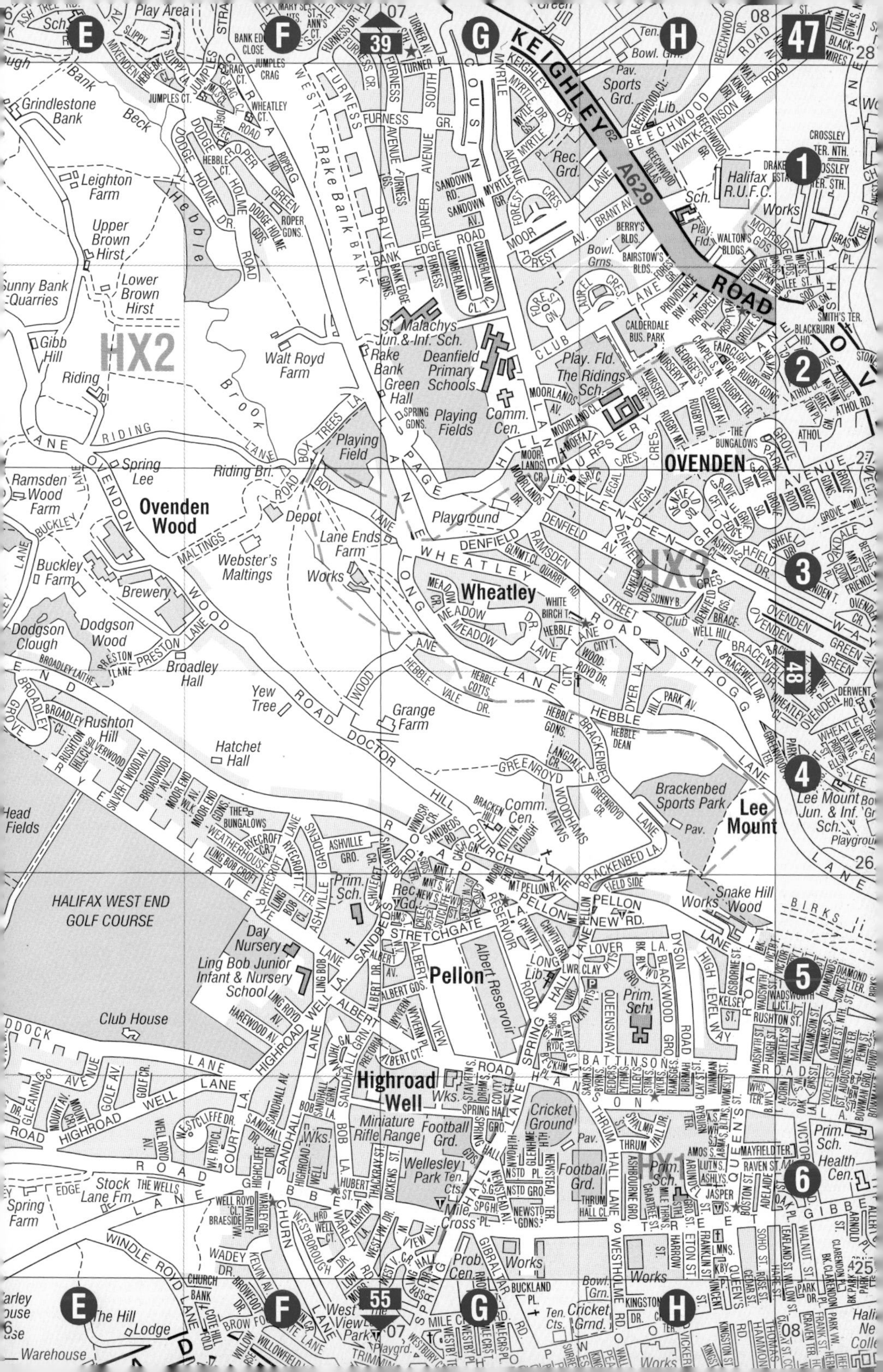

47
39
48
55
E
F
G
H
1
2
3
4
5
6
07
08
28
27
26
25
HX2
HX3
HX1
KEIGHLEY ROAD
A629
Play Area
Grindlestone Bank
Bank Beck
Leighton Farm
Upper Brown Hirst
Lower Brown Hirst
Sunny Bank Quarries
Gibb Hill
Riding
Riding Lane
Hebble Brook
Walt Royd Farm
Rake Bank
St. Malachys Jun. & Inf. Sch.
Deanfield Primary Schools
Green Hall
Playing Fields
Comm. Cen.
Playing Field
Play. Fld.
The Ridings Sch.
Calderdale Bus. Park
Halifax R.U.F.C.
Works
Sports Grd.
Rec. Grd.
Bowl. Grns.
Lib.
Sch.
OVENDEN
Spring Lee
Riding Bri.
Ramsden Wood Farm
Ovenden Wood
Depot
Lane Ends Farm
Playground
Wheatley
Webster's Maltings
Buckley Farm
Brewery
Dodgson Clough
Dodgson Wood
Broadley Hall
Yew Tree
Grange Farm
Hatchet Hall
Rushton Hill
Brackenbed Sports Park
Lee Mount
Lee Mount Jun. & Inf. Sch.
Pav.
Snake Hill Wood
Head Fields
HALIFAX WEST END GOLF COURSE
Day Nursery
Ling Bob Junior Infant & Nursery School
Club House
Prim. Sch.
Rec. Gd.
Pellon
Albert Reservoir
Highroad Well
Wks.
Miniature Rifle Range
Football Grd.
Wellesley Park
Ten. Cts.
Cricket Ground
Mile Cross
Prob. Cen.
Stock Lane Fm.
Spring Farm
The Hill
Lodge
Warehouse
West View Park
Bowl. Grn.
Cricket Grnd.
Health Cen.
DOCTOR HILL
WHEATLEY ROAD
SHROGG ROAD
OVENDEN ROAD
OVENDEN WOOD ROAD
HEBBLE LANE
LONG LANE
PAGE HILL
NURSERY LANE
CHURCH LANE
PELLON LANE
STRETCHGATE
BRACKENBED LANE
HIGHROAD WELL LANE
GIBBET STREET
WINDLE ROYD LANE
SPRING HALL LANE
BATTINSON ROAD
QUEEN'S ROAD
HIGH LEVEL WAY
OVENDEN WAY
BEECHWOOD ROAD
ALBERT ROAD

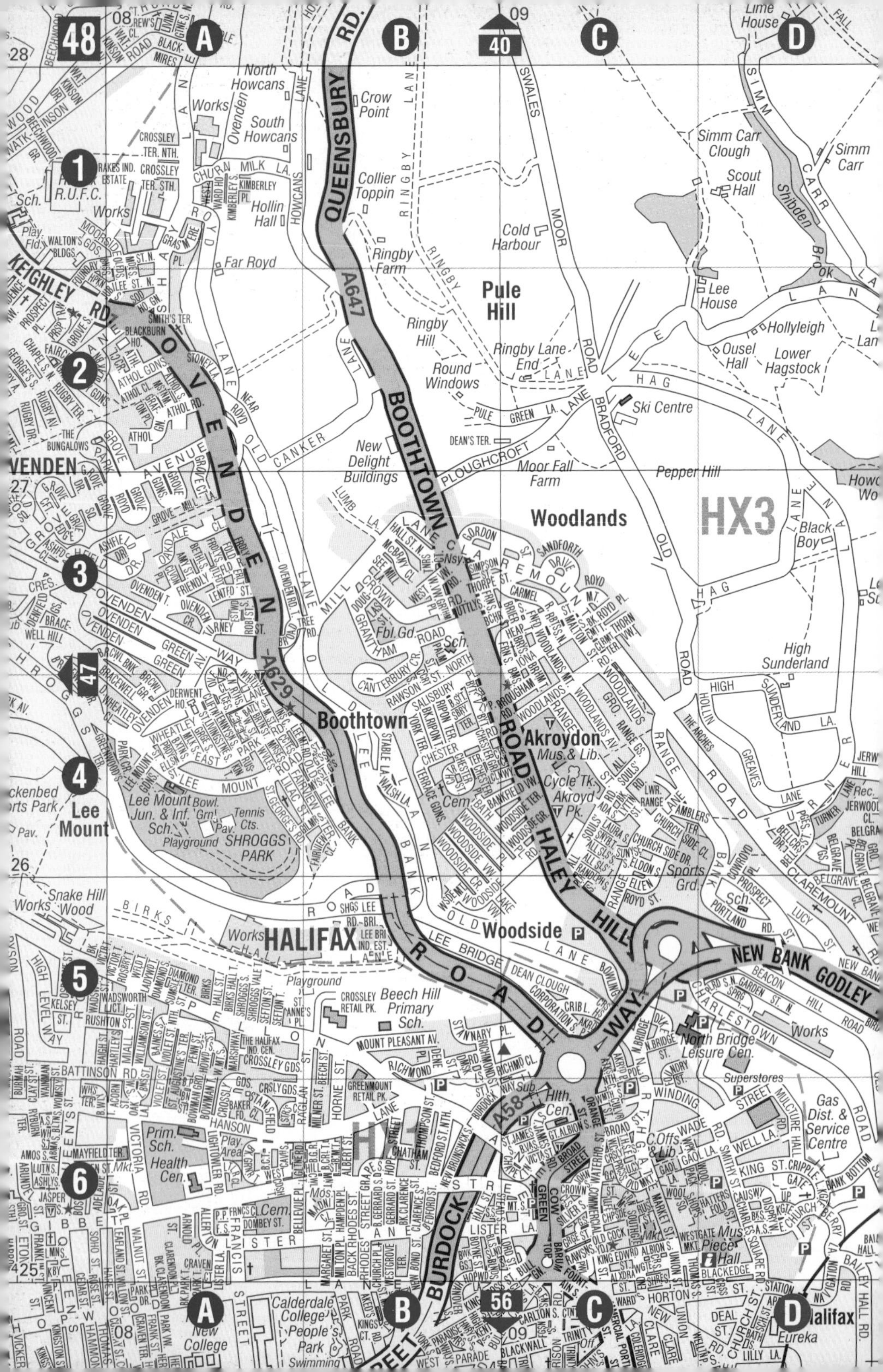
48
A
B
C
D
40
09
08
28
27
26
25
1
2
3
4
5
6
47
56
QUEENSBURY RD.
A647
BOOTHTOWN ROAD
OVENDEN ROAD
A629
HALEY HILL
NEW BANK
GODLEY
A58
BURDOCK WAY
KEIGHLEY RD.
North Howcans
South Howcans
Crow Point
Collier Toppin
Hollin Hall
Far Royd
Ringby Farm
Ringby Hill
Round Windows
Cold Harbour
Pule Hill
Ringby Lane End
Ski Centre
New Delight Buildings
Moor Fall Farm
Pepper Hill
Woodlands
HX3
Simm Carr Clough
Simm Carr
Scout Hall
Shibden Brook
Lee House
Hollyleigh
Ousel Hall
Lower Hagstock
Black Boy
High Sunderland
Boothtown
Akroydon
Mus. & Lib.
Cycle Tk.
Akroyd Pk.
Fbl. Gd.
Sch.
Cem.
OVENDEN
Lee Mount
Lee Mount Jun. & Inf. Sch.
Bowl. Grn.
Tennis Cts.
Pav.
Playground
SHROGGS PARK
Snake Hill Wood
Works
HALIFAX
Woodside
Beech Hill Primary Sch.
CROSSLEY RETAIL PK.
North Bridge Leisure Cen.
CHARLESTOWN
Superstores
Gas Dist. & Service Centre
Sports Grd.
Prim. Sch.
Health Cen.
Play Area
GREENMOUNT RETAIL PK.
Hlth. Cen.
C.Offs. & Lib.
Mus.
Piece Hall
Calderdale College
People's Park
Swimming
New College
Halifax
Eureka
R.U.F.C.
Lime House
DRAKES IND. ESTATE
CHURN MILK LA.
HOWCANS LANE
RINGBY LANE
SWALES MOOR ROAD
PULE GREEN LA.
PLOUGHCROFT LANE
BRADFORD OLD ROAD
HAG LANE
CANKER LANE
LEE BRIDGE
LEE LANE
BIRKS HALL
DEAN CLOUGH
WINDING ROAD
STREET
CLAREMOUNT
BEACON HILL
PORTLAND RD.
LUCY ST.
HIGH SUNDERLAND LA.
HOLLIN GREAVES LANE
RANGE BANK
TURNER LANE
HANSON LANE
GIBBET ST.
LISTER LANE
FRANCIS STREET
QUEENS RD.
HIGH LEVEL WAY
BATTINSON RD.
MOUNT PLEASANT AV.
RICHMOND RD.
KING ST.
WESTGATE
HORTON ST.
BLACKWALL
PARADE
BULL GN.
CROWN ST.
COMMERCIAL ST.
WATERHO. ST.
ORANGE ST.
BROAD STREET
SQUARE RD.
CHURCH ST.
DEAL ST.
BAILEY HALL RD.
NAVIGATION RD.

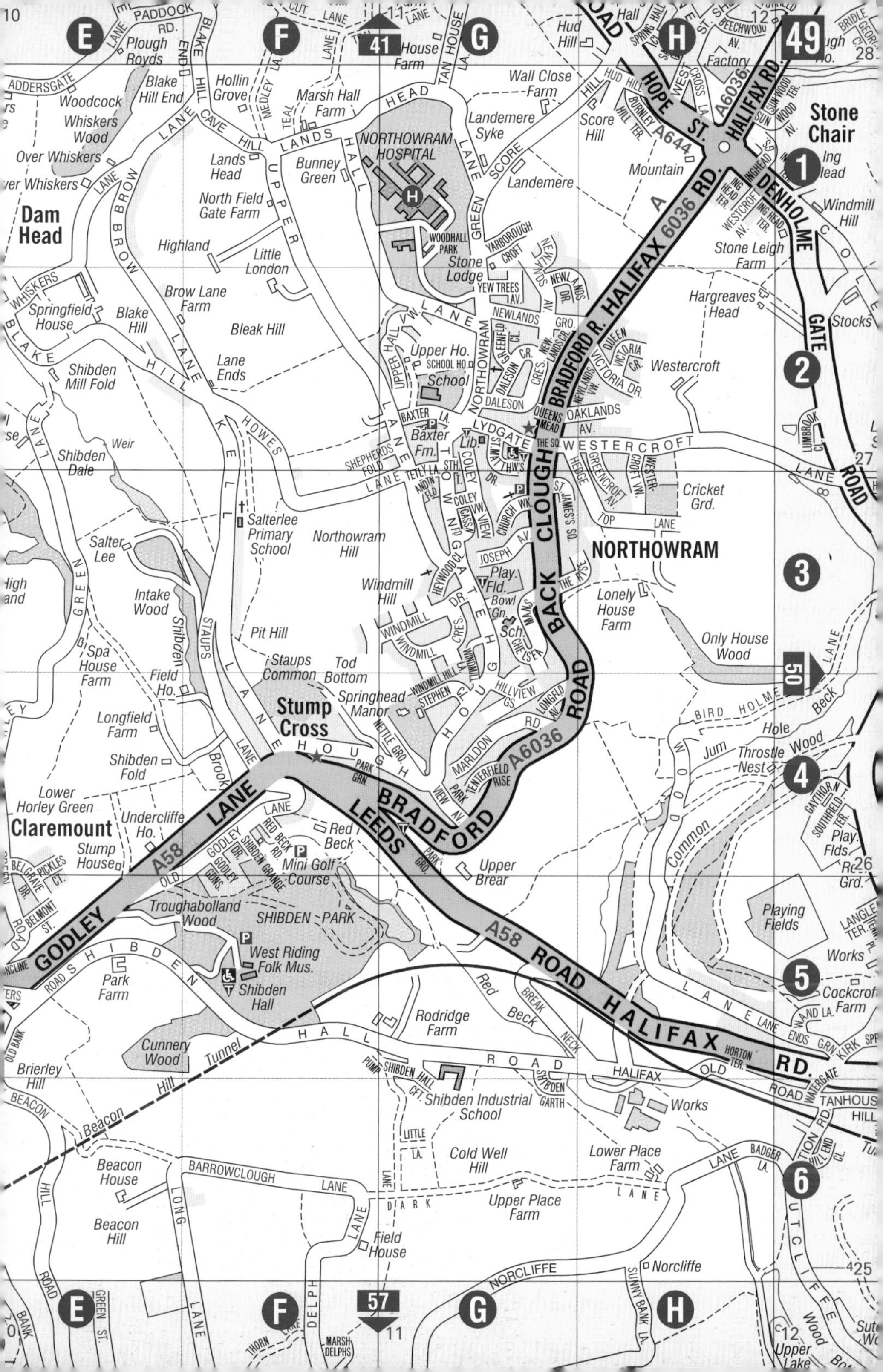

49
E
F
G
H
41
50
57
1
2
3
4
5
6
Stone Chair
Dam Head
NORTHOWRAM
Claremount
Stump Cross
NORTHOWRAM HOSPITAL
Plough Royds
Blake Hill End
Hollin Grove
Marsh Hall Farm
House Farm
Hud Hill
Wall Close Farm
Landemere Syke
Score Hill
Mountain
Woodcock
Whiskers Wood
Over Whiskers
Lands Head
Bunney Green
North Field Gate Farm
Highland
Little London
Landemere
Stone Lodge
Ing Head
Windmill Hill
Stone Leigh Farm
Hargreaves Head
Stocks
Westercroft
Brow Lane Farm
Bleak Hill
Springfield House
Blake Hill
Shibden Mill Fold
Lane Ends
Upper Ho.
School
Baxter Fm.
Lib.
Shibden Dale
Weir
Cricket Grd.
Salter Lee
Salterlee Primary School
Northowram Hill
Windmill Hill
Play. Fld.
Bowl Gn.
Sch.
Lonely House Farm
Only House Wood
Intake Wood
Pit Hill
Spa House Farm
Field Ho.
Staups Common
Tod Bottom
Springhead Manor
Longfield Farm
Shibden Fold
Lower Horley Green
Undercliffe Ho.
Stump House
Red Beck
Mini Golf Course
Upper Brear
Throstle Nest
Jum Hole
Play. Flds.
Playing Fields
Troughabolland Wood
SHIBDEN PARK
West Riding Folk Mus.
Shibden Hall
Park Farm
Cunnery Wood
Rodridge Farm
Works
Cockcroft Farm
Brierley Hill
Shibden Industrial School
Beacon House
Beacon Hill
Cold Well Hill
Lower Place Farm
Upper Place Farm
Field House
Norcliffe
Upper Lake
A58
A6036
A644
GODLEY LANE
LEEDS ROAD
BRADFORD ROAD
HALIFAX ROAD
BACK CLOUGH
BRADFORD R. HALIFAX
HOPE ST.
HALIFAX RD.
DENHOLME GATE ROAD
WESTERCROFT LANE
TOP LANE
BIRD HOLME LANE
KELL LANE
STAUPS LANE
HALL ROAD
BARROWCLOUGH LANE
DARK LANE
NORCLIFFE
SUNNY BANK LA.
LONG LANE
DELPH LANE
BEACON HILL ROAD
SHIBDEN HALL ROAD
OLD ROAD
Tunnel
Beacon Hill
425
10
11
12
26
27
28

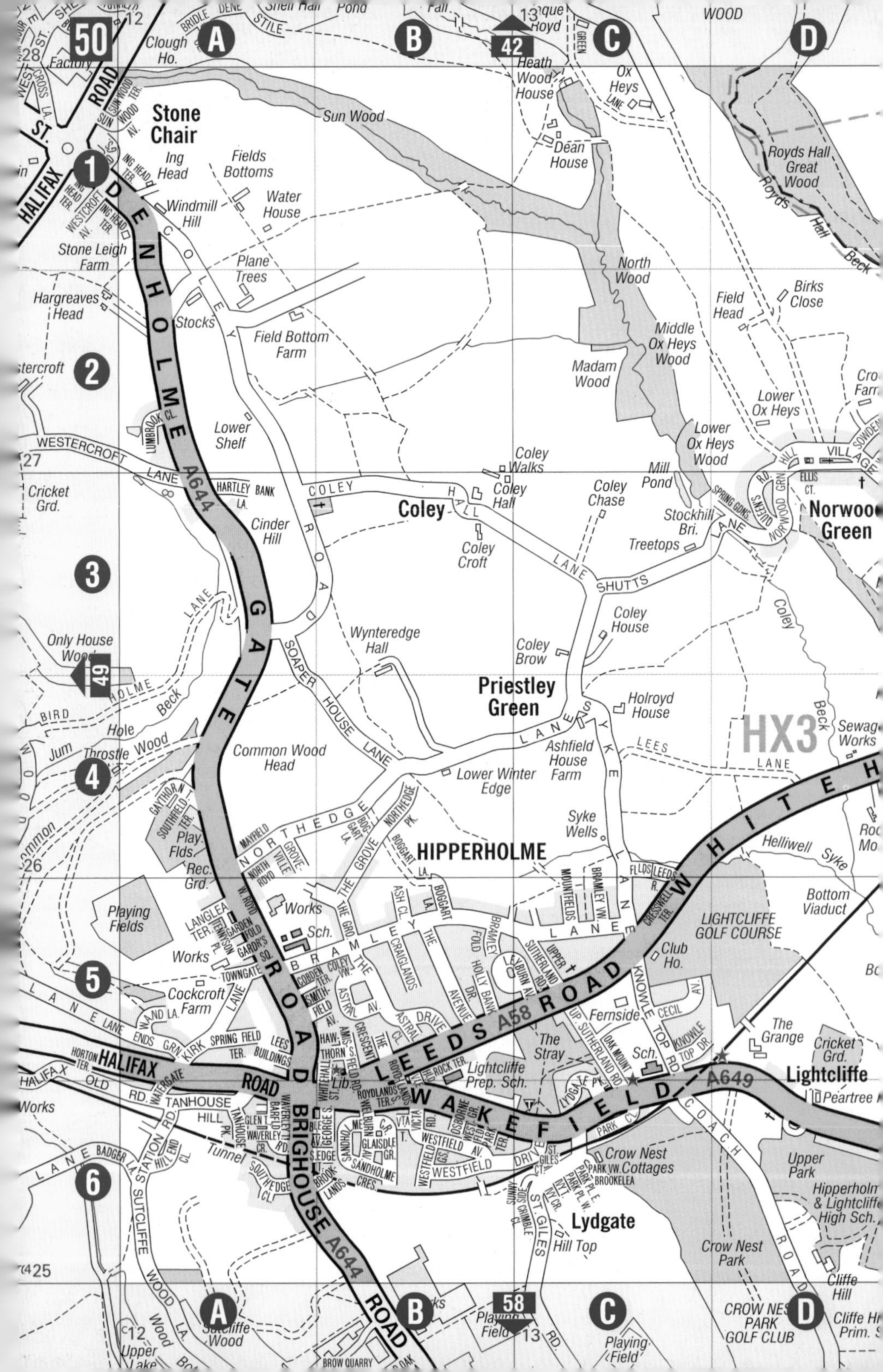
Stone Chair
Clough Ho.
Ing Head
Fields Bottoms
Sun Wood
Windmill Hill
Water House
Stone Leigh Farm
Plane Trees
Hargreaves Head
Stocks
Field Bottom Farm
Heath Wood House
Ox Heys
Dean House
Royds Hall Great Wood
North Wood
Field Head
Birks Close
Middle Ox Heys Wood
Madam Wood
Lower Ox Heys
Lower Ox Heys Wood
Lower Shelf
Coley Walks
Coley Hall
Coley
Coley Croft
Coley Chase
Mill Pond
Stockhill Bri.
Treetops
Norwood Green
Cricket Grd.
Cinder Hill
DENHOLME GATE ROAD
A644
WESTERCROFT LANE
HARTLEY BANK LA.
COLEY HALL LANE
SHUTTS LANE
COLEY ROAD
Only House Wood
Wynteredge Hall
Coley House
Coley Brow
Priestley Green
Holroyd House
HX3
Sewage Works
SOAPER HOUSE LANE
Throstle Wood
Hole
Common Wood Head
Ashfield House Farm
Lower Winter Edge
LEES LANE
NORTHEDGE
Syke Wells
HIPPERHOLME
Helliwell Syke
Play. Flds.
Rec. Grd.
Playing Fields
Works
Sch.
BRAMLEY LANE
SYKE LANE
Bottom Viaduct
LIGHTCLIFFE GOLF COURSE
Club Ho.
Cockcroft Farm
LEEDS ROAD A58
Fernside
The Stray
The Grange
Cricket Grd.
Lightcliffe
Lightcliffe Prep. Sch.
Lib.
HALIFAX ROAD
WAKEFIELD ROAD
A649
Peartree
Crow Nest Cottages
Upper Park
Hipperholme & Lightcliffe High Sch.
Lydgate
Hill Top
Crow Nest Park
Tunnel
BRIGHOUSE ROAD
COACH ROAD
Cliffe Hill
CROW NEST PARK GOLF CLUB
Cliffe Hill Prim. Sch.
Sutcliffe Wood
Upper Lake
Playing Field
BROW QUARRY
42
49
58

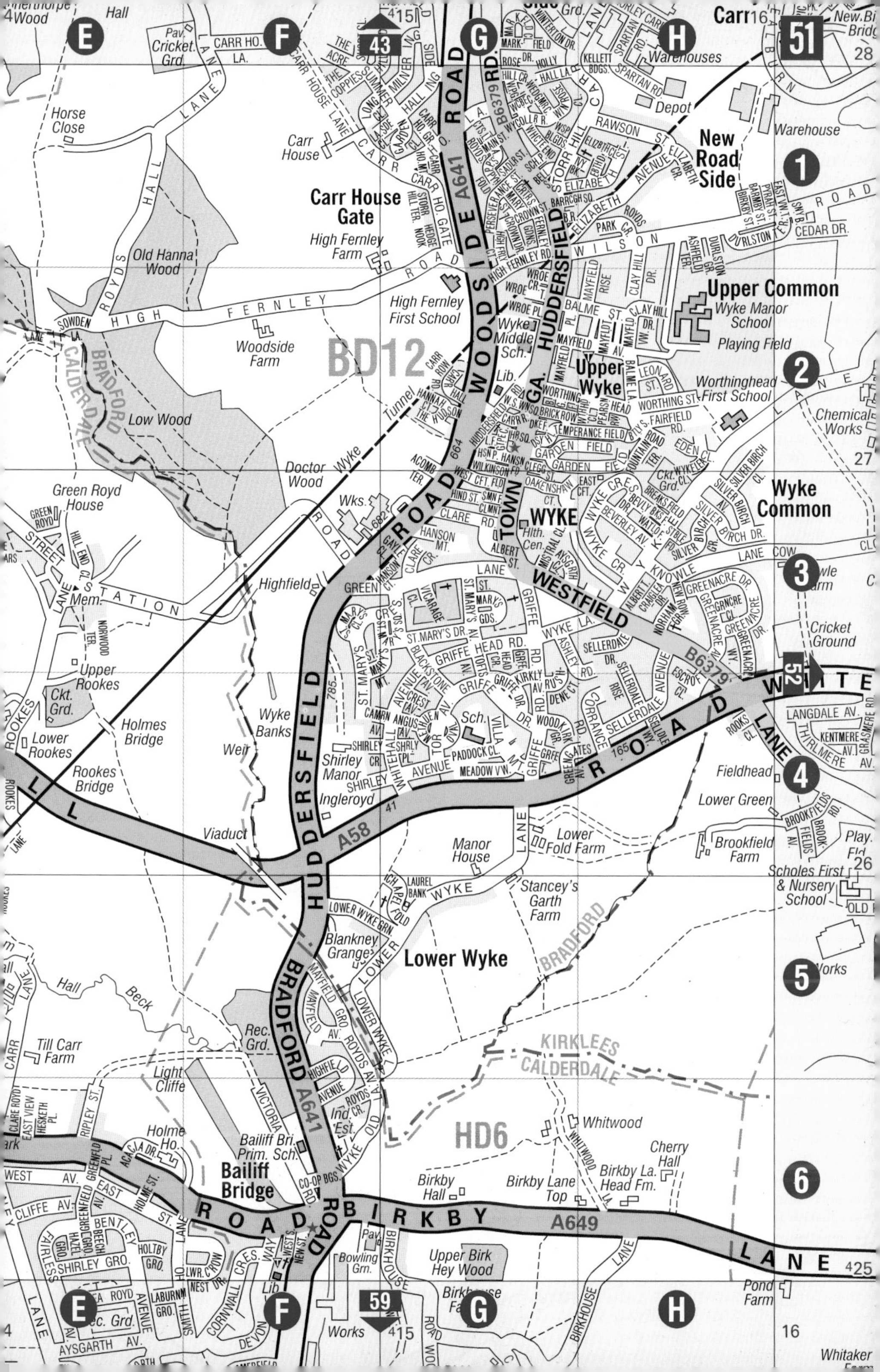

51
43
52
59
E
F
G
H
1
2
3
4
5
6
Carr
New Road Side
Warehouse
Warehouses
Depot
Carr House Gate
Carr House
Horse Close
High Fernley Farm
High Fernley First School
Old Hanna Wood
Woodside Farm
BD12
Low Wood
Doctor Wood
Wyke Tunnel
Green Royd House
Wks.
Highfield
Upper Common
Wyke Manor School
Playing Field
Worthinghead First School
Chemical Works
Upper Wyke
Wyke Middle Sch.
Lib.
WYKE
Hlth. Cen.
Wyke Common
Cricket Ground
Upper Rookes
Ckt. Grd.
Lower Rookes
Holmes Bridge
Rookes Bridge
Wyke Banks
Weir
Viaduct
Shirley Manor
Ingleroyd
Sch.
Fieldhead
Lower Green
Brookfield Farm
Lower Fold Farm
Manor House
Stancey's Garth Farm
Scholes First & Nursery School
Blankney Grange
Lower Wyke
Works
Hall Beck
Till Carr Farm
Rec. Grd.
Light Cliffe
KIRKLEES
CALDERDALE
BRADFORD
Whitwood
HD6
Cherry Hall
Birkby La. Head Fm.
Birkby Lane Top
Birkby Hall
Holme Ho.
Bailiff Bri. Prim. Sch.
Ind. Est.
Bailiff Bridge
Upper Birk Hey Wood
Bowling Grn.
Pond Farm
Whitaker
Works
HUDDERSFIELD ROAD
WOODSIDE ROAD A641
B6379
WESTFIELD
A58
BRADFORD A641
BIRKBY LANE A649
HIGH FERNLEY ROAD
STATION
WILSON ROAD
TOWN GA.
WHITE ROAD

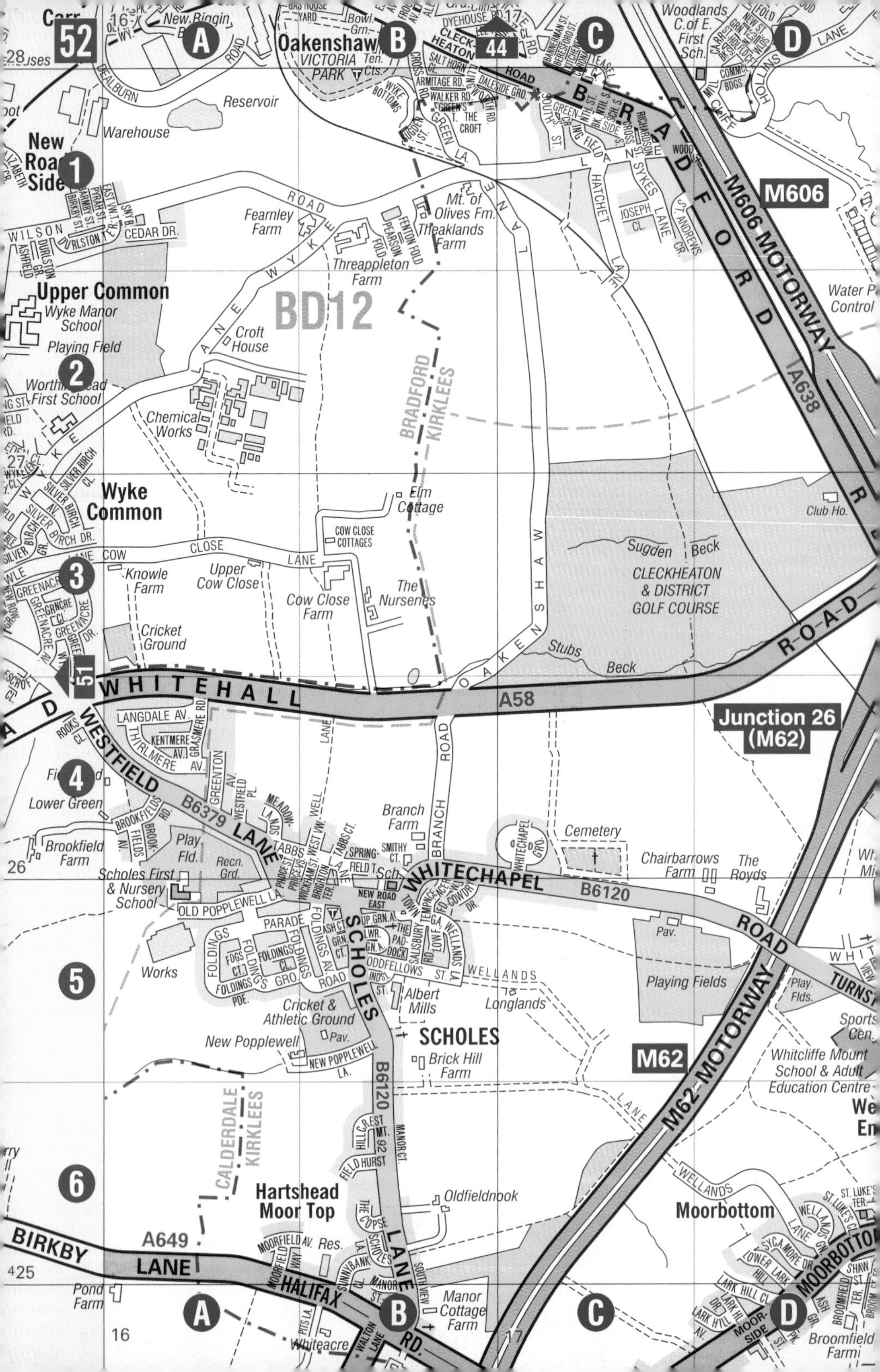
Oakenshaw
VICTORIA PARK
Reservoir
Warehouse
New Road Side
Upper Common
Wyke Manor School
Playing Field
BD12
Fearnley Farm
Mt. of Olives Fm.
Theaklands Farm
Threappleton Farm
Croft House
Chemical Works
Wyke Common
Elm Cottage
COW CLOSE COTTAGES
Knowle Farm
Upper Cow Close
Cow Close Farm
The Nurseries
Cricket Ground
CLECKHEATON & DISTRICT GOLF COURSE
Sugden Beck
Stubs Beck
Club Ho.
M606
M606 MOTORWAY
A638
BRADFORD
KIRKLEES
WHITEHALL
A58
Junction 26 (M62)
WESTFIELD LANE
B6379
Lower Green
Brookfield Farm
Scholes First & Nursery School
Play. Fld.
Recn. Grd.
Branch Farm
Cemetery
Chairbarrows Farm
The Royds
WHITECHAPEL
B6120
ROAD
Works
Playing Fields
Cricket & Athletic Ground
Albert Mills
Longlands
New Popplewell
SCHOLES
Brick Hill Farm
M62
M62 MOTORWAY
Whitcliffe Mount School & Adult Education Centre
CALDERDALE
KIRKLEES
Hartshead Moor Top
Oldfieldnook
Moorbottom
BIRKBY LANE
A649
HALIFAX RD.
Pond Farm
Manor Cottage Farm
Whiteacre
Broomfield Farm
44
51

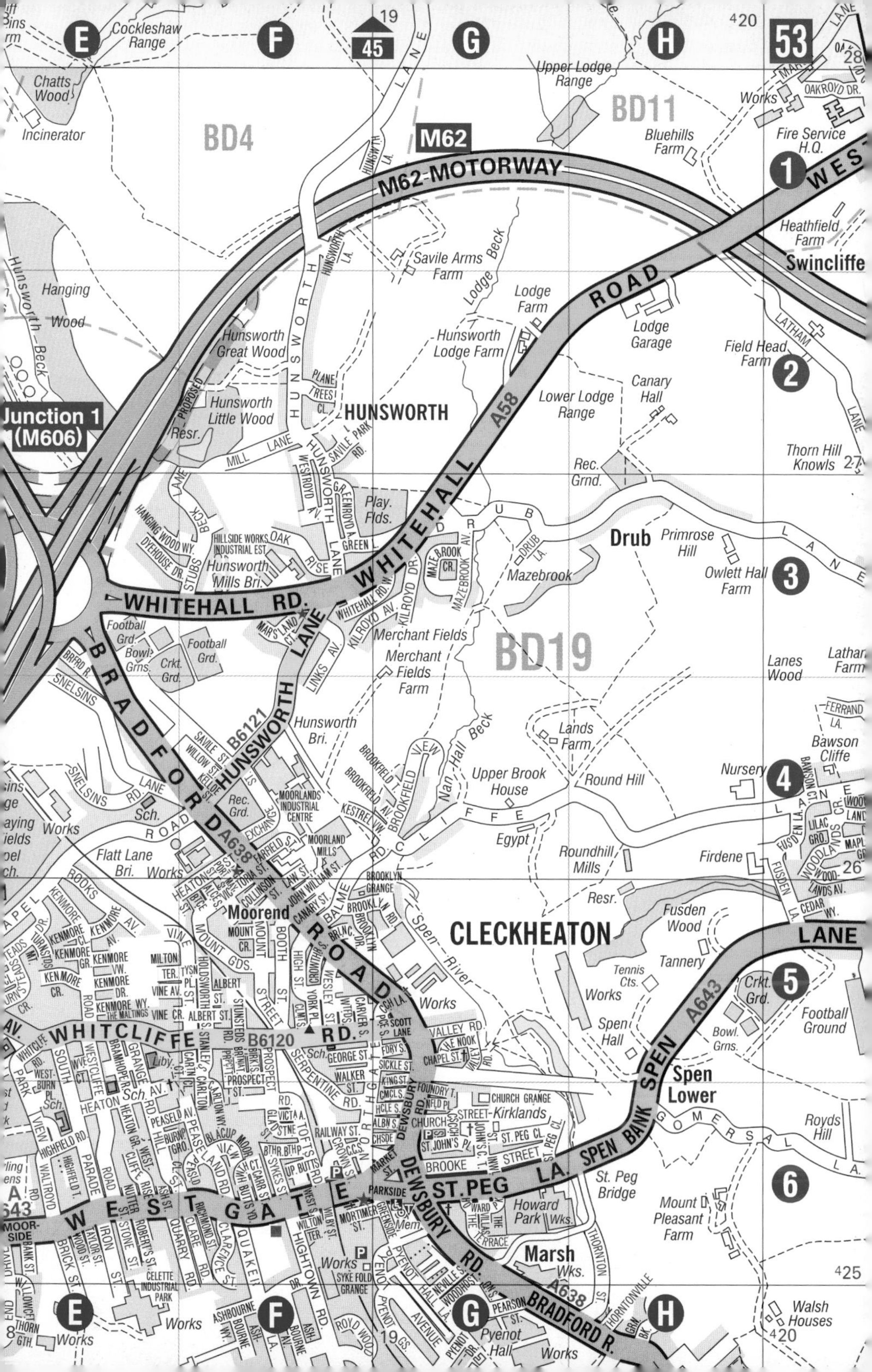

53
E
F
G
H
45
19
420
Cockleshaw Range
Chatts Wood
Incinerator
BD4
M62
M62 MOTORWAY
Upper Lodge Range
BD11
Bluehills Farm
Works
OAKROYD DR.
Fire Service H.Q.
1
WEST
Heathfield Farm
Swincliffe
Hanging Wood
Hunsworth Beck
Savile Arms Farm
Lodge Beck
Lodge Farm
ROAD
Lodge Garage
LATHAM
Field Head Farm
2
Hunsworth Great Wood
Hunsworth Lodge Farm
Lower Lodge Range
Canary Hall
Junction 1 (M606)
Hunsworth Little Wood
HUNSWORTH
A58
Resr.
MILL LANE
HUNSWORTH LANE
SAVILE PARK RD.
Thorn Hill Knowls
27
Rec. Grnd.
Play. Flds.
WHITEHALL
DRUB
Drub
Primrose Hill
LANE
HANGING WOOD WY.
DYEHOUSE DR.
HILLSIDE WORKS INDUSTRIAL EST.
OAK RISE
GREEN L.
Hunsworth Mills Bri.
Mazebrook
MAZEBROOK AV.
KILROYD DR.
Owlett Hall Farm
3
WHITEHALL RD.
LANE
KILROYD AV.
Merchant Fields
Football Grd.
Bowl. Grns.
Crkt. Grd.
MAR'SLAND CT.
LINKS AV.
Merchant Fields Farm
BD19
Lanes Wood
Latham Farm
BRADFORD
SNELSINS
B6121
HUNSWORTH
Hunsworth Bri.
Nan Hall Beck
Lands Farm
FERRAND LA.
Bawson Cliffe
SNELSINS RD.
LANE
Sch.
Rec. Grd.
MOORLANDS INDUSTRIAL CENTRE
BROOKFIELD AV.
BROOKFIELD VIEW
Upper Brook House
Round Hill
Nursery
4
BAWSON CT.
Works
ROAD
A638
EXCHANGE
MOORLAND MILLS
KESTREL VW.
CLIFFE
Egypt
Roundhill Mills
Firdene
FUSDEN LA.
LILAC GRO.
WOODLANDS CR.
26
Flatt Lane Bri.
Works
BROOKS
KENMORE AV.
COLLINSON ST.
JOHN WILLIAM ST.
BALME
BROOKLYN GRANGE
Resr.
Fusden Wood
CEDAR WY.
Moorend
MOUNT CR.
BOOTH
CANARY ST.
BROOKLYN RD.
Spen River
CLECKHEATON
LANE
VINE
MOUNT GDS.
HIGH ST.
Tannery
Tennis Cts.
Works
5
Crkt. Grd.
Football Ground
KENMORE
MILTON TER.
ALBERT
STREET
WESLEY ST.
YORK PL.
ROAD
A643
Spen Hall
Bowl. Grns.
KENMORE WY.
THE MALTINGS
VINE AV.
ALBERT ST.
CARVER S.
SCOTT LANE
Works
VALLEY RD.
THE NOOK
WHITCLIFFE
B6120
RD.
GEORGE ST.
CHAPEL ST.
SPEN
Spen Lower
PARK
HEATON
Liby.
PROSPECT
SERPENTINE
WALKER ST.
SICKLE ST.
KING ST.
FOUNDRY T.
CHURCH GRANGE
Kirklands
Royds Hill
SOUTH
BRAMHOPE R.
GRANGE
Sch.
PROSPECT ST.
RD.
STREET
GOMERSAL
VIEW
HIGHFIELD RD.
PEASELD AV.
BLACUP MOOR VIEW
GLAD STNE
RAILWAY ST.
CHURCH
ST. JOHN'S PL.
ST. PEG CL.
BANK
Works
HIGHFIELD T.
PARADE
ROAD
HEATON GR.
CLIFFE
ST. PEG CL.
6
WALTROYD
NUTTER
ROBERTS
QUARRY
RICHMOND ST.
CLARENCE ST.
BROOKE
STREET
ST. PEG
LA.
SPEN BANK
St. Peg Bridge
A643
MOOR-SIDE
WESTGATE
MARKET
PARKSIDE
DEWSBURY
WARD
THE VILLAS
THE TERRACE
Howard Park
Wks.
Mount Pleasant Farm
BANK ST.
TAYLOR ST.
BRICK ST.
IRON ST.
STONE ST.
ROBERTS ST.
CLARE RD.
QUAKER
WILTON TER.
HIGHTOWN RD.
MORTIMER ST.
Mem.
Marsh
THORNTON ST.
Wks.
425
CELETTE INDUSTRIAL PARK
Works
SYKE FOLD GRANGE
PYENOT HALL LA.
NEVILLE ST.
WOODHOUSE
A638
THORNTONVILLE
WILLOW
E
Works
ASHBOURNE WY.
F
ASH
BOURNE
ROYD WOOD
PYENOT AVENUE
19
G
PEARSON ST.
Pyenot Hall
Works
BRADFORD R.
H
Walsh Houses
420

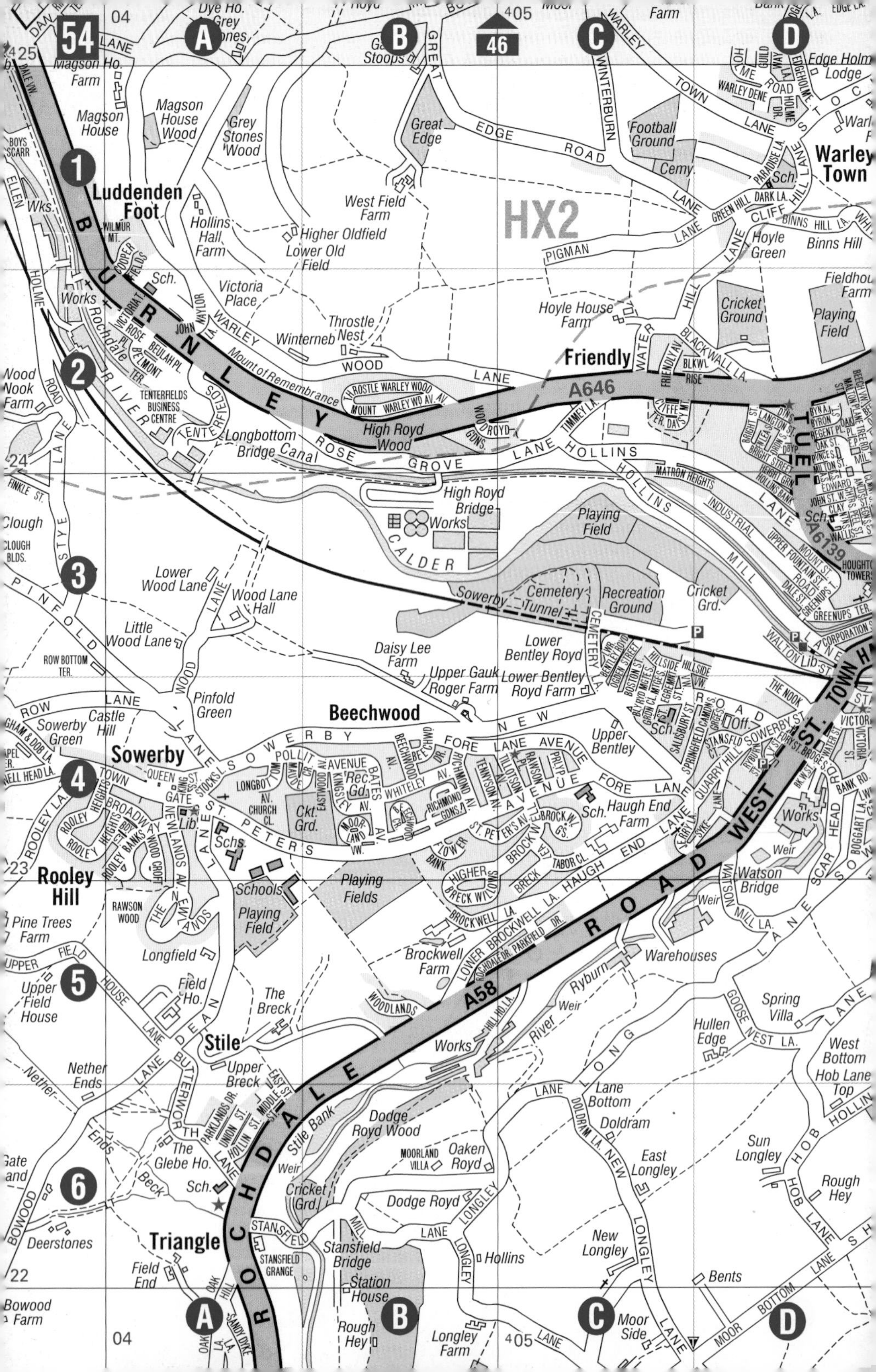

46
A
B
C
D
1
2
3
4
5
6
04
405
24
23
22
HX2
Luddenden Foot
Magson Ho. Farm
Magson House
Magson House Wood
Grey Stones Wood
Great Edge
Gate Stoops
Dye Ho.
Boys Scarr
Ellen
Wks.
Works
Sch.
Wilmur Mt.
Cooper Fields
Victoria Ter.
Rose Pl.
Belmont
Beulah Pl.
John
Naylor La.
Hollins Hall Farm
Victoria Place
Higher Oldfield
Lower Old Field
West Field Farm
Throstle Nest
Winterneb
Warley
Wood
Lane
Mount of Remembrance
Burnley
Tenterfields Business Centre
Tenterfields
Tenterfields Ter.
River
Rochdale
Longbottom Bridge
Canal
Rose
Grove
Lane
Hollins
High Royd Wood
Throstle Warley Wood
Mount Warley Wd Av.
Wood Royd Gdns.
Friendly
A646
Timmey La.
Water
Friendly Av.
Blackwall La.
Blkwl Rise
Football Ground
Cemy.
Winterburn
Edge Road
Warley Town
Warley Town Lane
Warley Dene
Edge Holme Lodge
Paradise La.
Dark La.
Green Hill
Cliff Hill Lane
Binns Hill La.
Binns Hill
Hoyle Green
Pigman Lane
Hoyle House Farm
Cricket Ground
Playing Field
Fieldhouse Farm
Tuel
A6139
Matron Heights
Industrial
Mill
Lane
Sch.
High Royd Bridge
Works
Calder
Playing Field
Sowerby Tunnel
Cemetery
Recreation Ground
Cricket Grd.
Cemetery La.
Lower Bentley Royd
Lower Bentley Royd Farm
Upper Gauk Roger Farm
Daisy Lee Farm
Beechwood
New Road
Hillside
Boston St.
Salisbury St.
Walton
Lib.
Corporation St.
Greenups Ter.
Houghton Towers
The Nook
Town Hall
Sowerby St.
Quarry Hill
Stansfield Ct.
Springfield
Upper Bentley
Fore Lane Avenue
Fore Lane
Haugh End Farm
Haugh End Lane
Sch.
Works
Weir
Watson Bridge
Watson Mill La.
Scar Head Rd.
Bank Rd.
West St.
Town Hall St.
Sowerby
Sowerby Green
Castle Hill
Row Lane
Row Bottom Ter.
Pinfold
Pinfold Green
Lower Wood Lane
Wood Lane Hall
Little Wood Lane
Wood Lane
Stye
Clough
Clough Blds.
Finkle St.
Wood Nook Farm
Holme
Road
Lane
Sowerby New Road
Town Gate
Queen St.
King St.
Stocks La.
Lib.
St. Peter's Avenue
Longbottom Av.
Tom Pollit
Maude Cr.
Church Cl.
Ckt. Grd.
Eastwood Av.
Kingsley Av.
Rec Gd.
Bates Av.
Whiteley Av.
Beechwood Av.
Beechwood Dr.
Richmond Av.
Richmond Gdns.
Tennyson Av.
Tillotson Av.
Rawson Pl.
Moorland Vw.
Flower Bank
Brockwell
Brockwell Gds.
Higher Brockwell
Breck Willows
Tabor Cl.
Breck Lea
Brockwell La.
Lower Brockwell La.
Parkfield Dr.
Rochdale Dr.
Schs.
Schools
Playing Field
Playing Fields
Rooley Hill
Rooley La.
Rooley Heights
Rooley Banks
Broadway
Newlands Av.
The Newlands
Wood Croft
Rawson Wood
Longfield
Pine Trees Farm
Upper Field House
Field House Lane
Field Ho.
Dean Lane
Stile
The Breck
Upper Breck
Woodlands
A58
Rochdale Road
West
Brockwell Farm
Warehouses
Ryburn
River
Weir
Works
Hill Ho. La.
Spring Villa
Goose Lane
West La.
Hullen Edge
Long Lane
West Bottom
Hob Lane Top
Hob Lane
Hollins
Nether Ends
Butterworth Lane
Parklands Dr.
Union St.
Hollin St.
Middle St.
East St.
The Glebe Ho.
Sch.
Beck
Stile Bank
Dodge Royd Wood
Moorland Villa
Oaken Royd
Dodge Royd
Weir
Cricket Grd.
Lane Bottom
Doldram
Doldram La.
New Longley
East Longley
Sun Longley
Rough Hey
Triangle
Deerstones
Bowood
Gate Land
Field End
Stansfield
Stansfield Grange
Stansfield Bridge
Station House
Mill Lane
Longley
Hollins
Longley Lane
Bents
Moor Bottom Lane
Moor Side
Longley Farm
Rough Hey
Oak Hill
Sandy Dyke
Bowood Farm

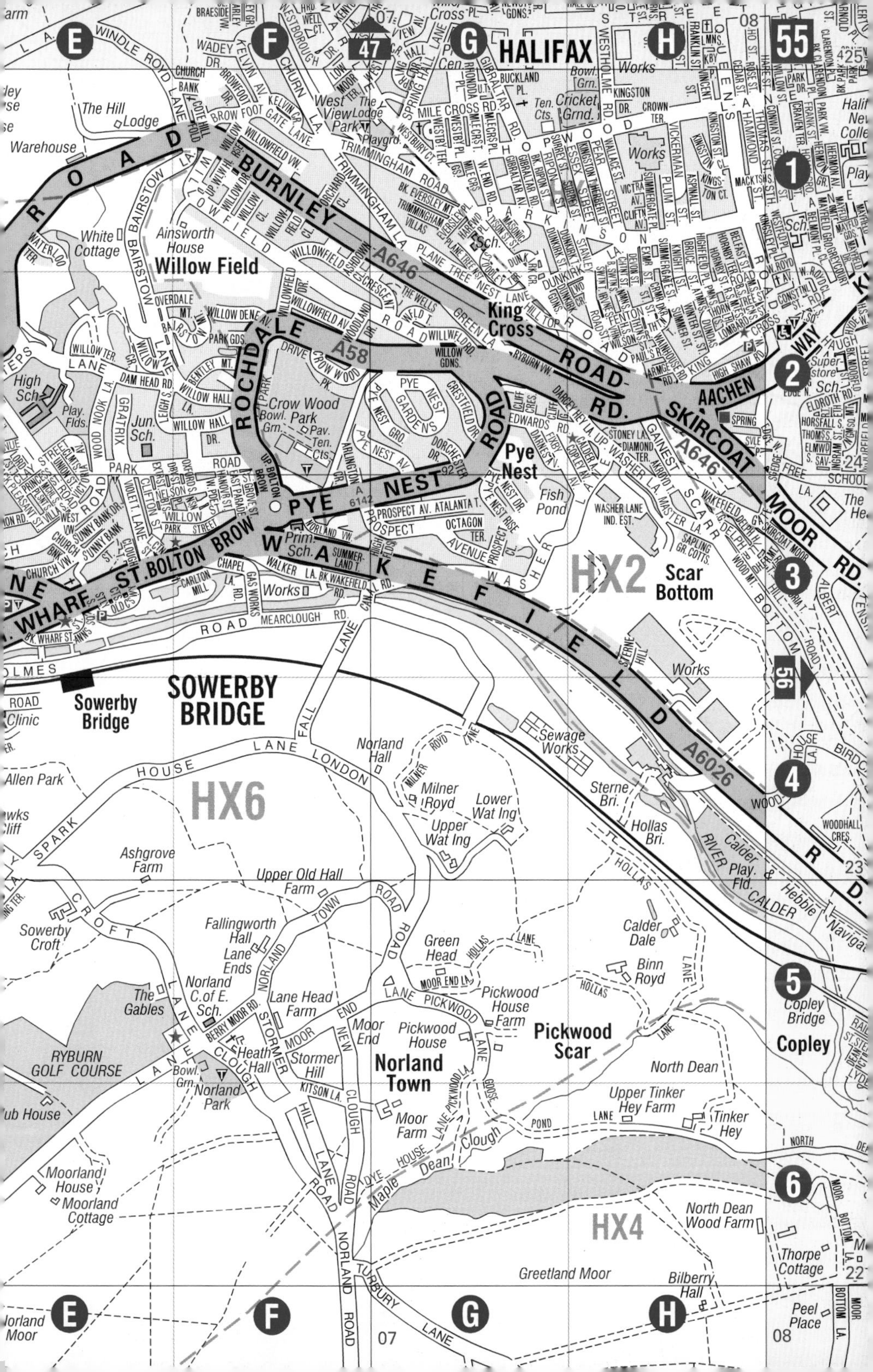
HALIFAX
47
56
E
F
G
H
1
2
3
4
5
6
07
08
BURNLEY ROAD
A646
ROCHDALE ROAD
A58
PYE NEST ROAD
A6142
WAKEFIELD ROAD
A6026
SKIRCOAT MOOR RD.
SKIRCOAT RD.
AACHEN WAY
ST. BOLTON BROW
WHARF
Willow Field
Ainsworth House
White Cottage
The Hill Lodge
Warehouse
King Cross
Pye Nest
Crow Wood Park
Fish Pond
HX2
Scar Bottom
Washer Lane Ind. Est.
Sewage Works
Works
SOWERBY BRIDGE
Sowerby Bridge
HX6
Norland Hall
Milner Royd
Lower Wat Ing
Upper Wat Ing
Sterne Bri.
Hollas Bri.
Ashgrove Farm
Upper Old Hall Farm
Sowerby Croft
Fallingworth Hall
Lane Ends
Norland C.of E. Sch.
The Gables
Lane Head Farm
Green Head
Calder Dale
Binn Royd
Pickwood House Farm
Pickwood House
Pickwood Scar
Moor End
Stormer Hill
Heath Hall
Norland Park
Norland Town
Moor Farm
RYBURN GOLF COURSE
North Dean
Upper Tinker Hey Farm
Tinker Hey
Copley Bridge
Copley
Moorland House
Moorland Cottage
Maple Dean Clough
HX4
North Dean Wood Farm
Greetland Moor
Bilberry Hall
Thorpe Cottage
Peel Place
Norland Moor
Allen Park
Calder & Hebble Navigation
RIVER CALDER
SPARK HOUSE LANE
LONDON LANE
FALL LANE
MEARCLOUGH RD.
NORLAND ROAD
TURBURY LANE
POND LANE
HOLLAS LANE
CROFT LANE
CLOUGH LANE

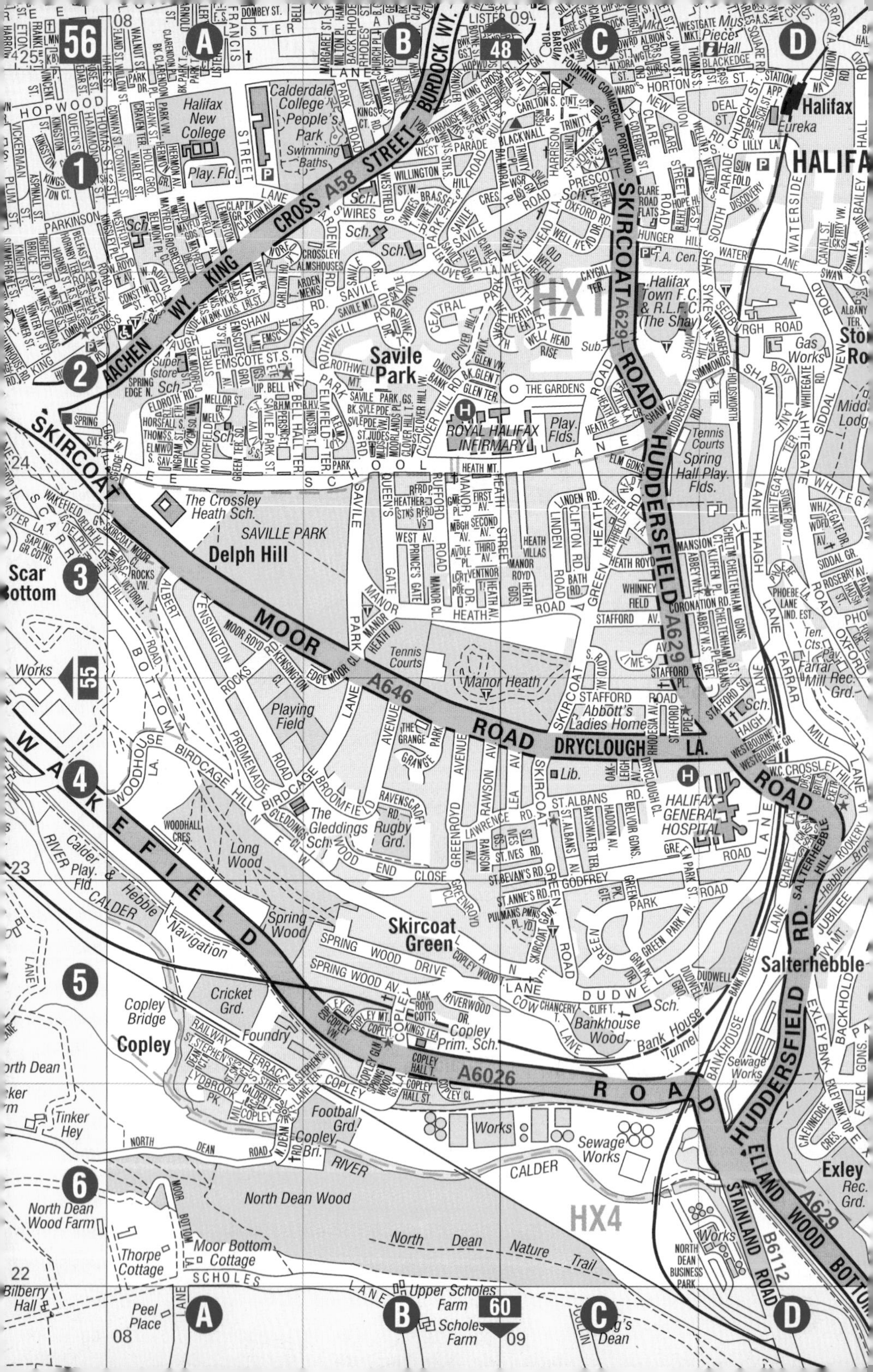
56
48
55
60
A
B
C
D
1
2
3
4
5
6
08
09
24
23
22
Halifax
HALIFA
Eureka
Calderdale College
Halifax New College
People's Park
Swimming Baths
Play. Fld.
BURDOCK WY.
CROSS A58 STREET
KING
AACHEN WY.
SKIRCOAT A629 ROAD
HUDDERSFIELD A629 ROAD
HUDDERSFIELD RD.
ELLAND WOOD BOTTOM
A629
Savile Park
ROYAL HALIFAX INFIRMARY
THE GARDENS
Play. Flds.
Halifax Town F.C. & R.L.F.C. (The Shay)
HX1
Gas Works
Tennis Courts
Spring Hall Play. Flds.
The Crossley Heath Sch.
SAVILLE PARK
Delph Hill
Scar Bottom
MOOR ROAD
A646
DRYCLOUGH LA.
Manor Heath
Playing Field
Abbott's Ladies Home
HALIFAX GENERAL HOSPITAL
The Gleddings Sch.
Rugby Grd.
Long Wood
Spring Wood
Skircoat Green
WAKEFIELD
Calder Play. Fld.
Calder & Hebble Navigation
Cricket Grd.
Copley Bridge
Copley
Foundry
Copley Prim. Sch.
Bankhouse Wood
Bank House Tunnel
A6026 ROAD
Football Grd.
Works
Sewage Works
RIVER CALDER
North Dean Wood
HX4
North Dean Nature Trail
Salterhebble
Exley
Rec. Grd.
STAINLAND ROAD
B6112
North Dean Wood Farm
Moor Bottom Cottage
Thorpe Cottage
Tinker Hey
SCHOLES LANE
Upper Scholes Farm
Scholes Farm
Peel Place
Bilberry Hall
NORTH DEAN ROAD
NORTH DEAN BUSINESS PARK
Farrar Mill Rec. Grd.
Phoebe Lane Ind. Est.
Middle Lodge

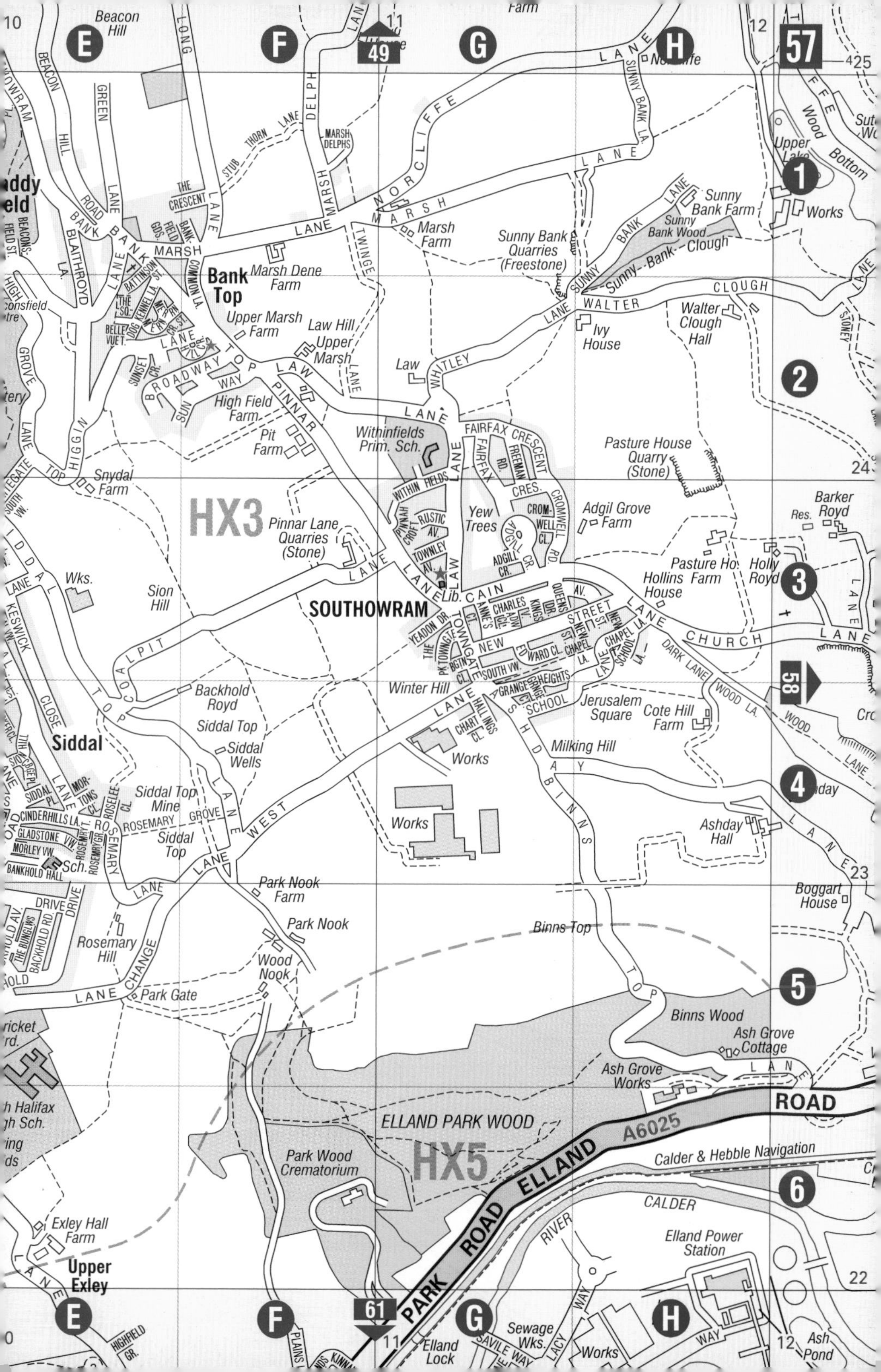

Beacon Hill
Bank Top
Marsh Dene Farm
Upper Marsh Farm
Law Hill
Upper Marsh
Marsh Farm
Sunny Bank Quarries (Freestone)
Sunny Bank Farm
Sunny Bank Wood
Sunny Bank Clough
Works
Upper Lake
Wood Bottom
Walter Clough Hall
Ivy House
Law
High Field Farm
Pit Farm
Withinfields Prim. Sch.
Pasture House Quarry (Stone)
Snydal Farm
HX3
Pinnar Lane Quarries (Stone)
Yew Trees
Adgil Grove Farm
Barker Royd
Res.
Pasture Ho. Farm
Hollins House
Holly Royd
Wks.
Sion Hill
SOUTHOWRAM
Lib.
Backhold Royd
Siddal Top
Siddal Wells
Siddal
Winter Hill
Jerusalem Square
Cote Hill Farm
Milking Hill
Works
Siddal Top Mine
Siddal Top
Works
Ashday Hall
Park Nook Farm
Park Nook
Boggart House
Rosemary Hill
Wood Nook
Binns Top
Park Gate
Binns Wood
Ash Grove Cottage
Ash Grove Works
ELLAND PARK WOOD
Park Wood Crematorium
HX5
ELLAND ROAD
A6025
PARK ROAD
Calder & Hebble Navigation
CALDER
RIVER
Elland Power Station
Exley Hall Farm
Upper Exley
Sewage Wks.
Elland Lock
Works
Ash Pond
49
58
61

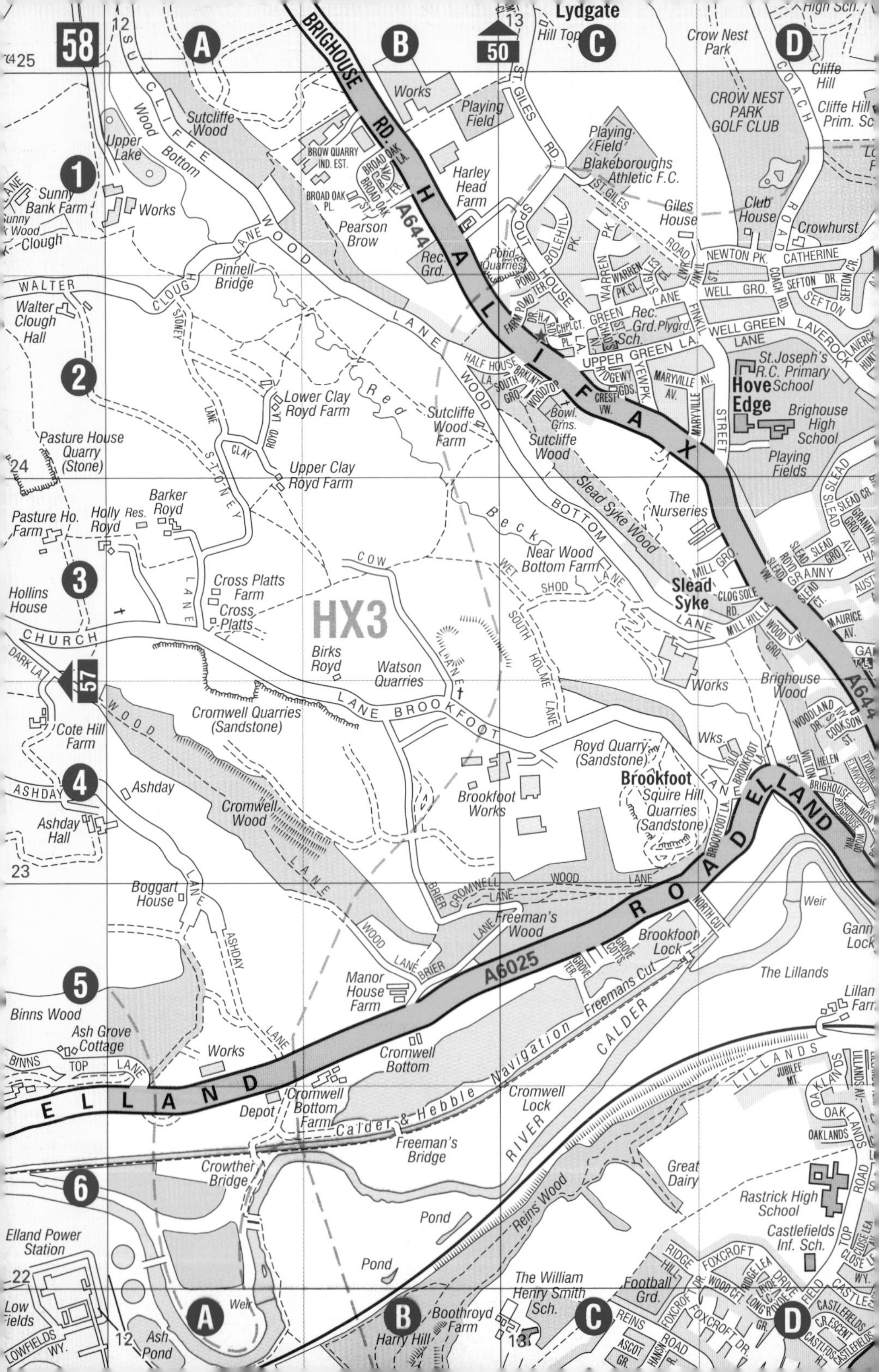

Lydgate
Hill Top
Crow Nest Park
High Sch.
50
A
B
C
D
1
2
3
4
5
6
Sutcliffe Wood
Upper Lake
Sunny Bank Farm
Works
Wood Bottom
Clough
Walter Clough Hall
Pinnell Bridge
BRIGHOUSE RD.
BROW QUARRY IND. EST.
Pearson Brow
Rec. Grd.
Playing Field
Harley Head Farm
HALIFAX
A644
Pond Quarries
Playing Field
Blakeboroughs Athletic F.C.
Giles House
CROW NEST PARK GOLF CLUB
Club House
Cliffe Hill
Cliffe Hill Prim. Sch.
Crowhurst
Rec. Grd.
Sch.
Plygrd.
WELL GREEN
UPPER GREEN LA.
St.Joseph's R.C. Primary School
Hove Edge
Brighouse High School
Playing Fields
Lower Clay Royd Farm
Upper Clay Royd Farm
Sutcliffe Wood Farm
Sutcliffe Wood
Bowl. Grns.
Slead Syke Wood
The Nurseries
Pasture House Quarry (Stone)
Pasture Ho. Farm
Holly Royd
Res.
Barker Royd
Red Beck
Near Wood Bottom Farm
Slead Syke
Hollins House
Cross Platts Farm
Cross Platts
HX3
Birks Royd
Watson Quarries
Works
Brighouse Wood
CHURCH
57
Cote Hill Farm
Cromwell Quarries (Sandstone)
Royd Quarry (Sandstone)
Brookfoot
Squire Hill Quarries (Sandstone)
Brookfoot Works
ASHDAY
Ashday
Ashday Hall
Cromwell Wood
ELLAND ROAD
Boggart House
Freeman's Wood
Brookfoot Lock
Weir
Gannet Lock
Manor House Farm
A6025
The Lillands
Binns Wood
Ash Grove Cottage
Works
Cromwell Bottom
Freemans Cut
RIVER CALDER
Calder & Hebble Navigation
Depot
Cromwell Bottom Farm
Cromwell Lock
Freeman's Bridge
Crowther Bridge
Great Dairy
Elland Power Station
Pond
Reins Wood
Rastrick High School
Castlefields Inf. Sch.
Pond
The William Henry Smith Sch.
Football Grd.
Weir
Low Fields
Ash Pond
Boothroyd Farm
Harry Hill

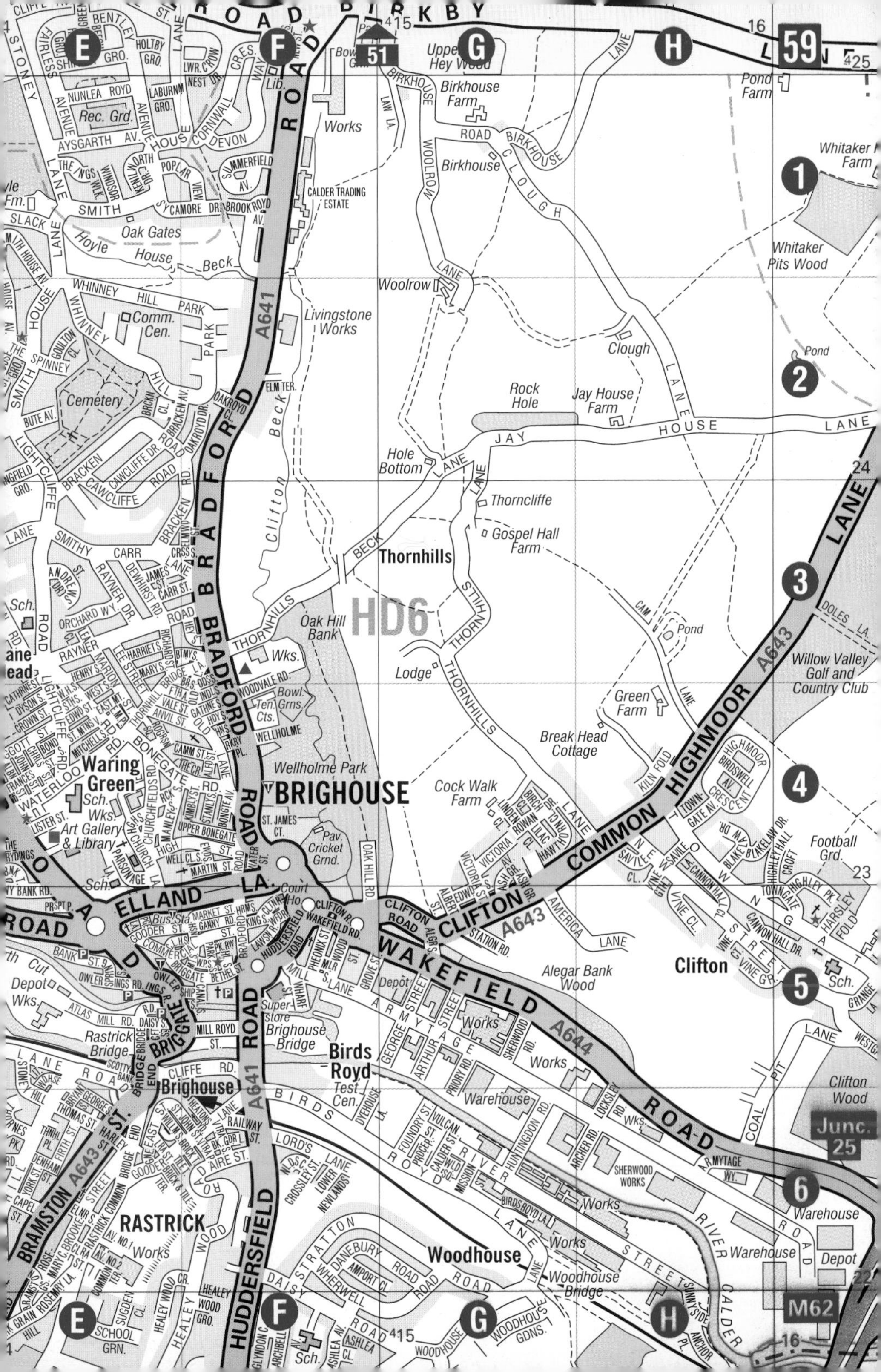
59
BIRKBY
ROAD
E
F
G
H
51
Upper Hey Wood
Birkhouse Farm
Birkhouse
Works
CALDER TRADING ESTATE
Pond Farm
Whitaker Farm
Whitaker Pits Wood
1
2
3
4
5
6
Pond
Oak Gates
Hoyle House Beck
Woolrow
Livingstone Works
Clough
Rock Hole
Jay House Farm
JAY HOUSE LANE
Hole Bottom
Thorncliffe
Gospel Hall Farm
Thornhills
HD6
Oak Hill Bank
Lodge
Willow Valley Golf and Country Club
Green Farm
Break Head Cottage
Cock Walk Farm
HIGHMOOR LANE
A643
COMMON
CLIFTON
Football Grd.
Clifton
Alegar Bank Wood
WAKEFIELD ROAD
A644
Works
Warehouse
Clifton Wood
Junc. 25
M62
Warehouse
Depot
Woodhouse
Woodhouse Bridge
Birds Royd
Test Cen.
Brighouse Bridge
Super-store
BRIGHOUSE
Wellholme Park
Pav. Cricket Grnd.
BRADFORD ROAD
A641
HUDDERSFIELD ROAD
ELLAND ROAD
Waring Green
Art Gallery & Library
Brighouse
Rastrick Bridge
RASTRICK
BRAMSTON ST.
Cemetery
Comm. Cen.
Rec. Grd.
Wks.
RIVER CALDER
415
16
425
24
23
22

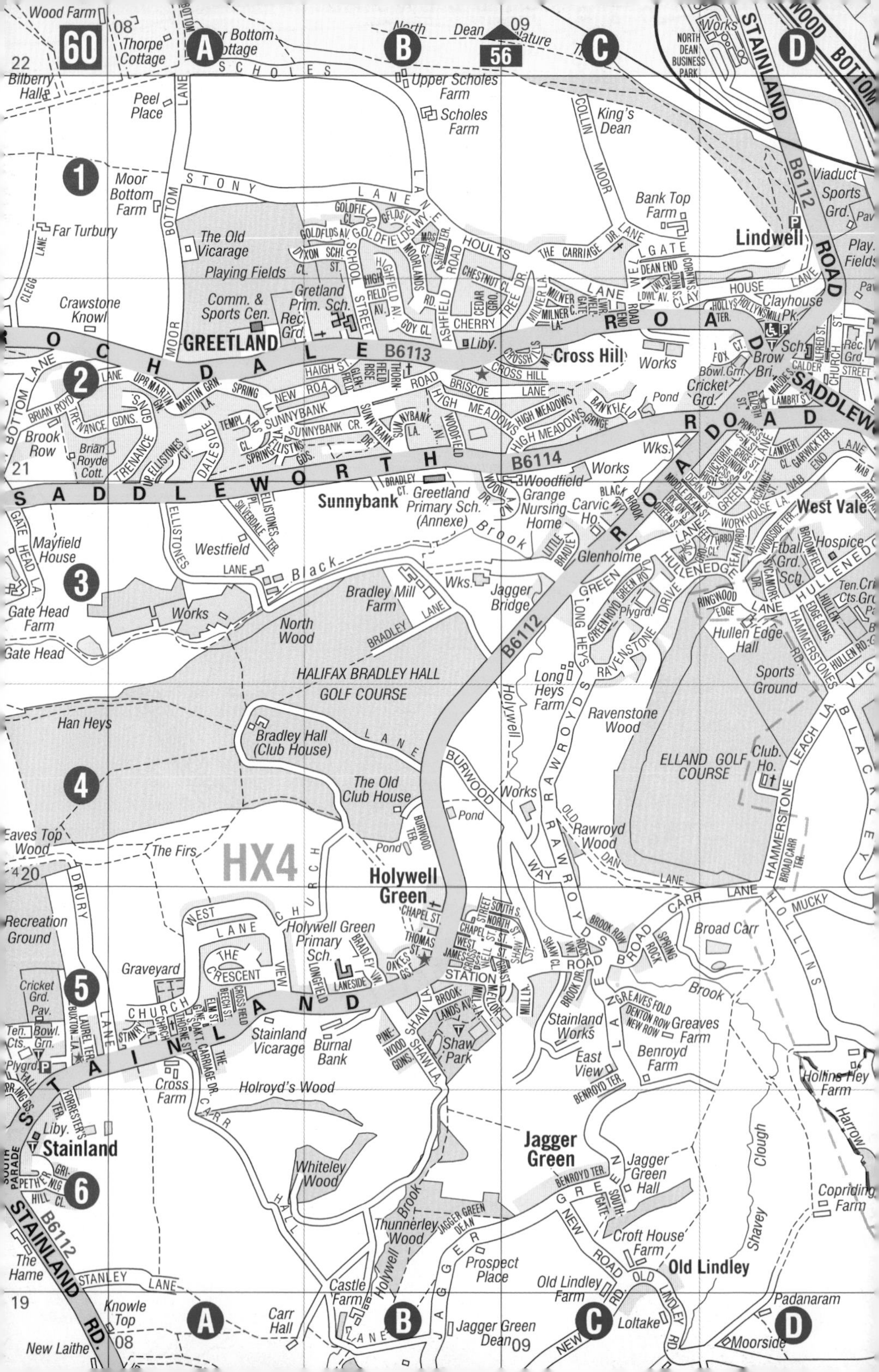

56
HX4
GREETLAND
Greetland
Cross Hill
Lindwell
Sunnybank
West Vale
Holywell Green
Stainland
Jagger Green
Old Lindley
ROCHDALE ROAD
B6113
SADDLEWORTH ROAD
B6114
STAINLAND ROAD
B6112
HALIFAX BRADLEY HALL GOLF COURSE
ELLAND GOLF COURSE
Bradley Hall (Club House)
The Old Club House
Scholes Farm
Upper Scholes Farm
Peel Place
Moor Bottom Farm
Far Turbury
Crawstone Knowl
The Old Vicarage
Playing Fields
Comm. & Sports Cen.
Gretland Prim. Sch.
Greetland Primary Sch. (Annexe)
Woodfield Grange Nursing Home
Bradley Mill Farm
North Wood
Han Heys
Eaves Top Wood
The Firs
Recreation Ground
Graveyard
Holywell Green Primary Sch.
Stainland Vicarage
Burnal Bank
Cross Farm
Holroyd's Wood
Whiteley Wood
Thunnerley Wood
Castle Farm
Carr Hall
Knowle Top
New Laithe
The Hame
Prospect Place
Jagger Green Dean
Old Lindley Farm
Loltake
Padanaram
Moorside
Copriding Farm
Hollins Hey Farm
Broad Carr
Greaves Farm
Benroyd Farm
Croft House Farm
Jagger Green Hall
Stainland Works
East View
Shaw Park
Long Heys Farm
Ravenstone Wood
Rawroyd Wood
Hullen Edge Hall
Sports Ground
Hospice
Jagger Bridge
Glenholme
Carvic Ho.
Westfield
Mayfield House
Gate Head Farm
Gate Head
Brook Row
Brian Royde Cott.
Bank Top Farm
King's Dean
Viaduct Sports Grd.
Play. Fields
Clayhouse Pk.
Cricket Grd.
Bilberry Hall
Wood Farm
Thorpe Cottage
Moor Bottom Cottage
NORTH DEAN BUSINESS PARK
North Dean Nature Trail

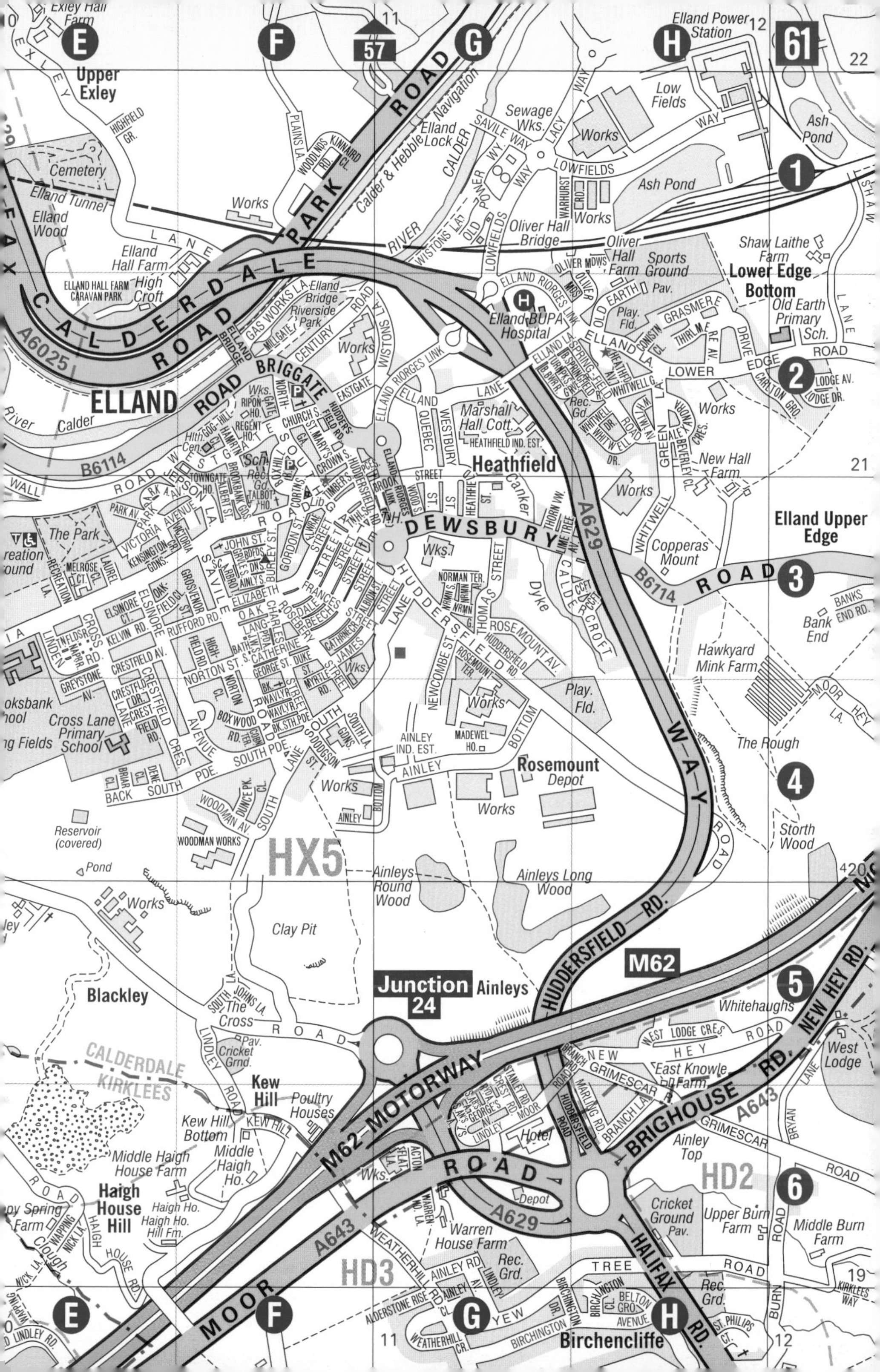

61
57
E
F
G
H
1
2
3
4
5
6
Upper Exley
Exley Hall Farm
Cemetery
Elland Tunnel
Elland Wood
Elland Hall Farm
High Croft
ELLAND HALL FARM CARAVAN PARK
Works
Calder & Hebble Navigation
Elland Lock
Sewage Wks.
Low Fields
Elland Power Station
Ash Pond
Oliver Hall Bridge
Oliver Hall Farm
Sports Ground
Shaw Laithe Farm
Lower Edge Bottom
Old Earth Primary Sch.
Elland Bridge Riverside Park
Elland BUPA Hospital
ELLAND
CALDERDALE WAY
PARK ROAD
A6025
B6114
BRIGGATE
Marshall Hall Cott.
HEATHFIELD IND. EST.
Heathfield
DEWSBURY ROAD
A629
The Park
Copperas Mount
Elland Upper Edge
Bank End
Hawkyard Mink Farm
The Rough
Storth Wood
Cross Lane Primary School
Play. Fld.
AINLEY IND. EST.
Rosemount Depot
Reservoir (covered)
WOODMAN WORKS
HX5
Ainleys Round Wood
Ainleys Long Wood
Clay Pit
Blackley
Junction 24
Ainleys
M62
M62 MOTORWAY
HUDDERSFIELD RD.
The Cross
Cricket Grnd.
CALDERDALE
KIRKLEES
Kew Hill
Poultry Houses
Kew Hill Bottom
Middle Haigh House Farm
Middle Haigh Ho.
Haigh House Hill
Haigh Ho. Hill Fm.
Whitehaughs
West Lodge
East Knowle Farm
BRIGHOUSE RD.
NEW HEY RD.
A643
Ainley Top
HD2
Hotel
Depot
Cricket Ground
Upper Burn Farm
Middle Burn Farm
Warren House Farm
Rec. Grd.
HD3
MOOR ROAD
HALIFAX RD.
Birchencliffe
11
12
19
20
21
22

INDEX

Including Streets, Places & Areas, Industrial Estates, Selected Junction Names,
Selected Subsidiary Addresses and Selected Tourist Information.

HOW TO USE THIS INDEX

1. Each street name is followed by its Posttown or Postal Locality and then by its map reference; e.g. Aachen Way. *Hal* —2H **55** is in the Halifax Posttown and is to be found in square 2H on page **55**. The page number being shown in bold type.
A strict alphabetical order is followed in which Av., Rd., St., etc. (though abbreviated) are read in full and as part of the street name; e.g. Acrehowe Ri. appears after Acre Gro. but before Acre La.

2. Streets and a selection of Subsidiary names not shown on the Maps, appear in the index in *Italics* with the thoroughfare to which it is connected shown in brackets; e.g. *Abbots Wood. B'frd —4E **27** (off Heaton Rd.)*

3. Places and areas are shown in the index in **bold type**, the map reference referring to the actual map square in which the town or area is located and not to the place name; e.g. **Ainleys. —5G 61**

4. Map references shown in brackets; e.g. Adelaide St. *B'frd* —4A **36** (6D **4**) refer to entries that also appear on the large scale pages 4-5.

5. With the now general usage of Postcodes for addressing mail, it is not recommended that this index is used for such a purpose.

GENERAL ABBREVIATIONS

All : Alley
App : Approach
Arc : Arcade
Av : Avenue
Bk : Back
Boulevd : Boulevard
Bri : Bridge
B'way : Broadway
Bldgs : Buildings
Bus : Business
Cvn : Caravan
Cen : Centre
Chu : Church
Chyd : Churchyard
Circ : Circle
Cir : Circus
Clo : Close
Comn : Common
Cotts : Cottages
Ct : Court

Cres : Crescent
Cft : Croft
Dri : Drive
E : East
VIII : Eighth
Embkmt : Embankment
Est : Estate
Fld : Field
V : Fifth
I : First
IV : Fourth
Gdns : Gardens
Gth : Garth
Ga : Gate
Gt : Great
Grn : Green
Gro : Grove
Ho : House
Ind : Industrial
Junct : Junction

La : Lane
Lit : Little
Lwr : Lower
Mc : Mac
Mnr : Manor
Mans : Mansions
Mkt : Market
Mdw : Meadow
M : Mews
Mt : Mount
N : North
Pal : Palace
Pde : Parade
Pk : Park
Pas : Passage
Pl : Place
Quad : Quadrant
Res : Residential
Ri : Rise
Rd : Road

St : Saint
II : Second
VII : Seventh
Shop : Shopping
VI : Sixth
S : South
Sq : Square
Sta : Station
St : Street
Ter : Terrace
III : Third
Trad : Trading
Up : Upper
Va : Vale
Vw : View
Vs : Villas
Wlk : Walk
W : West
Yd : Yard

POSTTOWN AND POSTAL LOCALITY ABBREVIATIONS

Ain T : Ainley Top
All : Allerton
App B : Apperley Bridge
Bail : Baildon
Bail B : Bailiff Bridge
B Top : Bank Top
Bier : Bierley
Bgly : Bingley
B'shaw : Birkenshaw
B'ley : Blackley
B'twn : Boothtown
B'frd : Bradford
Bshw : Bradshaw
Brigh : Brighouse
Broc : Brockholes
Brun I : Brunswick Ind. Est.
Butt : Buttershaw
C'ley : Calverley
Caus F : Causeway Foot
Cytn : Clayton
Cleck : Cleckheaton
Clif : Clifton
Clif C : Clifton Common
Cop : Copley
Ctly : Cottingley
Cowl : Cowling
Cro R : Cross Roads
Cull : Cullingworth
Cut H : Cutler Heights
D Hill : Daisy Hill
Dean C : Dean Clough Ind. Pk.
Denh : Denholme
E Bier : East Bierley
E Mor : East Morton
Eccl : Eccleshill

Eld : Eldwick
Ell : Elland
Esh : Esholt
Euro I : Euroway Ind. Est.
Fag : Fagley
Fars : Farsley
Fern : Ferncliffe
Field B : Fieldhead Bus. Cen.
Five E : Five Lane Ends
Fix : Fixby
Four E : Four Lane Ends
Friz : Frizinghall
Gil : Gilstead
Gom : Gomersal
Gt Hor : Great Horton
Gre : Greengates
G'lnd : Greetland
Haig : Haigh
Hain : Hainworth
Hal : Halifax
H'den : Harden
Haw : Haworth
H'tn : Heaton
High : Highfield
Hip : Hipperholme
H Wd : Holme Wood
H'fld : Holmfield
Holy G : Holywell Green
Hov E : Hove Edge
Hud : Huddersfield
Huns : Hunsworth
Idle : Idle
Idle M : Idle Moor
I'wth : Illingworth
Kei : Keighley

Lais : Laisterdyke
Light : Lightcliffe
List : Listerhills
L Wyke : Lower Wyke
Lfds B : Lowfields Bus. Pk.
Low M : Low Moor
Low U : Low Utley
Ludd : Luddenden
L'ft : Luddendenfoot
Mann : Manningham
Mar : Marsh
M'wte : Micklethwaite
Mix : Mixenden
Mt Tab : Mount Tabor
N Bnk : New Bank
N Brig : New Brighton
Norl : Norland
N'wram : Northowram
Nor G : Norwood Green
Oaken : Oakenshaw
Oakw : Oakworth
Ogden : Ogden
Oldf : Oldfield
Oven : Ovenden
Oven W : Ovenden Wood
Oxe : Oxenhope
Pel : Pellon
Pud : Pudsey
Q'bry : Queensbury
Ragg : Raggalds
Ras : Rastrick
Rawd : Rawdon
Rawf : Rawfolds
Riddl : Riddlesden
Sandb : Sandbeds

Schol : Scholes
She : Shelf
Shib : Shibden
Shipl : Shipley
Sid : Siddal
Ski G : Skircoat Green
S'wram : Southowram
Sower B : Sowerby Bridge
Slnd : Stainland
Stanb : Stanbury
S'ley : Stanningley
Steet : Steeton
Stum X : Stump Cross
Thack : Thackley
Thornb : Thornbury
T'tn : Thornton
T Brow : Thwaites Brow
Tong : Tong
Tri : Triangle
Tyer : Tyersal
Utley : Utley
Wains : Wainstalls
Warley : Warley
W Bowl : West Bowling
Wgte : Westgate
West I : West 26 Ind. Est.
Wheat : Wheatley
Wibs : Wibsey
Wilsd : Wilsden
Windh : Windhill
Wrose : Wrose
Wyke : Wyke
Yead : Yeadon

INDEX TO STREETS

Aachen Way. *Hal* —2H **55**
Abaseen Clo. *B'frd* —2D **36**
Abbey Ct. *B'frd* —2A **4**
Abbey La. *Hal* —6B **46**
Abbey Lea. *All* —1A **34**
Abbey Wlk. *Hal* —3C **56**
Abbey Wlk. S. *Hal* —3D **56**
Abbotside Clo. *B'frd* —1E **29**

*Abbots Wood. B'frd —4E **27***
  (off Heaton Rd.)
Abb Scott La. *B'frd & Low M* —5F **43**
Abelia Mt. *B'frd* —3C **34**
Abel St. *Wyke* —1G **51**
Aberdeen Pl. *B'frd* —4E **35**
Aberdeen Ter. *B'frd* —4E **35**
Aberdeen Ter. *Cytn* —5B **34**

Aberford Rd. *B'frd* —6F **27**
Abingdon St. *B'frd* —6F **27**
Abram St. *B'frd* —5A **36**
Acacia Dri. *All* —3F **25**
Acacia Dri. *Hal* —6E **51**
Acacia Pk. Cres. *B'frd* —3H **19**
Acacia Pk. Dri. *B'frd* —3H **19**
Acacia Pk. Ter. *B'frd* —3H **19**

Acaster Dri. *Low M* —5G **43**
Acer Way. *Cleck* —5B **52**
Ackroyd Ct. *T'tn* —3D **32**
Ackroyd Pl. *Q'bry* —2D **40**
Ackroyd Sq. *Q'bry* —2H **41**
Ackworth St. *B'frd* —5A **36**
Acomb Ter. *Wyke* —2G **51**
Acorn Pk. *Bail* —3A **18**

Acorn St. *B'frd* —3C **36**
Acorn St. *Hal* —6A **48**
Acorn St. *Kei* —6D **6**
Acott Ga. *B'frd* —2F **37**
Acre Av. *B'frd* —2D **28**
Acre Clo. *B'frd* —2D **28**
Acre Cres. *B'frd* —2D **28**
Acre Dri. *B'frd* —2D **28**
Acre Gro. *B'frd* —2D **28**
Acrehowe Ri. *Bail* —1A **18**
Acre La. *B'frd* —3D **28**
  (in two parts)
Acre La. *E Mor* —3E **9**
Acre La. *Haw* —6G **11**
Acre La. *Wibs* —2G **43**
Acre Ri. *Bail* —1G **17**
Acres St. *Kei* —5D **6**
Acre, The. *Wyke* —6F **43**
Acton Flat La. *Hud* —6G **61**
Acton St. *B'frd* —2F **37**
Adam Cft. *Cull* —1F **23**
Adam Ga. *Hal* —2H **55**
Adam St. *B'frd* —2F **43**
Ada St. *Bail* —3A **18**
Ada St. *Hal* —4C **48**
Ada St. *Kei* —4C **6**
Ada St. *Q'bry* —2D **40**
Ada St. *Shipl* —5D **16**
Addersgate La. *Hal* —1E **49**
Addison Av. *B'frd* —6F **29**
Addison Dri. *Haw* —1G **21**
Addi St. *B'frd* —6E **37**
Adelaide Ho. *Bgly* —3H **15**
Adelaide Ri. Bail —4G **17**
  (off John St.)
Adelaide St. *B'frd* —4A **36** (6D **4**)
Adelaide St. *Hal* —6H **47**
Adelaide Ter. *Holy G* —6A **60**
Adgil Cres. *Hal* —3G **57**
Adwalton Gro. *Q'bry* —2F **41**
Agar St. *B'frd* —1D **34**
Agar Ter. *B'frd* —1D **34**
Agnes St. *Kei* —2E **7**
Ailsa Ho. B'frd —6E **19**
  (off Fairhaven Grn.)
Ails La. *Hal* —4A **46**
Aimport Clo. *Brigh* —6F **59**
Ainley Bottom. *Ell* —4F **61**
Ainley Clo. *Hud* —6G **61**
Ainley Ind. Est. *Ell* —4G **61**
Ainley Rd. *Hud* —6G **61**
Ainleys. —5G 61
Ainley St. *Ell* —3F **61**
Ainsbury Av. *B'frd* —3D **18**
  (in two parts)
Ainsdale Gro. *Cull* —1G **23**
Aire Clo. *Bail* —4F **17**
Airedale Av. *Bgly* —6G **15**
Airedale College Mt. B'frd —6C **28**
  (off Airedale College Rd.)
Airedale College Rd. *B'frd* —6C **28**
Airedale College Ter. *B'frd* —6C **28**
Airedale Cres. *B'frd* —6C **28**
Airedale Dri. *Hal* —6H **41**
Airedale Mt. *Sandb* —3C **8**
Airedale Pl. *Bail* —3A **18**
Airedale Rd. *B'frd* —6B **28**
Airedale Rd. *Kei* —3H **7**
Airedale Shop. Cen. *Kei* —4E **7**
Airedale St. *Bgly* —2F **15**
Airedale St. *B'frd* —4D **28**
Airedale St. *Kei* —3G **7**
Airedale Ter. *Bail* —3H **17**
Aire St. *Bgly* —5E **9**
Aire St. *B'frd* —4C **18**
Aire St. *Brigh* —6F **59**
Aire St. *Haw* —6H **11**
Aire St. *Kei* —3F **7**
Aire Valley Bus. Cen. *Kei* —4E **7**
Aire Valley Rd. *Kei* —3G **7**
Aire Vw. Riddl —1H **7**
Aire Vw. Av. *Bgly* —5H **15**
Aireview Cres. *Bail* —4E **17**
Aire Vw. Dri. *Sandb* —4C **8**
Aire Vw. N. *Shipl* —5E **17**
Aireview Ter. *T Brow* —5G **7**
Aireville Av. *B'frd* —2F **27**
Aireville Clo. *Kei* —1C **6**
Aireville Clo. *Shipl* —2F **27**
Aireville Cres. *B'frd* —3F **27**
Aireville Dri. *Shipl* —2F **27**
Aireville Grange. *Shipl* —2F **27**
Aireville Gro. *Shipl* —2F **27**
Aireville Mt. *Sandb* —3C **8**
Aireville Ri. *B'frd* —2F **27**

Aireville Rd. *B'frd* —2F **27**
Aireville St. *Kei* —1C **6**
Aire Way. *Bail* —4E **17**
Aireworth. —3G 7
Aireworth Clo. *Kei* —2G **7**
Aireworth Gro. *Kei* —3G **7**
Aireworth Rd. *Kei* —2G **7**
Aireworth St. *Kei* —5D **6**
Airey St. *Kei* —4C **6**
Akam Rd. *B'frd* —2H **35** (3A **4**)
Aked's Rd. *Hal* —1B **56**
Aked St. *B'frd* —2B **36** (4F **5**)
Akroyd Ct. Hal —5C 48
  (off Randolph St.)
Akroydon. —4C 48
Akroyd Pl. *Hal* —5C **48**
Akroyd Ter. *Hal* —2H **55**
Alabama St. *Hal* —6H **47**
Alban St. *B'frd* —5D **36**
Albany Ct. *Kei* —3G **7**
Albany St. *B'frd* —5A **36**
Albany St. *Hal* —6G **47**
Albany St. *Wibs* —2G **43**
Albany Ter. *Hal* —2D **56**
Albert Av. *B'frd* —5E **19**
Albert Av. *Hal* —5G **47**
Albert Av. *Shipl* —4C **16**
Albert Bldgs. *B'frd* —1D **28**
Albert Ct. *Hal* —6G **47**
Albert Cres. *Q'bry* —2E **41**
Albert Dri. *Hal* —5F **47**
Albert Edward St. *Q'bry* —2E **41**
Albert Gdns. *Hal* —5G **47**
Albert Pl. *B'frd* —1G **37**
Albert Promenade. *Hal* —3A **56**
Albert Rd. *Hal* —5F **47**
Albert Rd. *Q'bry* —1D **40**
Albert Rd. *Shipl* —5D **16**
Albert Rd. *Sower B* —2E **55**
Albert St. *Bail* —4G **17**
Albert St. *B'frd* —3F **43**
Albert St. *Brigh* —5G **59**
Albert St. *Cleck* —5F **53**
  (in two parts)
Albert St. Cro R —5B 12
  (off Bingley Rd.)
Albert St. *Ell* —3F **61**
Albert St. *Hal* —6B **48**
Albert St. *Idle* —1D **28**
Albert St. *Kei* —4D **6**
Albert St. *Q'bry* —2F **41**
Albert St. *T'tn* —3D **32**
Albert St. *Wilsd* —3C **24**
Albert St. *Wyke* —3G **51**
Albert Ter. *Oaken* —6B **44**
Albert Ter. *Shipl* —4D **16**
Albert Ter. *Wyke* —3H **51**
Albert Vw. *Hal* —5G **47**
Albert Wlk. *Shipl* —5C **16**
Albion Ct. *B'frd* —2A **36**
Albion Ct. Hal —6C 48
  (off Gt. Albion St.)
Albion Fold. *Wilsd* —2C **24**
Albion Pl. Brigh —6F 59
  (off Waterloo Rd.)
Albion Pl. *T'tn* —3C **32**
Albion Rd. *B'frd* —5D **18**
Albion St. *Brigh* —4E **59**
Albion St. *Butt* —4C **42**
Albion St. *Cleck* —6G **53**
Albion St. *Cro R* —5A **12**
Albion St. *Denh* —6F **23**
Albion St. *Ell* —3F **61**
Albion St. *Hal* —6C **48**
Albion St. *Q'bry* —2D **40**
Albion Yd. *B'frd* —2A **36** (4D **4**)
Alcester Gth. *B'frd* —1D **36**
Alcester Gro. *B'frd* —2H **5**
Alder Av. *Kei* —6G **7**
Alder Carr. *Bail* —2F **17**
Alder Gro. *Hal* —6G **39**
Aldermanbury. *B'frd* —3A **36** (5C **4**)
Alderscholes Clo. T'tn —3D 32
  (off Alderscholes La.)
Alderscholes La. *T'tn* —4B **32**
Alderson St. *B'frd* —4C **42**
Alderstone Ri. *Hud* —6G **61**
Alegar St. *Brigh* —5G **59**
Alexander Sq. *Cytn* —5H **33**
Alexander St. *B'frd* —3F **43**
Alexandra Cres. *Ell* —2H **61**
Alexandra Rd. *Shipl* —6E **17**
Alexandra Sq. *Shipl* —5D **16**

Alexandra St. *B'frd* —4G **35**
Alexandra St. *Hal* —6C **48**
Alexandra St. *Q'bry* —2D **40**
Alexandra Ter. *B'frd* —5E **29**
Alford Ter. *B'frd* —2E **35**
Alfred St. *B'frd* —4F **59**
Alfred St. *G'lnd* —2D **60**
Alfred St. E. *Hal* —6H **47**
Alfred St. E. *Hal* —6D **48**
Alhambra Theatre. —3A **36** (5C **4**)
Alice St. *B'frd* —1H **35** (1A **4**)
Alice St. *Cleck* —5F **53**
Alice St. *Haw* —1G **21**
Alice St. *Kei* —4E **7**
Alison Vw. *B'frd* —5E **35**
Alkincote St. *Kei* —5E **7**
All Alone. *B'frd* —6C **18**
All Alone Rd. *B'frd* —6B **18**
Allandale Av. *B'frd* —4E **43**
Allandale Rd. *B'frd* —4E **43**
Allan St. *B'frd* —3D **36**
Allan Ter. *Sower B* —4E **55**
Allerby Grn. *B'frd* —4D **42**
Allerton. —6H 25
Allerton Clo. *All* —6H **25**
Allerton Grange Dri. *All* —6H **25**
Allerton La. *T'tn & All* —2G **33**
Allerton Pl. *Hal* —6A **48**
Allerton Rd. *All & B'frd* —6D **24**
  (in two parts)
Allison La. *B'frd* —3H **27**
Alloe Fld. Pl. *Hal* —5G **39**
Alloe Fld. Vw. *Hal* —5G **39**
Allotments Rd. *Denh* —6G **23**
All Saints Rd. *B'frd* —4F **35**
All Souls' Rd. *Hal* —4C **48**
All Souls' St. *Hal* —4C **48**
All Souls' Ter. *Hal* —4C **48**
Alma Gro. *Shipl* —5H **17**
Alma Pl. *Kei* —1E **13**
Alma St. *B'frd* —4E **37**
Alma St. *Cut H* —5F **37**
Alma St. *Haw* —5G **11**
Alma St. *Kei* —1E **13**
Alma St. *Q'bry* —2D **40**
Alma St. *Shipl* —5H **17**
Alma Ter. *B'frd* —1F **37**
Alma Ter. *E Mor* —2E **9**
Alma Ter. *Kei* —1E **13**
Almond St. *B'frd* —3E **37**
Almscliffe Pl. *B'frd* —3F **29**
Alpha St. *Kei* —4F **7**
Alpine Ri. *T'tn* —2D **32**
Alston Clo. *B'frd* —6B **26**
Alston Rd. *Kei* —2F **7**
Alston Rd. Retail Pk. *Kei* —2F **7**
Altar Dri. *B'frd* —4E **27**
Altar Dri. *Riddl* —2A **8**
Altar La. *Bgly* —1H **13**
Altar Vw. Bgly —6E 9
  (off Sleningford Rd.)
Althorpe Gro. *B'frd* —1C **28**
Alton Gro. *B'frd* —4D **26**
Alton Gro. *Shipl* —2F **27**
Alum Ct. *B'frd* —4E **27**
Alum Dri. *B'frd* —4E **27**
Alvanley Ct. *B'frd* —1B **34**
Alva Ter. *Shipl* —1F **27**
Amberley St. B'frd —3E 37
  (off Amberley St.)
Amberley St. *B'frd* —3E **37**
  (in two parts)
Ambler Gro. *Hal* —5H **39**
Amblers Cft. *B'frd* —3D **18**
Amblers M. *Bail* —1G **17**
Amblers M. *E Mor* —3D **8**
Amblers Row. *Bail* —1G **17**
Amblers Ter. *Hal* —4C **48**
Ambler St. *B'frd* —6G **27**
Ambler St. *Kei* —4D **6**
Ambler Thorn. —4C 40
Ambler Way. *Q'bry* —4C **40**
Ambleside Av. *B'frd* —5D **26**
Amble Tonia. *Denh* —6G **23**
Ambleton Way. *Q'bry* —3C **40**
Amelia St. *Shipl* —4D **16**
America La. *Brigh* —5G **59**
Amisfield Rd. *Hal* —5B **50**
Amos St. *Hal* —4C **48**
Amport Clo. *Brigh* —6F **59**
Amundsen Av. *B'frd* —2C **28**
Amyroyce Dri. *Shipl* —6A **18**
Amy St. *Bgly* —2G **15**
Amy St. *Hal* —3A **48**
Anchorage, The. *Bgly* —1F **15**

Anchor Ct. *B'frd* —2A **4**
Anchor Pl. *Brigh* —6H **59**
Anderson Ho. Bail —4F 17
  (off Fairview Ct.)
Anderson St. *B'frd* —6G **27**
Anderton Fold. *Hal* —3G **49**
Andover Grn. *B'frd* —5G **37**
Andrew Clo. *Hal* —3G **57**
Anerley St. *B'frd* —1D **44**
Angel Pl. *Bgly* —6G **9**
Angel St. *Bail* —1H **17**
Angel Way. *B'frd* —2H **35** (4A **4**)
Angerton Way. *B'frd* —5E **43**
Anglesea Pl. *Haw* —2G **21**
Angus Av. *Wyke* —4G **51**
Anlaby St. *B'frd* —4F **37**
Anne Ga. *B'frd* —2B **36** (3F **5**)
Anne's Ct. *Hal* —3G **57**
Anne St. *B'frd* —6D **34**
Annie St. *Cro R* —5B **12**
Annie St. *Kei* —2E **7**
Annie St. *Shipl* —1G **27**
Annie St. *Sower B* —3D **54**
Annison St. *B'frd* —2C **36** (4G **5**)
Ann Pl. *B'frd* —4A **36** (6C **4**)
Ann St. *Haw* —6H **11**
Ann St. *Kei* —5D **6**
Anson Gro. *B'frd* —1D **42**
Anthony La. *H'den* —3B **14**
Anvil St. B'frd —6F 27
  (off Carlisle St.)
Anvil St. *B'frd* —6F **27**
Anvil St. *Brigh* —4E **59**
Apperley Bridge. —5G 19
Apperley Gdns. *B'frd* —5G **19**
Apperley La. *B'frd & Yead* —5G **19**
Apperley Rd. *B'frd* —5E **19**
Apple Ho. Ter. *L'ft* —4A **46**
Apple St. *Kei* —2C **12**
Apple St. *Oxe* —5G **21**
Appleton Clo. *Bgly* —6H **9**
Appleton Clo. *Oaken* —6B **44**
Aprilia Ct. *Cytn* —4B **34**
Apsley Cres. *B'frd* —6G **27**
Apsley St. *Haw* —6H **11**
Apsley St. *Kei* —6D **6**
Apsley St. *Oakw* —2H **11**
Apsley Ter. Oakw —2H 11
  (off Green La.)
Arcadia St. *Kei* —6D **6**
Archbell Av. *Brigh* —6F **59**
Archer Rd. *Brigh* —6H **59**
Arches St. *Hal* —1B **56**
Arches, The. *Hal* —4C **48**
Archibald St. *B'frd* —2G **35**
Arctic Pde. *B'frd* —5E **35**
Arctic St. *Cro R* —5A **12**
Arctic St. *Kei* —1D **6**
Arden M. *B'frd* —2B **56**
Ardennes Clo. *B'frd* —3B **28**
Arden Rd. *B'frd* —2A **34**
Arden Rd. *Hal* —1B **56**
Ardsley Clo. *B'frd* —1H **45**
  (in two parts)
Argent Way. *B'frd* —1H **45**
Argyle St. *B'frd* —6D **36**
Argyle St. *Kei* —6D **6**
Argyll Clo. *Bail* —3A **18**
Arkendale M. *B'frd* —6C **34**
Arkwright St. *Cytn* —5H **33**
Arkwright St. *Tyer* —3G **37**
Arlesford Rd. *B'frd* —1G **45**
Arlington Cres. *Hal* —2F **55**
Arlington St. *B'frd* —3D **36**
Armadale Av. *B'frd* —3D **44**
Armgill La. *B'frd* —3H **27**
Armidale Way. *B'frd* —4B **28**
Armitage Rd. *Hal* —2H **55**
Armitage Rd. *Oaken* —1B **52**
Armstrong St. *B'frd* —4F **37**
Armytage Rd. *Brigh* —5G **59**
Armytage Way. *Brigh* —6H **59**
Arncliffe Av. *Kei* —5C **6**
Arncliffe Gro. *Kei* —6C **6**
Arncliffe Rd. *Kei* —6C **6**
Arncliffe Ter. *B'frd* —3F **35**
Arndale Ho. *B'frd* —4D **4**
Arndale Shop. Cen. Shipl —6F 17
  (off Market St.)
Arnford Clo. *B'frd* —1B **36** (1F **5**)
Arnold Pl. *B'frd* —1G **35**
Arnold St. *B'frd* —6G **27**
Arnold St. *Hal* —4A **48**
Arnold St. *Sower B* —3D **54**
Arnside Av. *Riddl* —2G **7**

Arnside Rd. *B'frd* —1A **44**
Art Gallery (1853) & Salts Mill.
— —4D **16**
Arthington St. *B'frd* —1G **35**
Arthur Av. *B'frd* —2A **34**
Arthur St. *Bgly* —1F **15**
Arthur St. *Brigh* —5G **59**
Arthur St. *Idle* —1D **28**
Arthur St. *Oakw* —3G **11**
Arum St. *B'frd* —6G **35**
Arundel St. *Hal* —6H **47**
Ascot Av. *B'frd* —1C **42**
Ascot Dri. *B'frd* —1C **42**
Ascot Gdns. *B'frd* —1C **42**
Ascot Gro. *Brigh* —6C **58**
Ascot Pde. *B'frd* —1C **42**
Ashbourne Av. *B'frd* —4B **28**
Ashbourne Av. *Cleck* —6F **53**
Ashbourne Bank. *B'frd* —4B **28**
Ashbourne Clo. *B'frd* —4B **28**
Ashbourne Cres. *B'frd* —4B **28**
Ashbourne Cres. *Q'bry* —2D **40**
Ashbourne Dri. *B'frd* —4B **28**
Ashbourne Dri. *Cleck* —6F **53**
Ashbourne Gdns. *B'frd* —4B **28**
Ashbourne Gth. *B'frd* —3C **28**
Ashbourne Gro. *B'frd* —4B **28**
Ashbourne Gro. *Hal* —6H **47**
Ashbourne Haven. *B'frd* —4B **28**
Ashbourne Mt. *B'frd* —4B **28**
Ashbourne Oval. *B'frd* —4B **28**
Ashbourne Ri. *B'frd* —4B **28**
Ashbourne Rd. *B'frd* —4B **28**
Ashbourne Rd. *Kei* —1C **12**
Ashbourne Way. *B'frd* —3B **28**
Ashbourne Way. *Cleck* —6F **53**
Ashburn Gro. *Bail* —1G **17**
Ashburnham Gro. *B'frd* —4F **27**
Ashby St. *B'frd* —5C **36**
Ash Clo. *Hal* —5B **50**
Ash Ct. *Schol* —5B **52**
Ash Cft. *B'frd* —3E **43**
Ashday La. *Hal* —4G **57**
Ashdene Ct. *Cull* —1F **23**
Ashdown Clo. *Hal* —1F **55**
Ashdown St. *Shipl* —6E **17**
Ashfield. *B'frd* —2F **45**
Ashfield Av. *B'frd & Shipl* —2F **27**
Ashfield Clo. *Hal* —3H **47**
Ashfield Ct. *Bgly* —3G **15**
Ashfield Cres. *Bgly* —3G **15**
Ashfield Dri. *Bail* —1H **17**
Ashfield Dri. *B'frd* —2F **27**
Ashfield Dri. *Hal* —3H **47**
Ashfield Gro. *B'frd* —2E **27**
Ashfield Pl. *Fag* —5F **29**
Ashfield Rd. *B'frd* —4D **18**
Ashfield Rd. *G'lnd* —2B **60**
Ashfield Rd. *Shipl* —6C **16**
Ashfield Rd. *T'tn* —3D **32**
Ashfield St. Kei —5D **6**
 (off Minnie St.)
Ashfield Ter. *Bgly* —3G **15**
Ashfield Ter. *G'lnd* —1B **60**
Ashfield Ter. *Haw* —1G **21**
Ashfield Ter. Mar —6G **53**
 (off Pyenot Hall La.)
Ashfield Ter. *Wilsd* —1H **51**
Ashford Grn. *B'frd* —2D **42**
Ash Ghyll Gdns. *Bgly* —1F **15**
Ash Gro. *Bgly* —4G **15**
Ashgrove. *B'frd* —3H **35** (6A **4**)
Ash Gro. *Cleck* —6D **52**
Ash Gro. *Clif C* —4G **59**
Ash Gro. *Eccl* —4E **29**
Ashgrove. *Gre* —6G **19**
Ash Gro. *Kei* —1C **12**
Ashgrove Av. *Hal* —4D **56**
Ashgrove Pl. *Hal* —4E **57**
Ashgrove Rd. *Kei* —1C **6**
Ash Gro. Ter. Brigh —6E **59**
 (off Thomas St.)
Ash Hill Wlk. *B'frd* —5D **36**
Ashington Clo. *B'frd* —4F **29**
Ashlar Gro. *Q'bry* —4D **40**
Ashlea Av. *Brigh* —6F **59**
Ashlea Clo. *Brigh* —6F **59**
Ashleigh St. *Kei* —3E **7**
Ashley La. *Shipl* —5F **17**
Ashley Rd. *Bgly* —3G **15**
Ashley Rd. *Wyke* —3G **51**
Ashley St. *Hal* —6A **48**
Ashley St. *Shipl* —5F **17**
Ash M. *B'frd* —6G **19**

Ash Mt. *B'frd* —4F **35**
Ashmount. *Cytn* —5B **34**
Ash Mt. *Kei* —6C **6**
Ash St. *Cleck* —6E **53**
Ash St. *Oxe* —4G **21**
Ash Ter. *Bgly* —3F **15**
Ashton Av. *B'frd* —4C **34**
Ashton St. *B'frd* —2H **35** (3A **4**)
Ashton Wlk. *B'frd* —6C **18**
Ash Tree Av. *T'tn* —3B **32**
Ash Tree Gdns. *Hal* —6E **39**
Ashtree Gro. *B'frd* —1D **42**
Ash Tree Rd. *Hal* —6E **39**
Ash Villa. Hal —1A **56**
 (off Lister La.)
Ashville Cft. *Hal* —5F **47**
Ashville Gdns. *Hal* —5F **47**
Ashville Gro. *Hal* —4F **47**
Ashville St. *Hal* —4A **48**
Ashville Ter. *Oakw* —2H **11**
Ashwell La. *B'frd* —3E **27**
Ashwell Rd. *H'tn* —3E **27**
Ashwell Rd. *Mann* —6F **27**
Ashwood Dri. *Riddl* —2A **8**
Ashwood St. *B'frd* —2F **45**
Ashworth Pl. *B'frd* —1H **43**
Askrigg Dri. *B'frd* —4D **28**
Aspen Clo. *Kei* —6G **7**
Aspen Ri. *All* —3F **25**
Aspinall St. *Hal* —1H **55**
Asprey Dri. *All* —1H **33**
Aston Rd. *All* —6A **36**
Astral Av. *Hal* —5B **50**
Astral Clo. *Hal* —5B **50**
Astral Vw. *B'frd* —1E **43**
Atalanta Ter. *Hal* —3G **55**
Atamco Ho. Cleck —6G **53**
 (off Albion St.)
Atherstone Rd. *All* —2H **33**
Athol Clo. *Hal* —2A **48**
Athol Cres. *Hal* —2A **48**
Athol Gdns. *Hal* —2A **48**
Athol Grn. *Hal* —2A **48**
Athol Rd. *B'frd* —5F **27**
Athol Rd. *Hal* —2A **48**
Athol St. *Hal* —2A **48**
Athol St. *Kei* —2G **7**
Atkinson's Ct. *Hal* —5C **48**
Atkinson St. *Shipl* —5F **17**
Atlas Mill Rd. *Brigh* —5E **59**
Atlas St. *B'frd* —6F **27**
Auckland Rd. *B'frd* —2E **43**
Aurelia Ho. *B'frd* —5G **27**
Austell Ho. B'frd —5H **35**
 (off Park La.)
Austin Av. *Brigh* —3D **58**
Austin St. *Kei* —3F **7**
Autumn St. *Hal* —2H **55**
Avenel Rd. *All* —6H **25**
Avenel Ter. *All* —1H **33**
Avenham Way. *B'frd*
 —1C **36** (2G **5**)
Avenue No.1. *Brigh* —6E **59**
Avenue No.2. *Brigh* —6E **59**
Avenue Rd. *B'frd* —6B **36**
Avenue St. *B'frd* —2F **45**
Avenue, The. *Bgly* —5H **15**
Avenue, The. *Cytn* —6G **33**
Avenue, The. *Hal* —5B **50**
Avenue, The. *Idle* —2G **19**
 (in three parts)
Avenue, The. *Wilsd* —3D **24**
Averingcliffe Rd. *B'frd* —1F **29**
Avocet Clo. *B'frd* —2A **34**
Avondale. *Hal* —3C **6**
Avondale Cres. *Shipl* —6E **17**
Avondale Gro. *Shipl* —6E **17**
Avondale Mt. *Shipl* —6E **17**
Avondale Pl. *Hal* —3B **56**
Avondale Rd. *Shipl* —6C **16**
Aydon Way. *She* —4C **42**
Aygill Av. *B'frd* —4B **26**
Aylesbury St. *Kei* —1C **12**
Aylesham Ind. Est. *Low M* —5H **43**
Aynsley Gro. *All* —5H **25**
Ayresome Oval. *All* —6G **33**
Ayreville Dri. *Hal* —5A **42**
Ayrton Cres. *Bgly* —2G **15**
Aysgarth Av. *Hal* —1E **59**
Aysgarth Clo. *Wyke* —3G **51**
Aysgarth Cres. *Hal* —2C **46**
Ayton Clo. *B'frd* —1C **36** (2H **5**)
Ayton Ho. *B'frd* —2H **45**
Azealea Ct. *B'frd* —1D **36** (2H **5**)
 (in two parts)

Bk. Ada St. *Kei* —4C **6**
 (off Devonshire St.)
Bk. Aireview Ter. *Kei* —5G **7**
Bk. Aireville St. *Kei* —1C **6**
Bk. Ann St. Denh —6F **23**
 (off William St.)
Bk. Ashgrove W. *B'frd* —3H **35** (6A **4**)
Bk. Aylesbury St. Kei —1C **12**
 (off Queen's Rd.)
Bk. Baker St. *Shipl* —5E **17**
Bk. Balfour St. *Bgly* —3F **15**
Bk. Balfour St. *Kei* —5D **6**
Bk. Beech St. *Bgly* —3F **15**
Bk. Blackwood Gro. *Hal* —5H **47**
Bk. Blenheim Mt. *B'frd* —5G **27**
Bk. Bower Rd. *Ell* —2G **61**
Bk. Broomfield Rd. *Kei* —4D **6**
Bk. Broomfield St. *Kei* —4D **6**
Bk. Buxton St. Kei —4F **7**
 (off Buxton St.)
Bk. Byrl St. Kei —2E **7**
 (off Byrl St.)
Bk. Caister St. Kei —1D **12**
 (off Oakfield Rd.)
Bk. Caledonia Rd. Kei —3F **7**
 (off Caledonia Rd.)
Bk. Cartmel Rd. Kei —4C **6**
 (off Devonshire Rd.)
Bk. Castle Rd. *Kei* —3D **6**
Bk. Cavendish Rd. *B'frd* —6D **18**
Bk. Cavendish Ter. *Hal* —6A **48**
Bk. Chapel St. B'frd —2B **36** (4F **5**)
Bk. Charles St. Brigh —4E **59**
 (off Charles St.)
Bk. Claremount Ter. *Hal* —3C **48**
Bk. Clarence St. *Hal* —6B **48**
Bk. Clarendon Pl. *Hal* —6A **48**
Bk. Clough. *Hal* —3G **49**
Bk. Colenso Rd. Kei —2G **7**
 (off Aireworth Rd.)
Bk. Commercial St. Hal —6C **48**
 (off Commercial St.)
Bk. Compton St. Kei —3F **7**
 (off Compton St.)
Bk. Croft Ho. La. *Kei* —1C **6**
Bk. Cromer Av. Kei —6D **6**
 (off Cromer Rd.)
Bk. Cromer Gro. Kei —1D **12**
 (off Cromer Rd.)
Bk. Cromwell Ter. *Hal* —6B **48**
Bk. Cross La. Ell —3E **61**
 (off Linden Rd.)
Bk. Dudley Hill Rd. *B'frd* —5D **28**
Bk. Eaton St. Kei —1C **12**
 (off Queen's Rd.)
Bk. Edensor Rd. Kei —4C **6**
 (off Devonshire Rd.)
Bk. Elizabeth St. *B'frd* —4A **36**
Bk. Elmfield Ter. *Hal* —2B **56**
Bk. Emily St. Kei —3E **7**
 (off Cross Emily St.)
Bk. Eric St. Kei —3E **7**
 (off Eric St.)
Bk. Eversley Mt. *Hal* —1G **55**
Bk. Ferguson St. *Hal* —1C **56**
Back Fld. T'tn —3E **33**
 (off Havelock Sq.)
Bk. Field Ct. T'tn —3E **33**
 (off Bk. High St.)
Bk. Florist St. Kei —2G **7**
 (off Florist St.)
Back Fold. *Cytn* —4H **33**
Bk. Foster Rd. Kei —1D **12**
 (off Oakfield Rd.)
Bk. Gerard St. *Hal* —6B **48**
Bk. Giles St. N. *B'frd* —4H **35**
Bk. Giles St. S. *B'frd* —4H **35**
Bk. Girlington Rd. *B'frd* —6D **26**
Bk. Gladstone Rd. *Hal* —6B **48**
Bk. Gladstone St. *Bgly* —3F **15**
Bk. Glen Ter. *Hal* —2B **56**
Bk. Gooder La. *Brigh* —6F **59**
Bk. Grant St. *Kei* —4C **6**
Bk. Grassington Ter. Kei —3E **7**
 (off Lawkholme La.)
Bk. Gt. Russell St. *B'frd* —2G **35**
Bk. Greaves St. B'frd —6H **35**
 (off Greaves St.)
Bk. Grosvenor Ter. *Hal* —6A **48**
Bk. Grouse St. Kei —3F **7**
 (off Parson St.)
Bk. Heights Rd. *T'tn* —2B **32**
Bk. High St. *T'tn* —3E **33**
Bk. Hird St. *Kei* —5D **6**

Backhold Av. *Hal* —5E **57**
Backhold Dri. *Hal* —5D **56**
Backhold Hall. *Hal* —4E **57**
Backhold La. *Hal* —5D **56**
Backhold Rd. *Hal* —5E **57**
Bk. Hope Hall Ter. *Hal* —1C **56**
Bk. Hyde Gro. Kei —3F **7**
 (off Kirby St.)
Bk. John St. *T'tn* —3D **32**
Bk. Kensington St. B'frd —6E **27**
 (off Kensington St.)
Bk. Kirby St. Kei —3F **7**
 (off Kirby St.)
Bk. Kirkgate. *Shipl* —6E **17**
Bk. Laisteridge La. *B'frd*
 —3G **35** (6A **4**)
Back La. *All* —5D **24**
Back La. *Cytn* —5A **34**
Back La. *E Mor* —2D **8**
Back La. *Hal* —6F **39**
Back La. *H'tn* —3E **27**
Back La. *Idle* —5D **18**
Back La. *Ogden* —6E **31**
Back La. *Q'bry* —1G **41**
Back La. *Stanb* —2A **20**
Back La. *T'tn* —2D **32**
Bk. Lime St. Kei —2D **12**
 (off Ivy St. S.)
Bk. Lindum St. B'frd —5G **27**
 (off Manningham La.)
Bk. Lord St. *Hal* —6B **48**
Bk. Lyons St. *Q'bry* —2F **41**
Bk. Lytton St. *Hal* —4C **48**
Bk. Malt St. Kei —1C **12**
 (off Bracken Rd.)
Bk. Mannville Rd. Kei —5C **6**
 (off Malsis Rd.)
Bk. Manor St. *B'frd* —4D **28**
Bk. Market St. *B'frd* —2G **43**
Bk. Milton Ter. *Hal* —6B **48**
Bk. Mitchell Ter. *Bgly* —3F **15**
Bk. Moorfield St. *Hal* —2A **56**
Bk. Morning St. *Kei* —1D **12**
 (off Morning St.)
Bk. Muff St. *B'frd* —4D **36**
Bk. Myrtle Av. *Bgly* —3F **15**
Bk. Myrtle Ter. *Cro R* —4B **12**
Bk. North St. *Oaken* —1C **52**
Bk. of the Mill. *H'den* —4A **14**
Bk. Otterburn St. Kei —3E **7**
 (off Ashleigh St.)
Bk. Paget St. Kei —4C **6**
 (off Devonshire St.)
Bk. Park Ter. *Hal* —1A **56**
Bk. Pelham Rd. *B'frd* —4D **28**
Bk. Pleasant St. *Sower B* —3E **55**
Bk. Prospect Pl. *Kei* —5D **6**
Bk. Queen St. *G'lnd* —3C **60**
Bk. Rhodes St. *Hal* —6B **48**
Bk. Ribble St. Kei —3H **7**
 (off Ribble St.)
Bk. Richardson St. *Oaken* —1C **52**
Bk. Ripley St. Riddl —2H **7**
 (off Ripley St.)
Bk. Ripon St. *Hal* —1G **55**
Bk. Ripon Ter. *Hal* —4B **48**
Bk. River St. *Haw* —6H **11**
Bk. Rowsley St. Kei —4F **7**
 (off Rowsley St.)
Bk. Roydwood Ter. Cull —1F **23**
Bk. Rupert St. Kei —3E **7**
 (off Rupert St.)
Bk. Russell St. *B'frd* —4H **35** (6B **4**)
Bk. Rydal St. *Kei* —5C **6**
Bk. Rylstone St. *Kei* —3G **7**
Bk. St Paul's Rd. *Shipl* —6E **17**
Bk. Salisbury St. *Hal* —4B **48**
Bk. Saltaire Rd. N. *Shipl* —5E **17**
Bk. Savile Pde. *Hal* —2B **56**
Bk. Shaw La. *Kei* —1F **13**
Bk. Simpson St. *Kei* —4C **6**
Bk. Sladen St. *Kei* —4C **6**
Bk. Smith Row. *B'frd* —6G **35**
Bk. Southfield Sq. B'frd —6G **27**
 (off Southfield Sq.)
Bk. South Pde. *Ell* —4E **61**
 (in two parts)
Bk. Springfield Pl. *B'frd* —1B **4**
Bk. Springfield Rd. *Ell* —2G **61**
Bk. Stone Hall Rd. *B'frd* —3D **28**
Bk. Sycamore Av. *Bgly* —3F **15**
Bk. Tamworth St. *B'frd* —3G **37**
Bk. Trinity Ter. *B'frd* —4H **35**
Bk. Unity St. N. *Bgly* —3F **15**

Bellshaw St. *B'frd* —2C **34**
Bell St. *Hal* —4D **48**
Bell St. *Wyke* —1G **51**
Belmont Av. *Bail* —2F **17**
Belmont Av. *Low M* —4A **44**
Belmont Clo. *Bail* —2F **17**
Belmont Cres. *Low M* —4A **44**
Belmont Cres. *Shipl* —5E **17**
Belmont Gdns. *Low M* —4H **43**
Belmont Gro. *B'frd* —4H **43**
Belmont Pl. *Hal* —1A **56**
Belmont Ri. *Bail* —2F **17**
Belmont Ri. *Low M* —4A **44**
Belmont Rd. *B'frd* —2E **29**
Belmont St. *Hal* —5E **49**
Belmont St. *Sower B* —3E **55**
Belmont Ter. *L'ft* —2A **54**
Belmont Ter. *Shipl* —5E **17**
Belton Clo. *B'frd* —6E **35**
Belton Gro. *Hou* —6H **61**
Belvedere St. *B'frd* —1F **35**
Belvedere Ter. *B'frd* —1F **35**
Belvoir Gdns. *Hal* —4C **56**
Bempton Ct. *B'frd* —5F **35**
Bempton Ho. B'frd —1E 29
  (off Savile Av.)
Bempton Pl. *B'frd* —5F **35**
Benbow Av. *B'frd* —2G **29**
Benn Av. *B'frd* —5D **34**
Benn Cres. *B'frd* —5D **34**
Bennett St. *Hal* —1E **57**
Benns La. *Hal* —3A **46**
Benroyd Ter. *Holy G* —6C **60**
  (in two parts)
Benson's Mobile Home Pk. *Riddl*
  —1B **8**
Bentcliff Wlk. *All* —2H **33**
Bentfield Cotts. *Cytn* —4A **34**
Bentley Av. *Hal* —6E **51**
Bentley Clo. *Bail* —1F **17**
Bentley Mt. *Sower B* —2F **55**
Bentley Royd Clo. *Sower B* —4C **54**
Bentley St. *Wyke* —2H **51**
Bents La. *Wilsd* —3A **24**
Beresford Rd. *B'frd* —4F **43**
Beresford St. *Oaken* —6C **44**
Berger Bldgs. *Ell* —2G **61**
Berger Ho. *B'frd* —6G **27**
Berkeley Ho. B'frd —6G 37
  (off Stirling Cres.)
Berrington Way. *Oakw* —2F **11**
Berry La. *Hal* —6D **48**
Berry La. *Kei* —6D **6**
Berry Moor Rd. *Norl* —5F **55**
Berry's Bldgs. *Hal* —1H **47**
Berry St. *Kei* —4F **7**
Bertie St. *B'frd* —6E **37**
Bertram Dri. *Bail* —4F **17**
Bertram Rd. *B'frd* —5G **27**
Berwick St. *Hal* —6D **48**
Beryl Dri. *Kei* —3F **7**
Beryl Mt. *Wyke* —1G **51**
Bescaby Gro. *Bail* —2A **18**
Besha Av. *Low M* —5H **43**
Besha Gro. *Low M* —5H **43**
Bessingham Gdns. *B'frd* —3D **42**
Best La. *Oxe* —5G **21**
Beswick Clo. *B'frd* —2F **37**
Bethel Rd. *Shipl* —5H **17**
Bethel St. *Brigh* —5F **59**
Bethel St. *E Mor* —3D **8**
Bethel St. *Hal* —3A **48**
Bethel Ter. *Ludd* —4A **46**
Beulah Pl. *L'ft* —2A **54**
Bevan Ct. *B'frd* —6D **34**
Beverley Av. *Wyke* —3H **51**
Beverley Clo. *Ell* —2H **61**
Beverley Dri. *Wyke* —3H **51**
Beverley Pl. *Hal* —4B **48**
Beverley St. *B'frd* —4F **37**
Beverley Ter. *Hal* —4B **48**
  (in two parts)
Bewerley Cres. *B'frd* —5E **43**
Bideford Mt. *B'frd* —6G **37**
Bierley. —2D 44
Bierley Hall Gro. *B'frd* —4D **44**
Bierley Ho. Av. *B'frd* —2D **44**
Bierley La. *B'frd* —4D **44**
Bierley Vw. *B'frd* —2E **45**
Billingsley Ter. *B'frd* —5D **36**
Billing Vw. *B'frd* —6E **19**
Billsdale Ho. B'frd —5E 19
  (off Thorp Gth.)
Bilsdale Grange. *B'frd* —3D **42**
Bilsdale Way. *Bail* —3E **17**

Bilton Pl. *B'frd* —1G **35**
Bingley. —3F 15
Bingley Rd. *B'frd* —2B **26**
Bingley Rd. *Cro R & Kei* —5B **12**
Bingley Rd. *Cull* —1F **23**
Bingley Rd. *Shipl* —5B **16**
Bingley St. *B'frd* —2E **35**
Binks Fold. *Wyke* —3H **51**
Binnie St. *B'frd* —2D **36** (3H **5**)
Binns Hill La. *Sower B* —1D **54**
Binns La. *B'frd* —4D **34**
Binns St. *Bgly* —2G **15**
Binns Top La. *Hal* —4G **57**
Binswell Fold. *Bail* —1G **17**
Bircham Clo. *Bgly* —6H **9**
Birch Av. *B'frd* —1B **44**
Birch Cliff. *Bail* —3F **17**
Birch Clo. *B'frd* —1B **44**
Birch Clo. *Brigh* —4G **59**
Birchdale. *Bgly* —5F **9**
Birchencliffe. —6H **61**
Birch Gro. *B'frd* —2A **44**
Birch Gro. *Kei* —1D **12**
Birchington Av. *Hud* —6G **61**
Birchington Clo. *Hud* —6H **61**
Birchington Dri. *Hud* —6G **61**
Birchlands Av. *Wilsd* —1B **24**
Birchlands Gro. *Wilsd* —1B **24**
Birch La. *B'frd* —6A **36**
  (in five parts)
Birch La. *Hal* —5A **46**
Birch St. *B'frd* —1D **34**
Birch Tree Gdns. *Kei* —5G **7**
Birch Way. *B'frd* —1B **44**
Birchwood Av. *Kei* —1D **6**
Birchwood Dri. *Kei* —1C **6**
Birchwood Rd. *Kei* —1C **6**
Birdcage. *Hal* —5D **48**
Birdcage Hill. *Hal* —4A **56**
Birdcage La. *Hal* —4A **56**
Bird Holme La. *Hal* —4H **49**
Birds Royd. —6F 59
Birds Royd La. *Brigh* —6F **59**
Birdswell Av. *Brigh* —4H **59**
Birkby Haven. *B'frd* —3C **42**
Birkby La. *Bail* —6F **51**
Birkby St. *Wyke* —1H **51**
Birkdale Clo. *Low U* —1C **6**
Birkdale Gro. *Hal* —4H **39**
Birkett St. *Cleck* —5F **53**
Birkhouse La. *Brigh* —1G **59**
Birkhouse Rd. *Brigh* —6G **51**
Birklands Rd. *Shipl* —6F **17**
Birklands Ter. *Shipl* —6F **17**
Birk Lea St. *B'frd* —5B **36**
Birks. —3D 34
Birks Av. *B'frd* —4D **34**
Birks Fold. *B'frd* —3D **34**
Birkshall La. *B'frd* —3D **36**
Birks Hall La. *Hal* —5A **48**
Birks Hall St. *Hal* —5A **48**
Birks Hall Ter. *Hal* —5A **48**
Birkshead. —7F 2
Birksland Ind. Est. *B'frd* —4D **36**
Birksland St. *B'frd* —4D **36**
Birnam Gro. *B'frd* —5C **36**
Birr Rd. *B'frd* —4F **27**
Bishopdale Holme. *B'frd* —3C **42**
Bishop St. *B'frd* —4F **27**
Blackbird Gdns. *B'frd* —2H **33**
Black Brook Way. *G'lnd* —3C **60**
Blackburn Clo. *B'frd* —2B **34**
Blackburn Clo. *Oven* —2H **47**
Blackburn Ho. *Hal* —2A **48**
Blackburn Rd. *Brigh* —3D **58**
Blackdyke La. *T'tn* —5B **24**
Blackedge. *Hal* —6D **48**
Black Edge La. *Denh* —3F **31**
Black Hill. —3B 6
Black Hill La. *Kei* —2A **6**
Blackley. —5E 61
Blackley Rd. *Ell* —4D **60**
Blackmires. *Hal* —6A **40**
Black Moor La. *Oxe* —5A **22**
Black Moor Top. *Haw* —1H **21**
Blackshaw Beck La. *Q'bry* —4G **41**
Blackshaw Dri. *B'frd* —3B **42**
Blacksmith Fold. *B'frd* —4D **34**
Blackstone Av. *Wyke* —3G **51**
Black Swan Ginnell. Hal —6C 48
  (off Silver St.)
Black Swan Pas. *Hal* —6C **48**
Blackwall. *Hal* —1C **56**
Blackwall La. *Sower B* —2C **54**

Blackwall Ri. *Sower B* —2C **54**
Blackwood Gro. *Hal* —5H **47**
Blacup Moor Vw. *Cleck* —6F **53**
Blaithroyd La. *Hal* —1E **57**
Blake Hill. *Hal* —2E **49**
Blakehill Av. *B'frd* —5E **29**
Blake Hill End. *Hal* —6F **41**
Blakehill Ter. *B'frd* —5E **29**
Blake Law Dri. *Clif* —4H **59**
Blamires Pl. *B'frd* —6D **34**
Blamires St. *B'frd* —6D **34**
Blanche St. *B'frd* —3F **37**
Bland St. *Hal* —6B **48**
Blenheim Ct. Hal —5B 48
  (off Dene Pl.)
Blenheim Mt. *B'frd* —5G **27**
Blenheim Pl. *B'frd* —4D **18**
Blenheim Rd. *B'frd* —6G **27**
Blenheim St. Kei —6D 6
  (off Victoria Rd.)
Blind La. *Bgly* —2D **14**
Blind La. *Hal* —3G **39**
Blind La. *Q'bry* —6C **32**
Blucher St. *B'frd* —3F **37**
Bluebell Clo. *All* —1H **33**
Bluebell Wlk. *Ludd* —5A **46**
Blue Hill. *Denh* —5F **23**
Blythe Av. *B'frd* —1E **35**
Blythe St. *B'frd* —2G **35** (4A **4**)
Bob La. *Hal* —6F **47**
Bob La. *Wilsd* —4D **24**
Bocking. —5B 12
Bodkin La. *Oxe* —5B **20**
Bodmin Av. *Shipl* —6B **18**
Bogart La. *Hal* —4B **50**
Bogthorn. —1A 12
Boland Cres. *Oakw* —2A **12**
Boldron Holt. *B'frd* —3D **42**
Boldshay St. *B'frd* —1D **36**
Bold St. *B'frd* —6G **27**
Bolehill Pk. *Hov E* —1C **58**
Bolingbroke St. *B'frd* —1H **43**
Bolland Bldgs. *Low M* —6B **44**
Bolland St. *Low M* —6A **44**
Bolling Hall Museum. —6C **36**
Bolling Rd. *B'frd* —3B **36** (6E **5**)
Boltby La. *B'frd* —3C **42**
Bolton. —4C 28
Bolton Brow. *Sower B* —3E **55**
Bolton Ct. *B'frd* —5C **28**
Bolton Cres. *B'frd* —3D **28**
Bolton Dri. *B'frd* —2D **28**
Bolton Gro. *B'frd* —3D **28**
Bolton Hall Rd. *B'frd* —3H **27**
Bolton La. *B'frd* —5H **27**
Bolton Outlanes. —3C 28
Bolton Rd. *B'frd* —5B **28**
Bolton St. *B'frd* —2C **36** (3E **5**)
Bolton St. *Low M* —5G **43**
  (in two parts)
Bolton Woods. —3A 28
Bond St. *Brigh* —4E **59**
Bonegate Av. *Brigh* —4F **59**
Bonegate Rd. *Brigh* —4E **59**
Bonn Rd. *B'frd* —5E **27**
Bonwick Mall. *B'frd* —4C **42**
Booth. —2A 46
Bootham Pk. *D Hill* —5B **26**
Boothman Wlk. *Kei* —6C **6**
Booth Royd. *B'frd* —4D **18**
Booth Royd Dri. *B'frd* —4D **18**
Booth's Bldgs. Brigh —6F 51
  (off Wyke Old La.)
Booth St. *B'frd* —6D **18**
Booth St. *Cleck* —5F **53**
Booth St. *Q'bry* —2D **40**
Booth St. *Shipl* —6H **17**
Boothtown. —4B 48
Booth Town Rd. *Hal* —2B **48**
Borough Mkt. Hal —6C 48
  (off Market St.)
Borrin's Way. *Bail* —2H **17**
Boston St. *Hal* —6H **47**
Boston St. *Sower B* —4C **54**
Boston Wlk. *B'frd* —3D **42**
Bosworth Clo. *All* —5H **25**
Botany. —1E 9
Botany Av. *B'frd* —3B **28**
Botany Dri. *E Mor* —1E **9**
Bottomley Holes. —4A 32
Bottomley St. *B'frd* —5H **35**
Bottomley St. *Brigh* —3E **59**
Bottomley St. *Butt* —4D **42**
Bottoms. *Hal* —4D **56**

Boulevard, The. *Hal* —1B **56**
  (off Park Rd.)
Boundary, The. *B'frd* —6C **26**
Bourbon Clo. *B'frd* —3F **43**
Bourne St. *Thack* —4D **18**
Bowater Ct. *B'frd* —1H **45**
Bowbridge Rd. *B'frd* —5A **36**
Bower Grn. *B'frd* —2E **37**
Bower St. *B'frd* —4A **36**
Bowes Nook. *B'frd* —4C **42**
Bow Grn. *Cytn* —5B **34**
Bowland Av. *Bail* —4C **16**
Bowland St. *B'frd* —1H **35** (1A **4**)
Bowler Clo. *Low M* —5G **43**
Bowling. —4D 36
Bowling Bk. La. *B'frd* —4C **36**
Bowling Ct. *Brigh* —4D **58**
Bowling Ct. Ind. Est. *B'frd* —3E **37**
Bowling Dyke. *Hal* —5C **48**
Bowling Grn. Fold. *Wyke* —2G **51**
Bowling Hall Rd. *B'frd* —5C **36**
Bowling Old La. *B'frd* —1H **43**
  (in five parts)
Bowling Pk. Clo. *B'frd* —5B **36**
Bowling Pk. Dri. *B'frd* —6B **36**
Bowl Shaw La. *Hal* —5F **41**
Bowman Av. *B'frd* —4F **43**
Bowman Gro. *Hal* —6A **48**
Bowman Pl. *Hal* —6A **48**
Bowman Rd. *B'frd* —4F **43**
Bowman St. *Hal* —6A **48**
Bowman Ter. *Hal* —6A **48**
Bowness Av. *B'frd* —3F **29**
Bowood La. *Sower B* —6A **54**
Bow St. *Kei* —4E **7**
Bowwood Dri. *Sandb* —3B **8**
Boxhill Rd. *Ell* —3F **61**
Box Tree Clo. *B'frd* —6C **26**
Box Trees La. *Hal* —2F **47**
Boxwood Rd. *Ell* —4F **61**
Boyd Av. *B'frd* —6G **29**
Boy La. *B'frd* —4D **44**
Boy La. *Hal* —3F **47**
Boyne St. *Hal* —6B **48**
Boynton St. *B'frd* —6H **35**
  (in two parts)
Boynton Ter. *B'frd* —6A **36**
Boys La. *Hal* —2D **56**
Boys Scarr. *L'ft* —1A **54**
Bracewell Av. *All* —1G **33**
Bracewell Bank. *Hal* —3H **47**
Bracewell Dri. *Hal* —3H **47**
Bracewell Gro. *Hal* —4A **48**
Bracewell Hill. *Hal* —3H **47**
Bracewell Mt. Hal —3H 47
  (off Bracewell Hill)
Bracewell St. *Kei* —4G **7**
Bracken Av. *Brigh* —2C **59**
Bracken Bank. —2B 12
Bracken Bank Av. *Kei* —3B **12**
Bracken Bank Cres. *Kei* —2B **12**
Bracken Bank Gro. *Kei* —2B **12**
Bracken Bank Wlk. *Oakw* —3B **12**
Bracken Bank Way. *Kei* —2B **12**
Brackenbeck Rd. *B'frd* —5D **34**
Brackenbed La. *Hal* —4H **47**
Brackenbed Ter. Hal —4H 47
  (off Brackenbed La.)
Bracken Clo. *Brigh* —2C **59**
Brackendale. *B'frd* —3B **18**
Brackendale Av. *B'frd* —3C **18**
Brackendale Dri. *B'frd* —3B **18**
Brackendale Gro. *B'frd* —3B **18**
Brackendale Pde. *B'frd* —3B **18**
Bracken Edge. *B'frd* —6E **19**
Bracken Hall Countryside Centre.
  —2C **16**
Brackenhall Ct. *B'frd* —5D **34**
Bracken Hill. *Hal* —4G **47**
Brackenhill Dri. *B'frd* —6D **34**
Brackenholme Royd. *B'frd* —3C **42**
Bracken Pk. *Bgly* —2A **16**
Bracken Rd. *Brigh* —3E **59**
Bracken Rd. *Kei* —1C **12**
Brackens La. *Hal* —4H **41**
Bracken St. *Kei* —1D **12**
Bradbeck Rd. *B'frd* —2D **34**
Bradford. —2A 36 (4C 4)
Bradford Bulls Rugby League
  Football Club —3A **4**
Bradford Bus. Pk. *B'frd* —6A **28**
Bradford City Football Club. —6H **27**
Bradford Industrial & Horses at
  Work Museum. —4F **29**

Caythorpe Wlk. B'frd —2E 29
Cecil Av. Bail —1G 17
Cecil Av. B'frd —5F 35
Cecil Av. Hal —5C 50
Cecil St. Cro R —5B 12
Cedar Dri. Wyke —1A 52
Cedar Gro. Bail —4C 16
Cedar Gro. G'lnd —2B 60
Cedar St. Bgly —6E 9
Cedar St. Hal —1H 55
Cedar St. Kei —1D 12
Cedar Way. Gom —5H 53
Celette Ind. Pk. Cleck —6E 53
Cemetery La. Kei —1D 6
Cemetery La. Sower B —3C 54
Cemetery Rd. Bgly —1E 15
Cemetery Rd. Butt —4F 43
Cemetery Rd. Four E & L Grn —1D 34
Cemetery Rd. Stanb —1D 20
Centenary Rd. Bail —1B 18
Centenary Sq. B'frd —3A 36 (5D 4)
Central Arc. Cleck —6G 53
(off Cheapside)
Central Av. Bail —3F 17
Central Av. B'frd —5G 35
Central Av. Kei —2B 12
Central Av. Shipl —6F 17
Central Dri. Kei —2B 12
Central Pde. Cleck —6G 53
(off Market St.)
Central Pk. Hal —2B 56
Central St. Hal —6C 48
Centre St. B'frd —6G 35
Century Pl. B'frd —6G 27
Century Rd. Ell —2F 61
Chadwell Spring. Bgly —6G 15
Chaffinch Rd. B'frd —2A 34
Chain St. B'frd —2H 35 (3B 4)
Challis Gro. B'frd —6A 36
Chancery Ter. Hal —5C 56
Chandos St. B'frd —3B 36 (6E 5)
Chandos St. Kei —6D 6
(in two parts)
Changegate. Haw —6F 11
Changegate Ct. Haw —6F 11
Change La. Hal —5E 57
Channing Way. B'frd —3A 36 (5D 4)
Chantree La. B'frd —2E 29
Chantree Vs. Hal —3D 56
Chapel Clo. Hal —5B 42
Chapel Clo. Holy G —5B 60
Chapel Ct. Brigh —2C 58
Chapel Ct. Q'bry —1H 41
(off Chapel La.)
Chapel Fold. B'frd —2F 43
Chapel Fold. L Wyke —5G 51
Chapel Green. —6H 35
Chapel Gro. Bgly —6E 9
Chapel Ho. Rd. Low M —4H 43
Chapel Lane. —3G 11
Chapel La. All —1A 34
Chapel La. Bgly —2F 15
Chapel La. Hal —4D 56
Chapel La. Kei —4D 6
Chapel La. Q'bry —1H 41
(nr. Highgate Rd.)
Chapel La. Q'bry —2D 40
(nr. New Pk. Rd.)
Chapel La. S'wram —3G 57
Chapel La. Sower B —3F 55
Chapel Rd. Bgly —6E 9
Chapel Rd. Low M —5H 43
(in two parts)
Chapel Row. Wilsd —1B 24
Chapel St. Bgly —6E 9
Chapel St. B'frd —2B 36 (4F 5)
(BD1)
Chapel St. B'frd —5H 35
(BD5)
Chapel St. Cleck —5G 53
Chapel St. Denh —1F 31
Chapel St. Eccl —3F 29
Chapel St. Holy G —5B 60
Chapel St. L'ft —5G 47
Chapel St. Q'bry —2E 41
Chapel St. T'tn —3D 32
Chapel St. Wibs —2G 43
Chapel St. N. Hal —2H 47
Chapel Ter. Sower B —4A 54
Chapel Ter. T'tn —3D 32
Chapeltown. Hal —6C 48
Chapel Wlk. B'frd —3F 29
Chapman St. B'frd —3F 37
Charles Av. B'frd —2F 37
Charles Av. Hal —3G 57
Charles Sq. Rd. Hal —6D 48
Charles St. Bgly —2F 15
Charles St. B'frd —2A 36 (4D 4)
Charles St. Brigh —4E 59
Charles St. Ell —3F 61
Charles St. Q'bry —2D 40
Charles St. Shipl —5F 17
Charles St. Sower B —3D 54
Charlestown. —3A 18
Charlestown Rd. Hal —5D 48
Charlesworth Gro. Hal —5G 47
Charlesworth Ter. Hal —5G 47
Charlotte Ct. B'frd —6F 35
Charlotte Ct. Haw —5H 11
Charlton Clo. B'frd —3D 28
Charlton Ct. Hal —5G 47
Charnwood Clo. B'frd —5D 28
Charnwood Gro. B'frd —5E 29
Charnwood Rd. B'frd —5E 29
Charterhouse Rd. B'frd —4D 18
Charteris Rd. B'frd —2A 34
Chase. The, Kei —3B 6
Chase Way. B'frd —1A 44
Chassum Gro. B'frd —5E 27
Chatham St. B'frd —6B 28
Chatham St. Hal —6B 48
Chat Hill Rd. T'tn —4F 33
Chatsworth Ct. B'frd —1E 35
(off Girlington Rd.)
Chatsworth Fall. Pud —1H 37
Chatsworth Pl. B'frd —5F 27
Chatsworth Ri. Pud —1H 37
Chatsworth Rd. Pud —1H 37
Chatsworth St. Kei —4F 7
Chatts Wood Fold. Oaken —6D 44
Cheapside. B'frd —2A 36 (3D 4)
Cheapside. Cleck —6G 53
Cheapside. Hal —6C 48
Cheapside. She —5A 42
Cheddington Gro. All —1H 33
Chellowfield Ct. B'frd —4A 26
Chellow Grange Rd. B'frd —4A 26
Chellow La. B'frd —5A 26
Chellow St. B'frd —1H 43
Chellow Ter. B'frd —6B 26
Chelmsford Rd. B'frd —1E 37
Chelmsford Ter. B'frd —2E 37
Chelsea Mans. Hal —3G 49
Chelsea Rd. B'frd —5D 34
Chelsea St. Kei —5D 6
Chelsea Vw. Hal —4G 49
(off Bradford Rd.)
Cheltenham Ct. Hal —3D 56
Cheltenham Gdns. Hal —3D 56
Cheltenham Pl. Hal —3D 56
Cheltenham Rd. B'frd —2B 28
Chelwood Dri. All —2G 33
Cheriton Dri. Q'bry —2F 41
Cherry Fields. B'frd —3A 28
Cherry St. Haw —5A 12
Cherry St. Kei —3G 7
Cherry Tree Av. B'frd —6F 19
Cherry Tree Dri. G'lnd —2B 60
Cherry Tree Gdns. Thack —4B 18
Cherry Tree Ri. Kei —6F 7
Cherry Tree Row. H'den —6B 14
Chesham St. Kei —4F 7
Chester Clo. Hal —4B 48
Chester Gro. Hal —4B 48
Chester Pl. Hal —4B 48
Chester Rd. B'twn —4B 48
Chester St. B'frd —3A 36 (5B 4)
Chester St. Hal —4B 48
Chester St. Sower B —3D 54
Chester Ter. Hal —4B 48
Chestnut Clo. G'lnd —2B 60
Chestnut Clo. Kei —5B 6
Chestnut Ct. Shipl —6D 16
Chestnut Gro. B'frd —3A 28
Chestnut St. Hal —1H 55
Chevet Mt. All —2G 33
Chevinedge Cres. Hal —6D 56
Cheviot Ga. Low M —5F 43
Cheyne Wlk. Kei —5C 6
Childs La. Shipl —1A 28
Chippendale Ri. B'frd —1B 34
Chislehurst Pl. B'frd —6G 35
Chrisharben Pk. Cytn —5A 34
Chrismoor. B'frd —6C 18
Christopher St. B'frd —6G 35
Christopher Ter. B'frd —6G 35
Church Bank. B'frd —2B 36 (4E 5)
Church Bank. Hal —1F 55
Church Bank. Sower B —3E 55
Church Clo. Hal —6F 39
Church Ct. B'frd —4D 34
Church Ct. Riddl —1H 7
Church Fields. B'frd —5F 29
Churchfields Rd. Brigh —4E 59
Church Grange. Cleck —6G 53
(off Church St.)
Church Grn. B'frd —6G 27
(off Conduit St.)
Church Grn. Hal —4G 47
Church Hill. Bail —1H 17
Church Hill. L'ft —4A 46
Church Ho. Ell —2F 61
(off Church St.)
Churchill Rd. T'tn —3F 33
Church La. B'frd —3F 43
Church La. Brigh —5E 59
(nr. Commercial St.)
Church La. Brigh —4E 59
(nr. Elland La.)
Church La. Hal —4G 47
Church La. S'wram —3H 57
Church La. Slnd —5A 60
Church M. B'frd —4C 42
(off Church St.)
Church Pl. Hal —6B 48
Church Rd. B'frd —3F 43
Church Side Clo. Hal —4C 48
Church Side Dri. Hal —4C 48
Church Street. —3F 11
Church St. Bgly —3G 15
Church St. Butt —4C 42
Church St. Cleck —6G 53
Church St. Cull —1F 23
Church St. Ell —2F 61
Church St. G'lnd —2D 60
Church St. Hal —1D 56
Church St. Haw —6F 11
Church St. Kei —4F 7
Church St. Mann —6F 27
Church St. Shipl —5H 17
Church Ter. Hal —6F 39
Church Vw. Cleck —5D 52
Church Vw. Sower B —3E 55
Church Wlk. N'wram —3G 49
Church Way. Kei —5E 7
Churn La. Hal —6F 47
Churn Milk La. Hal —1A 48
Cinderhills La. Hal —4E 57
City La. Hal —4G 47
City Rd. B'frd —1G 35 (2A 4)
(in two parts)
City Ter. Hal —3H 47
Cityway Ind. Est. B'frd —4D 36
Clapham St. Denh —1G 31
Clapton Av. Hal —1A 56
Clapton Gro. Hal —1A 56
Clapton Mt. Hal —1A 56
(off King Cross St.)
Clara Dri. C'ley —6H 19
Clara Rd. B'frd —2B 28
Clara St. Brigh —6E 59
Clare Cres. Wyke —3G 51
Clare Hall La. Hal —1C 56
Claremont. B'frd —3H 35
Claremont. Wyke —3G 51
Claremont Av. Shipl —1A 28
Claremont Cres. Shipl —1A 28
Claremont Gdns. Bgly —1G 15
Claremont Gro. Shipl —1B 28
Claremont Rd. Shipl —1A 28
Claremont St. Cleck —5F 53
Claremont St. Sower B —2E 55
Claremont Ter. B'frd —6A 4
Claremount. —4E 49
Claremount Ho. Hal —5D 48
(off Claremount Rd.)
Claremount Rd. Hal —3B 48
Claremount Ter. Hal —3C 48
Clarence Rd. Shipl —5D 16
Clarence St. Cleck —6F 53
Clarence St. Hal —6B 48
Clarendon Pl. Hal —6A 48
Clarendon Pl. Q'bry —3C 40
Clarendon Rd. Bgly —1H 15
Clarendon St. Haw —1G 21
Clarendon St. Kei —6D 6
Clare Rd. Cleck —6F 53
Clare Rd. Hal —1C 56
Clare Rd. Wyke —3G 51
Clare Rd. Flats. Hal —1C 56
Clare Royd. Light —6E 51
Clare St. Hal —1C 56
Clarges St. B'frd —6G 35
Clayfield Dri. B'frd —1E 43
Clay Hill Dri. Wyke —2H 51
(in two parts)
Clay Ho. La. G'lnd —2C 60
Clay Pits La. Hal —5G 47
Clay Royd La. S'wram —2A 58
Clay St. Hal —6H 47
Clay St. Sower B —3D 54
(in two parts)
Clayton. —5A 34
Clayton Edge. —1D 40
Clayton Heights. —1A 42
Clayton La. B'frd —5A 36
Clayton La. Cytn —6H 33
Clayton Ri. Kei —3C 6
Clayton Rd. B'frd —5C 34
Clayton Ter. Cull —2F 23
Cleckheaton. —6F 53
Cleckheaton Rd. Low M & B'frd —5H 43
Clegg La. G'lnd —1A 60
Clegg St. Wyke —3G 51
Clement St. B'frd —1D 34
Clement St. Sower B —3D 54
Clervaux Ct. Cytn —4B 34
Cleveden Pl. Hal —3A 48
Cleveland Av. Hal —3D 56
Cleveland Rd. B'frd —4F 27
Cliff Cres. Hal —2G 55
Cliffe Av. Bail —3G 17
Cliffe Av. H'den —4A 14
Cliffe Av. Light —6E 51
Cliffe Castle Museum & Gallery. —2D 6
Cliffe Cres. Riddl —3B 8
Cliffe Dri. Rawd —2H 19
(in two parts)
Cliffe Gdns. Shipl —1F 27
Cliffe La. Bail —4G 17
Cliffe La. Cleck —4G 53
Cliffe La. T'tn —2E 33
Cliffe La. S. Bail —4G 17
Cliffe La. W. Bail —3G 17
Cliffe Mill Fold. E Mor —3E 9
Cliffe Rd. B'frd —5B 28
Cliffe Rd. Brigh —5E 59
Cliffe Rd. Kei —1D 12
Cliffestone Dri. E Mor —3D 8
Cliffe St. Kei —3D 6
Cliffe St. T'tn —2C 32
Cliffe Ter. Bail —4G 17
Cliffe Ter. B'frd —6H 27
Cliffe Ter. Denh —1G 31
(off Station Rd.)
Cliffe Ter. Kei —1E 13
Cliffe Ter. Sower B —2C 54
Cliffe Vw. All —5G 25
Cliffe Vs. N Brig —2A 26
Cliffe Wood Av. Shipl —1F 27
Cliffe Wood Clo. B'frd —4C 26
Cliff Gdns. Hal —2G 55
Cliff Hill La. Warley —1D 54
Cliff Hollins La. Oaken & E Bier —1D 52
Clifford Clo. B'frd —2H 27
Clifford Rd. Bail —3G 17
Clifford St. B'frd —4A 36 (6D 4)
Cliff St. Haw —6H 11
Cliff Ter. Hal —5C 56
Cliff Va. Rd. Shipl —2F 27
Clifton. —5H 59
Clifton Av. Hal —1H 55
Clifton Comn. Brigh —5G 59
Clifton Fld. Cleck —6F 53
Clifton Pl. Shipl —1F 27
Clifton Rd. Brigh —5F 59
Clifton Rd. Hal —3C 56
Clifton St. B'frd —6H 27
Clifton St. Hal —4A 48
Clifton St. Kei —5C 6
Clifton St. Q'bry —2E 41
Clifton St. Sower B —3E 55
Clifton Villas. —6H 27
Clifton Vs. B'frd —6H 27
Clifton Yd. Cro R —5A 12
Clipstone St. B'frd —1A 44
Clive Pl. B'frd —4F 35
Clive Ter. B'frd —4F 35
Clock La. Denh —6F 23
Clock Vw. St. Kei —1D 6
Clog Sole Rd. Brigh —3D 58
Close Head. T'tn —3B 32
Close Head Dri. T'tn —3B 32
Close Head Rd. T'tn —2B 32
Close Lea. Brigh —6D 58
Close Lea Av. Brigh —6D 58
Close Lea Dri. Brigh —6D 58

Crosley Vw. Bgly —3H 15
Crosley Wood Rd. Bgly —3H 15
Cross Banks. Shipl —6F 17
Cross Chu. St. Cleck —6G 53
Cross Crown St. Cleck —6F 53
Crossdale Av. B'frd —3C 42
Cross Emily St. Kei —3E 7
Cross Farm Ct. Oxe —4G 21
Cross Fld. Holy G —5A 60
Crossfield Clo. Oxe —4F 21
Crossfield Rd. Oxe —4F 21
Crossflatts. —5F 9
Cross Gates La. Bgly —1C 14
Cross Grn. B'frd —5G 37
Cross Hill. —2C 60
Cross Hill. G'lnd —2C 60
Cross Hills. Hal —5C 48
Crosshills Mt. G'lnd —2C 60
Cross La. Bgly —1F 15
Cross La. B'frd —5F 35
(in two parts)
Cross La. Ell —3E 61
Cross La. Hal —5G 41
(nr. Cock Hill La.)
Cross La. Hal —1H 49
(nr. West St.)
Cross La. Oxe —4G 21
Cross La. Q'bry —3C 40
Cross La. Wilsd —1C 24
Cross Leeds St. Kei —4D 6
Cross Leeds St. Kei —4E 7
(off North St.)
Crossley Almshouses. Hal —1B 56
Crossley Clo. Hal —6A 48
(off Crossley Gdns.)
Crossley Gdns. Hal —6A 48
(in three parts)
Crossley Hall. —2C 34
Crossley Hall St. B'frd —2B 34
Crossley Hill. Hal —4D 56
Crossley Hill La. Hal —4D 56
(off Crossley Hill)
Crossley Retail Pk. Hal —5B 48
Crossley St. B'frd —4F 35
Crossley St. Brigh —6F 59
Crossley St. Hal —6C 48
Crossley St. Q'bry —2F 41
Crossley Ter. N. Hal —1A 48
Crossley Ter. S. Hal —1A 48
Cross Pl. Brigh —3F 59
(off Bradford Rd.)
Cross River St. Kei —2G 7
Cross Rd. B'frd —6F 27
Cross Rd. Idle —5E 19
Cross Rd. Oaken —6B 44
Cross Roads. —5B 12
Cross Roads. Kei —5B 12
Cross Rosse St. Shipl —5F 17
Cross Rydal St. Kei —5C 6
Cross St. B'frd —4D 42
Cross St. Brigh —3E 59
Cross St. Cytn —5A 34
Cross St. G'lnd —2D 60
Cross St. Hal —1D 56
Cross St. Holy G —5B 60
Cross St. Oaken —1C 52
Cross St. W. Hal —5G 47
Cross Sun St. B'frd —1B 36 (2E 5)
Cross, The. B'ley —5F 61
Crossway. Bgly —6F 15
Crowgill Rd. Shipl —5F 17
Crown Dri. Wyke —1G 51
Crow Nest. —2G 15
Crownest La. Bgly —1G 15
Crownest Rd. Bgly —2G 15
Crown Rd. Hal —3B 48
Crown St. B'frd —2G 35 (3A 4)
Crown St. Brigh —4E 59
Crown St. Cleck —6F 53
Crown St. Ell —2F 61
Crown St. Hal —6C 48
Crown St. Wyke —1G 51
Crown Ter. Hal —1H 55
(nr. Hopwood La.)
Crown Ter. Hal —1H 55
(off Queen's Rd.)
Crowther Av. C'ley —1H 29
Crowther Fold. H'den —4B 14
Crowthers St. Wyke —1G 51
Crowther St. B'frd —6F 19
Crowther St. Cleck —5F 53
Crow Tree Clo. Bail —2H 17
Crow Tree La. B'frd —6C 26
Crow Wood Pk. Hal —2F 55
Croydon Rd. B'frd —5D 34
Croydon St. Q'bry —2E 41
Crumack La. Oxe —4A 22
Crystal Ct. Hal —6A 48
(off Hanson La.)
Crystal Ter. B'frd —6E 37
Cuckoo Pk. La. Oxe —3A 22
Cullingworth. —2F 23
Cullingworth Rd. Cull —2F 23
Culver St. Hal —6C 48
Cumberland Clo. Hal —1G 47
Cumberland Ho. B'frd —2G 5
Cumberland Rd. B'frd —4E 35
Cunliffe Rd. B'frd —5G 27
Cunliffe Ter. B'frd —5H 27
Cunliffe Vs. B'frd —4H 27
Cure Hill. Oakw —2F 11
Curlew St. B'frd —6G 35
Currer Av. B'frd —2D 44
Currer St. B'frd —2B 36 (4E 5)
Currer St. Oaken —1C 52
Curzon Rd. B'frd —2D 36
Cuthberts Clo. Q'bry —3D 40
Cut La. Hal —6F 41
Cutler Heights. —5F 37
Cutler Heights La. B'frd —6E 37
Cutler Pl. B'frd —5F 37
Cyprus Av. B'frd —4B 18
Cyprus Dri. B'frd —4C 18

Dacre St. B'frd —1B 36
Daffels Wood Clo. Bier —3D 44
Daffodil Ct. All —1H 33
Dagenham Rd. B'frd —6E 37
Daily Ct. B'frd —6F 35
Daisy Bank. Hal —2B 56
Daisy Hill. —5C 26
Daisy Hill. Wyke —2G 51
Daisy Hill Bk. La. B'frd —5C 26
Daisy Hill Gro. B'frd —5C 26
Daisy Hill La. B'frd —5C 26
Daisy Mt. Sower B —2C 54
Daisy Pl. Shipl —5D 16
(off Saltaire Rd.)
Daisy Rd. Brigh —6F 59
Daisy St. B'frd —6E 35
Daisy St. Brigh —5E 59
Daisy St. Hal —1B 56
Daisy St. Haw —6A 12
Dalby Av. B'frd —6E 29
Dalby St. B'frd —1E 37
Dalcross Gro. B'frd —5B 36
Dalcross St. B'frd —5A 36
Dale Cft. Ri. All —5F 25
Dale Gth. Bail —2F 17
Dale Gro. B'frd —4A 18
Daleside. G'lnd —2A 60
Daleside Av. Pud —1H 37
Daleside Clo. Pud —6H 29
Daleside Gro. Oaken —1B 52
Daleside Gro. Pud —1H 37
Dale Side Ho. B'frd —5H 27
Daleside Rd. Pud —6H 29
Daleside Rd. Riddl —2A 8
Daleside Rd. Shipl —4H 17
Daleside Wlk. B'frd —1B 44
Daleson Cres. Hal —2G 49
Dale St. B'frd —2A 36 (3D 4)
Dale St. Kei —2G 7
Dale St. Shipl —6F 17
Dale St. Sower B —3D 54
Dalesway. Bgly —6H 9
Dale Vw. L'ft —1A 54
Dale Vw. Clo. Kei —5G 7
Daleview Ct. Bail —3E 17
Dale Vw. Gro. Kei —5G 7
Dale Vw. Rd. Kei —6G 7
Dale Vw. Way. Kei —5G 7
Dallam Av. Shipl —5C 16
Dallam Gro. Shipl —4C 16
Dallam Rd. Shipl —5C 16
Dallam Wlk. Shipl —5D 16
Dalton La. Kei —4F 7
Dalton Rd. Kei —4G 7
Dalton St. Sower B —2D 54
Dalton Ter. B'frd —1F 35
Dalton Ter. Kei —3G 7
(off Surrey St.)
Damask St. Hal —5B 48
Damems La. Oakw —3B 12
Damems Rd. Kei —3C 12
Dam Head. —1E 49
Dam Head Rd. Sower B —2E 55
Damon Av. B'frd —3G 29
Damside. Kei —5D 6
Danby Av. B'frd —3D 44
Danebury Rd. Brigh —6F 59
Dane Ct. Rd. B'frd —6G 37
Dane Hill Dri. B'frd —5G 37
Daniel Ct. B'frd —1H 45
Daniel St. B'frd —2F 37
Danny La. L'ft —6A 46
Danum Dri. Bail —3G 17
Darcey Hey La. Hal —2G 55
Darfield Ho. B'frd —1E 29
(off Summerfield Rd.)
Darfield St. B'frd —1H 35 (2B 4)
Dark La. Hal —1D 54
Dark La. Oxe —4G 21
Dark La. Schol —5D 10
(in two parts)
Dark La. S'wram —6G 49
(nr. Barrowclough La.)
Dark La. S'wram —3H 57
(nr. Cain La.)
Darley St. B'frd —2A 36 (3C 4)
(in two parts)
Darley St. Kei —2D 6
Darnay La. B'frd —6A 36
Darnes Av. Hal —2G 55
Darren St. B'frd —3G 37
Dartmouth Ter. B'frd —5G 27
Darwin St. B'frd —6G 35
Davenport Ho. B'frd —2G 5
Dawnay Rd. B'frd —6F 35
Dawson Av. B'frd —3G 43
Dawson La. B'frd —2E 45
Dawson Mt. B'frd —2E 45
Dawson Pl. B'frd —2F 45
Dawson Pl. Kei —6E 7
Dawson Rd. Kei —6E 7
Dawson St. B'frd —1E 45
Dawson St. Thack —4D 18
Dawson Ter. B'frd —2F 45
Dawson Way. Kei —6E 7
Dealburn Rd. Low M —6H 43
Deal St. Hal —1D 56
Deal St. Kei —3G 7
Dean Beck Av. B'frd —2A 44
Dean Beck Ct. B'frd —3B 44
Dean Clo. B'frd —1B 34
Dean Clough. Hal —5C 48
Dean Ct. Hal —5A 56
Dean End. G'lnd —1C 60
Deanery Gdns. B'frd —2E 29
Dean Ho. La. Hal —3A 46
Dean La. Sower B —5A 54
Dean La. T'tn —6C 24
Dean Rd. B'frd —3H 43
Deans Ter. Hal —2B 48
Deanstones Cres. Q'bry —3E 41
Deanstones La. Q'bry —3D 40
Dean St. Ell —3F 61
Dean St. G'lnd —3C 60
Dean St. Haw —6H 11
Deanwood Av. All —5G 25
Deanwood Cres. All —4G 25
Deanwood Wlk. All —5G 25
Dearden St. Sower B —2D 54
Dee Ct. Oakw —3G 11
Deepdale Clo. Bail —3E 17
Deep La. Cytn —4A 34
Deep La. Hal —6B 46
Deep La. T'tn —5A 32
Defarge Ct. B'frd —6A 36
(off Newton St.)
De Lacy Av. B'frd —3D 44
Delamere St. B'frd —1H 43
Delf Clo. Hal —4C 42
Delius Av. B'frd —2G 29
Dell, The. Cull —1F 23
(in two parts)
Delph Cres. Cytn —5H 33
Delph Dri. Cytn —5H 33
Delph Gro. Cytn —5H 33
Delph Hill. —3A 56
(nr. Sowerby Bridge)
Delph Hill. —6G 43
(nr. Wyke)
Delph Hill. Bail —1G 17
Delph Hill Fld. Hal —3H 55
Delph Hill La. Hal —3A 46
Delph Hill Rd. Hal —3H 55
Delph Hill Ter. Hal —3H 55
(off Delph Hill Rd.)
Delph Ho. Kei —6E 7
Delph St. Hal —1B 56
Delph Ter. Cytn —5H 33
Delphwood Clo. Bgly —2A 16
Delverne Gro. B'frd —4E 29
Demontfort Ho. B'frd —5G 37
(off Ned La.)
Denbrook Av. B'frd —2H 45
Denbrook Clo. B'frd —2H 45
Denbrook Cres. B'frd —3H 45
Denbrook Wlk. B'frd —2H 45
Denbrook Way. B'frd —2H 45
Denbury Mt. B'frd —1G 45
Denby Ct. Oakw —3F 11
Denby Dri. Bail —4F 17
Denby Hill. —3E 11
Denby Hill Rd. Oakw —3F 11
Denby Ho. Bail —4G 17
(off Denby Dri.)
Denby Ho. B'frd —2H 45
Denby La. All —6H 25
Denby Mt. Oxe —5G 21
Denby Rd. Kei —6E 7
Denby St. B'frd —1G 35
Dence Grn. B'frd —4G 37
Dene Bank. Bgly —5G 9
Dene Clo. Ell —4E 61
Dene Cres. B'frd —5C 34
Dene Hill. Bail —2D 16
Denehill. B'frd —6B 26
Dene Mt. All —6A 26
Dene Pl. Hal —5B 48
Dene Rd. B'frd —2B 42
Deneside Mt. B'frd —1H 43
Deneside Ter. B'frd —1H 43
Dene Vw. L'ft —5A 46
Denfield Av. Hal —3G 47
Denfield Cres. Hal —3H 47
Denfield Edge. Hal —3H 47
Denfield Gdns. Hal —3H 47
Denfield La. Hal —3G 47
Denfield Sq. Hal —3H 47
Denham St. Brigh —6E 59
Denholme. —6F 23
Denholme Clough. —3G 31
Denholme Gate. —4F 31
Denholme Ga. Rd. Hal —1A 50
Denholme Rd. Oxe —5G 21
Dennison Fold. B'frd —4G 37
Denton Dri. Bgly —1A 16
Denton Row. Denh —1F 31
Denton Row. Holy G —5C 60
Derby Pl. B'frd —2F 37
Derby Rd. B'frd —2G 37
Derby St. B'frd —5F 35
Derby St. Cytn —5H 33
Derby St. Q'bry —2D 40
Derby St. Sower B —3F 55
Derby Ter. B'frd —5G 19
Derwent Av. Bail —4C 16
Derwent Av. Wilsd —3C 24
Derwent Ho. Hal —4A 48
Derwent Pl. Q'bry —1C 40
Derwent Rd. B'frd —4C 28
Derwent St. Kei —3H 7
Devonshire St. Kei —4C 6
Devonshire St. W. Kei —4C 6
Devonshire Ter. B'frd —5G 27
Devon St. Hal —1H 55
Devon Way. Brigh —1F 59
Dewhirst Clo. Bail —3H 17
Dewhirst Pl. B'frd —4F 37
Dewhirst Rd. Bail —3H 17
Dewhirst Rd. Brigh —3E 59
Dewhurst St. Wilsd —2C 24
Dewsbury Rd. Cleck —6G 53
Dewsbury Rd. Ell —3G 61
Diamond St. Hal —5A 48
Diamond St. Kei —1C 12
Diamond Ter. Hal —5A 48
(HX1)
Diamond Ter. Hal —2H 55
(HX2)
Dickens St. B'frd —6A 36
Dickens St. Hal —6G 47
Dick La. B'frd & Thornb —5F 37
Dimples La. E Mor —3D 8
Dimples La. Haw —6F 11
Dirk Hill. —4G 35
Dirkhill Rd. B'frd —4G 35
Dirkhill St. B'frd —4F 35
Discovery Rd. Hal —1D 56
Dispensary Wlk. Hal —6D 48
Dixon Av. B'frd —4D 34
Dixon Clo. G'lnd —1A 60
Dobrudden Cvn. Pk. Bail —1D 16
Dockfield Ind. Pk. Bail —4H 17
Dockfield Pl. Shipl —5G 17
Dockfield Rd. Shipl —5G 17
Dockfield Ter. Shipl —5G 17

Dock La. Bail —5G 17
Dock La. Shipl —5G 17
Dockroyd La. Oakw —3G 11
Doctor Hill. Hal —4F 47
Doctor Hill. Idle —1C 28
(in two parts)
Doctor La. B'frd —4D 18
Dodge Holme Clo. Hal —1F 47
Dodge Holme Ct. Hal —1F 47
(off Dodge Holme Rd.)
Dodge Holme Dri. Hal —1E 47
Dodge Holme Gdns. Hal —1F 47
Dodge Holme Rd. Hal —1F 47
Dodgson St. Ell —4F 61
Doe Pk. Denh —6H 23
Dog Kennel La. Hal —2E 57
Doldram La. Sower B —6C 54
Doles La. Brigh —3H 59
Dole St. T'tn —3E 33
Doll La. Cull —3G 23
Dolphin La. H'den —5G 13
Dolphin Ter. Q'bry —3C 40
Dombey St. Hal —6A 48
Donald Av. B'frd —3G 43
Doncaster St. Hal —4D 56
Donisthorpe St. B'frd —6H 35
Don St. Kei —3D 6
Dorchester Ct. B'frd —6G 37
Dorchester Cres. Bail —1B 18
Dorchester Cres. B'frd —6G 37
Dorchester Dri. Hal —2G 55
Dorian Clo. B'frd —1F 29
Dorothy St. Kei —2C 12
Dorset Clo. B'frd —6G 35
Dorset St. B'frd —6G 35
Douglas Cres. Shipl —1H 27
Douglas Dri. B'frd —5E 37
Douglas Rd. B'frd —5E 37
Douglas St. Cro R —5A 12
Douglas St. Hal —3B 48
Douglas Towers. B'frd —6C 4
Dovedale Clo. Hal —6H 41
Dover St. B'frd —6B 28
Dovesdale Gro. B'frd —1G 43
Dovesdale Rd. B'frd —1H 43
Dove St. Haw —6H 11
Dove St. Shipl —5D 16
Dowker St. Hal —2H 55
Dowley Gap. —4A 16
Dowley Gap La. Bgly —4H 15
Downham St. B'frd —3C 36 (5H 5)
Downing Clo. B'frd —2C 36 (3H 5)
Downside Cres. All —6G 25
Dracup Av. B'frd —4C 34
Dracup Rd. B'frd —6D 34
Drake Fold. Wyke —2G 51
Drakes Ind. Est. Oven —1A 48
Drake St. B'frd —3B 36 (5E 5)
Drake St. Kei —3E 7
Draughton Gro. B'frd —2H 43
Draughton St. B'frd —2H 43
Draycott Wlk. B'frd —1G 45
Drewry Rd. Kei —4D 6
Drewton St. B'frd —2H 35 (3B 4)
Driffield Ho. B'frd —6E 19
Drill Pde. B'frd —6H 27
Drill St. Haw —1G 21
Drill St. Kei —4E 7
Drive, The. Bgly —5E 9
Drive, The. B'frd —1F 29
Drive, The. Hal —5B 50
Dross St. B'frd —4F 37
Drove Rd. Ho. B'frd —6A 36
(off Bowling Old La.)
Drovers Way. B'frd —4A 28
Drub. —3G 53
Drub La. Cleck —3G 53
Druids St. Cytn —5H 33
Druids Vw. Bgly —5D 8
Drummond Rd. B'frd —6G 27
Drury La. Holy G —5A 60
Dryclough Clo. Hal —4C 56
Dryclough La. Hal —4C 56
Dryden St. Bgly —2F 15
Dryden St. B'frd —3B 36 (6F 5)
Dubb La. Bgly —2G 15
Duchy Av. B'frd —4C 26
Duchy Cres. B'frd —4C 26
Duchy Dri. B'frd —5C 26
(in two parts)
Duchy Gro. B'frd —4C 26
Duchy Vs. B'frd —4C 26
Duchywood. B'frd —4C 26
Ducie St. B'frd —4D 18
Duckett Gro. Pud —1H 37
Duck La. B'frd —2A 36 (4C 4)
Duckworth Gro. B'frd —5D 26
Duckworth La. D Hill —6C 26
Duckworth Ter. B'frd —5D 26
Dudley Cres. Hal —6F 39
Dudley Gro. B'frd —4G 37
Dudley Hill. —6E 37
Dudley Hill Rd. B'frd —4D 28
Dudley St. B'frd —5D 36
(in three parts)
Dudley St. Cut H —4G 37
Dudwell Av. Hal —5D 56
Dudwell Gro. Hal —5C 56
Dudwell La. Hal —5C 56
Duich Rd. B'frd —5C 42
Duinen St. B'frd —4B 36
Duke St. B'frd —2A 36 (3D 4)
Duke St. Ell —3F 61
Duke St. Haw —6H 11
Duke St. Kei —2D 6
Duke St. L'ft —4A 46
Dulverton Gro. B'frd —6F 37
Dunbar Cft. Q'bry —2F 41
Duncan St. B'frd —4A 36
Dunce Pk. Clo. Ell —4F 61
Duncombe Rd. B'frd —2D 34
Duncombe St. B'frd —2E 35
Duncombe Way. B'frd —2E 35
Dundas St. Hal —2H 55
Dundas St. Kei —5F 7
Dunkhill Cft. Idle —6D 18
Dunkirk. —6E 41
Dunkirk Cres. Hal —1G 55
Dunkirk Gdns. Hal —2G 55
Dunkirk La. Hal —2G 55
Dunkirk Ri. Riddl —1G 7
Dunkirk St. Hal —1G 55
Dunkirk Ter. Hal —1H 55
Dunlin Way. B'frd —2A 34
Dunmore Av. Q'bry —2C 40
Dunnington Wlk. B'frd —5E 43
Dunsford Av. B'frd —3D 44
Durham Rd. B'frd —6E 27
Durham St. Hal —6G 47
Durham Ter. B'frd —6E 27
Durley Av. B'frd —4E 27
Durling Dri. Wrose —6A 18
Durlston Gro. Wyke —1H 51
Durlston Ter. Wyke —1H 51
Durrance St. Kei —5B 6
Dyehouse Dri. West I —3E 53
Dyehouse Fold. Oaken —6C 44
Dyehouse La. Brigh —6F 59
Dye Ho. La. Norl —6G 55
Dye Ho. La. Wilsd —2A 24
Dyehouse Rd. Oaken —6B 44
Dyer La. Hal —4H 47
Dyson Pl. Hal —4E 57
(off Ashgrove Av.)
Dyson Rd. Hal —5H 47
Dyson St. B'frd —2H 35 (3A 4)
(BD1)
Dyson St. B'frd —3E 27
(BD9)
Dyson St. Brigh —4E 59

Eaglesfield Dri. B'frd —5D 42
Eagle St. Haw —6H 11
Eagle St. Kei —4D 6
Earl St. Haw —1G 21
Earl St. Kei —3D 6
Earl Ter. Hal —3A 48
Easby Rd. B'frd —4H 35 (6A 4)
East Av. Kei —3E 7
(in two parts)
East Bierley. —4H 45
East Bolton. Hal —4G 39
Eastbourne Rd. B'frd —2F 27
East Bowling. —1C 44
Eastbrook. —3B 36 (5F 5)
Eastbrook Well. B'frd —2B 36 (4E 5)
Eastbury Av. B'frd —2B 42
East Byland. Hal —5G 39
E. Church St. Hal —6D 48
East Cft. Wyke —3H 51
Eastfield Gdns. B'frd —6G 37
Eastgate. Ell —2F 61
Easthorpe Ct. B'frd —3F 29
Eastleigh Gro. B'frd —6G 35
Eastmoor Ho. B'frd —1H 45
East Morton. —2D 8
East Mt. Brigh —4E 59
E. Mount Pl. Brigh —4E 59
East Pde. Bail —1H 17
East Pde. B'frd —2B 36 (4F 5)
East Pde. Kei —4E 7
East Pde. Sower B —3F 55
E. Park Rd. Hal —4A 48
East Riddlesden Hall. —2H 7
East Rd. Low M —5A 44
East Royd. Hal —4A 50
(off Groveville.)
East Royd. Oakw —3H 11
E. Squire La. B'frd —6G 27
East St. Brigh —6E 59
East St. Hal —6E 51
East St. Sower B —5A 54
East Ter. Cro R —5A 12
East Vw. Light —6E 51
East Vw. T'tn —1C 32
E. View Ter. Wyke —1A 52
Eastwood. —3F 7
Eastwood Av. Hal —4G 39
Eastwood Av. Sower B —4B 54
Eastwood Clo. Hal —4G 39
Eastwood Cres. Bgly —5H 15
Eastwood Gro. Hal —4G 39
Eastwood's Farm. Hal —4G 39
(off Causeway Foot)
Eastwood St. B'frd —4B 36
Eastwood St. Brigh —4F 59
Eastwood St. Hal —3A 48
Eaton St. Kei —1C 12
Ebenezer Pl. B'frd —5F 35
Ebenezer St. B'frd —3B 36 (5E 5)
Ebor La. Haw —5G 11
Ebridge Ct. Bgly —2G 15
(off Edward St.)
Eccles Ct. B'frd —3D 28
Eccleshill. —2D 28
Edale Gro. Q'bry —3C 40
Edderthorpe. B'frd —6H 5
Edderthorpe St. B'frd —3C 36
Eden Clo. Wyke —2H 51
Edensor Rd. Kei —4C 6
Edgar St. Cytn —5B 34
Edgebank Av. B'frd —5D 42
Edge Bottom. Denh —6F 23
Edge End Gdns. B'frd —4C 42
Edge End Rd. B'frd —3C 42
Edgehill Clo. Q'bry —2F 41
Edgeholme La. Hal —6D 46
Edgemoor Clo. Hal —3B 56
Edlington Clo. B'frd —6G 37
Edmund St. B'frd —3H 35 (6B 4)
Edrich Clo. Low M —5A 44
Edward Clo. S'wram —3G 57
Edwards Rd. Hal —2G 55
Edward St. Bgly —2G 15
Edward St. B'frd —2G 45
(nr. Tong St.)
Edward St. B'frd —3B 36 (6E 5)
(nr. Wakefield Rd.)
Edward St. Brigh —4E 59
Edward St. Clif —5G 59
Edward St. Shipl —4D 16
Edward St. Sower B —3D 54
Edward Turner Clo. Low M —5G 43
Eel Holme Vw. St. Kei —1D 6
Effingham Rd. H'den —4A 14
Egerton Gro. All —6G 25
Egerton St. Sower B —3D 54
Eggleston Dri. B'frd —1H 45
Egham Grn. B'frd —6D 18
(off Ley Fleaks Rd.)
Egremont Cres. B'frd —5D 42
Egremont St. Sower B —4C 54
Egremont Ter. Sower B —4C 54
(off Egremont St.)
Egypt. —1C 32
Egypt Rd. T'tn —1C 32
Elam Wood Rd. Riddl —1F 7
Eland Ho. Ell —2F 61
(off Southgate)
Elbow La. B'frd —5D 28
Elbow La. Hal —4A 46
Elder Bank. Cull —1F 23
(off Keighley Rd.)
Elder St. B'frd —6G 19
Elder St. Kei —1C 6
Eldon Pl. B'frd —1H 35 (2B 4)
Eldon Pl. Cut H —5F 37
Eldon St. Hal —5C 48
Eldon Ter. B'frd —1H 35 (2B 4)
Eldroth Mt. Hal —2A 56
Eldroth Rd. Hal —2A 56
Eldwick. —1A 16
Eleanor Dri. C'ley —6H 19
Eleanor St. Brigh —6E 59
Elia St. Kei —3F 7
Eli St. B'frd —6B 36
Elizabeth Av. Wyke —1H 51
Elizabeth Clo. Wyke —1H 51
Elizabeth Cres. Wyke —1H 51
Elizabeth Dri. Wyke —1H 51
Elizabeth Ho. Hal —2G 47
(off Furness Pl.)
Elizabeth St. Bgly —2G 15
Elizabeth St. B'frd —4A 36
Elizabeth St. Ell —3F 61
Elizabeth St. G'lnd —2D 60
Elizabeth St. Oakw —3H 11
Elizabeth St. Wyke —1G 51
Elland. —3F 61
Elland Bri. Ell —2F 61
Elland Hall Farm Cvn. Pk. Ell —2E 61
Elland La. Ell —2G 61
(in two parts)
Elland Riorges Link. Lfds B —2G 61
Elland Rd. Brigh —5E 59
Elland Rd. Ell —6G 57
Elland Upper Edge. —3H 61
Elland Wood Bottom. G'lnd —6D 56
Ellar Carr Rd. B'frd —3E 19
Ellar Carr Rd. Cull —6E 13
Ella St. Kei —3F 7
Ellen Holme Rd. Hal —1A 54
Ellen Royd St. Hal —5C 48
Ellen St. Bgly —2G 15
Ellenthorpe Rd. Bail —3C 16
Ellercroft Av. B'frd —3E 35
Ellercroft Rd. B'frd —3E 35
Ellercroft Ter. B'frd —3E 35
Ellerton St. B'frd —2E 37
Ellinthorpe St. B'frd —4D 36
Elliot Ct. Q'bry —2D 40
Elliott St. Shipl —5E 17
Ellis Ct. Nor G —3D 50
Ellison Fold. Bail —1G 17
Ellison St. Hal —4A 48
Ellis St. B'frd —6H 35
Ellistones Gdns. G'lnd —2A 60
Ellistones La. G'lnd —3A 60
Ellistones Pl. G'lnd —3A 60
Ellton Gro. B'frd —2E 43
Elm Av. Sower B —2D 54
Elm Cres. E Mor —3D 8
Elmfield. Bail —1H 17
Elmfield Dri. B'frd —3G 43
Elmfield Ter. Hal —2B 56
Elm Gdns. Hal —2C 56
Elm Gro. E Mor —3D 8
Elm Gro. Hal —5B 42
Elm Gro. Kei —1C 12
Elm Gro. Shipl —6A 18
Elm Pl. Sower B —2D 54
Elm Rd. Shipl —6H 17
Elmsall St. B'frd —1H 35 (1B 4)
Elm St. Holy G —5A 60
Elm St. Oxe —5G 21
Elm Ter. Brigh —2F 59
Elm Tree Av. B'frd —3G 43
Elm Tree Clo. B'frd —3H 43
Elm Tree Clo. Kei —5F 7
Elm Tree Gdns. B'frd —2G 43
Elmwood Dri. Brigh —4D 58
Elmwood Dri. Kei —1B 12
Elmwood Rd. Kei —2B 12
Elm Wood St. Brigh —3F 59
Elmwood St. Hal —2A 56
Elmwood Ter. Kei —2B 12
Elsdon Gro. B'frd —4A 36
Elsie St. Cro R —5B 12
Elsie St. Kei —1D 6
Elsinore Av. Ell —3E 61
Elsinore Ct. Ell —3E 61
Elsworth Av. B'frd —6F 29
Elsworth St. B'frd —4C 36
Eltham Gro. B'frd —3E 43
Elvey Clo. B'frd —3F 29
Elwell Clo. Hal —4B 42
Elwyn Gro. B'frd —6A 36
Elwyn Rd. B'frd —6B 36
Ely St. G'lnd —3D 60
Emerald St. Kei —1C 12
Emerson Av. B'frd —4B 26
Emily Ct. B'frd —6F 35
(off Oakwell Clo.)
Emily St. Kei —3E 7
Emmeline Clo. B'frd —5D 18
Emmfield Dri. B'frd —3E 27
Emm La. B'frd —4E 27
Emmott Farm Fold. Haw —1G 21

Empsall Row. Brigh —4F **59**
(off Camm St.)
Emscote Av. Hal —2A **56**
Emscote Gdns. Hal —2A **56**
Emscote Gro. Hal —2A **56**
Emscote Pl. Hal —2A **56**
Emscote St. Hal —2A **56**
Emsley Clo. B'frd —3D **44**
Enderley Rd. T'tn —3D **32**
Endsleigh Pl. Cytn —5H **33**
Enfield Av. B'frd —2E **43**
Enfield Pde. B'frd —2E **43**
Enfield Rd. Bail —3G **19**
Enfield Side Rd. Stanb —2B **20**
Enfield St. Kei —4D **6**
Enfield Wlk. B'frd —2E **43**
Englefield Cres. B'frd —1G **45**
Ennerdale Dri. B'frd —4D **28**
Ennerdale Rd. B'frd —4C **28**
Enterprise 5 La. Ends. B'frd —1D **28**
Enterprise Way. B'frd —1D **28**
Epworth Pl. Oakw —2F **11**
Equity Chambers. B'frd —3D **4**
Eric St. Kei —3E **7**
Escroft Clo. Wyke —4H **51**
Esholt La. Bail —1B **18**
Eshton Av. Oaken —6B **44**
Eskdale Av. Hal —6H **41**
Eskdale Ho. Sower B —4D **54**
(off Quarry Hill)
Eskdale Ri. All —1H **33**
Eskine Pde. B'frd —5D **42**
Esmond St. B'frd —6D **34**
Essex St. B'frd —3C **36** (6G **5**)
Essex St. Hal —1H **55**
Estcourt Gro. B'frd —4E **35**
Estcourt Rd. B'frd —4E **35**
Ethel St. Kei —2D **6**
Etna St. B'frd —6D **34**
Eton St. Hal —6H **47**
Eureka. (Museum for Children, The)
—1D **56**
Eurocam Technology Pk. B'frd —1A **44**
Euroway Trad. Est. Euro I —5C **44**
Evelyn Av. B'frd —1G **37**
Evens Ter. B'frd —1A **44**
Everest Av. Wilsd —6A **18**
Eversley Dri. B'frd —5G **37**
Eversley Mt. Hal —1G **55**
(off Bk. Eversley Mt.)
Eversley Pl. Hal —1G **55**
Evesham Gro. B'frd —6D **18**
Ewart Pl. B'frd —6E **35**
Ewart St. B'frd —6E **35**
Ewart St. Q'bry —2E **41**
Excell Ter. B'frd —1H **45**
Exchange St. Cleck —4F **53**
Exchange St. G'lnd —3D **60**
Exe St. B'frd —6G **35**
Exeter St. Hal —4D **56**
Exeter St. Sower B —3E **55**
Exhibition Rd. Shipl —5D **16**
Exley. —6D 56
Exley Av. Kei —1C **12**
Exley Bank. Hal —5D **56**
Exley Bank Top. Hal —6D **56**
Exley Cres. Kei —6C **6**
Exley Dri. Kei —6C **6**
Exley Gdns. Hal —6D **56**
Exley Gro. Kei —6C **6**
Exley Head. —6B 6
Exley Head Vw. Kei —3A **6**
Exley La. Hal & Ell —6D **56**
Exley Mt. B'frd —3D **34**
Exley Mt. Kei —6C **6**
Exley Rd. Kei —6C **6**
Exley St. Kei —5C **6**
Exley Way. Kei —1C **12**
Exmoor St. Hal —1H **55**
Exmouth Pl. B'frd —6B **28**

Factory La. B'frd —1D **44**
Factory St. B'frd —1D **44**
Fagley. —5F 29
Fagley Cres. B'frd —5E **29**
Fagley Cft. B'frd —5F **29**
Fagley Dri. B'frd —5E **29**
Fagley La. B'frd —3F **29**
Fagley Pl. B'frd —6E **29**
Fagley Rd. B'frd —6E **29**
Fagley Ter. B'frd —6E **29**
Fair Bank. Shipl —1G **27**
Fairbank Rd. B'frd —6E **27**
Fairbank Ter. B'frd —6E **27**

Fairburn Gdns. B'frd —3E **29**
Fairclough Gro. Hal —2H **47**
Fairfax Av. B'frd —2E **45**
Fairfax Cres. B'frd —2E **45**
Fairfax Cres. Hal —2G **57**
Fairfax Ho. B'frd —3F **5**
Fairfax Rd. Bgly —6F **9**
Fairfax Rd. Cull —6F **13**
Fairfax St. B'frd —4B **36**
Fairfax St. Haw —6H **11**
Fairfax Vw. E Bier —4H **45**
Fairfield. Denh —1F **31**
Fairfield Clo. Bail —1A **18**
Fairfield Dri. Bail —1A **18**
Fairfield Rd. B'frd —6F **27**
Fairfield Rd. Wyke —2H **51**
Fairfield St. B'frd —2F **45**
Fairhaven Grn. B'frd —6E **19**
Fair Isle Clo. Kei —4E **7**
(off Alice St.)
Fairless Av. Hal —6E **51**
Fairmount. B'frd —5G **27**
Fairmount Pk. Shipl —6C **16**
Fairmount Ter. Kei —5H **7**
Fair Rd. B'frd —2F **43**
Fairview Clo. Hal —4B **48**
Fairview Ct. Bail —4F **17**
Fairview Ter. Hal —4A **48**
Fairway. B'frd —2D **42**
(BD7)
Fairway. B'frd —4H **19**
(BD10)
Fairway. Shipl —6D **16**
Fairway Av. B'frd —2D **42**
Fairway Clo. B'frd —2D **42**
Fairway Cres. Haw —1H **21**
Fairway Dri. B'frd —1D **42**
Fairway Gro. B'frd —1D **42**
Fairways, The. B'frd —2C **26**
Fairways, The. Low U —1C **6**
Fairway, The. Hal —4H **39**
Fairway Wlk. B'frd —1D **42**
Fairweather Green. —1B 34
Fairweather M. B'frd —2C **34**
Fairwood Gro. B'frd —4G **29**
Fairy Dell. Bgly —6G **9**
Falcon M. B'frd —1A **34**
Falcon Rd. Bgly —6F **9**
Falcon Sq. Hal —2D **56**
Falcon St. B'frd —4F **35**
Falcon St. Hal —4D **56**
Falkland Ct. Bgly —2G **15**
Falkland Rd. B'frd —3G **29**
Fall Brow Clo. Cytn —6G **33**
Fall La. Hal —6D **40**
Fall La. Norl —4F **55**
Fallowfield Clo. B'frd —3E **45**
Fallowfield Dri. B'frd —2F **17**
Fallowfield Gdns. B'frd —2E **45**
Fall Spring Gdns. Holy G —5A **60**
Fallwood St. Haw —1H **21**
Falmouth Av. B'frd —6B **28**
Falsgrave Av. B'frd —5F **29**
Faltis Sq. B'frd —1E **29**
Fancett Mt. Bgly —1G **15**
Fancett Vw. Wilsd —2C **34**
Fanny St. Kei —5D **6**
Fanny St. Shipl —4D **16**
Farcliffe Pl. B'frd —6F **27**
Farcliffe Rd. B'frd —6F **27**
Farcliffe Ter. B'frd —6F **27**
Far Crook. Thack —4B **18**
Fardew Ct. Bgly —1F **15**
Farfield Av. B'frd —4C **42**
Farfield Cres. B'frd —4D **42**
Farfield Gro. B'frd —4D **42**
Farfield Rd. Bail —3H **17**
Farfield Rd. B'frd —4E **43**
Farfield Rd. Shipl —6D **16**
Farfield St. B'frd —5E **27**
Farfield St. Cleck —4F **53**
Farfield Ter. B'frd —5E **27**
Farlea Dri. B'frd —4E **29**
Farleton Dri. B'frd —5F **29**
Farm Hill Ct. B'frd —2D **28**
Farm Hill Rd. B'frd —1D **28**
Farm Pond Dri. Hov E —2C **58**
Farmstead Rd. B'frd —1E **29**
Farndale Av. Bail —3E **17**
Farndale Rd. Wilsd —3C **24**
Farnham Clo. Bail —1H **17**
Farnham Rd. B'frd —4F **35**
Farnley Cres. Oakw —2F **11**
Farrar Mill La. Hal —3D **56**

Farra St. Oxe —5G **21**
Farriers Cft. B'frd —3B **28**
Farringdon Clo. B'frd —5F **37**
Farringdon Dri. B'frd —6G **37**
Farringdon Gro. B'frd —4E **43**
Farringdon Sq. B'frd —5G **37**
Farside Grn. B'frd —6G **35**
Far Vw. Hal —5G **39**
Farway. B'frd —5G **37**
Fascination Pl. Q'bry —1C **40**
(off Mill La.)
Faulkland Ho. B'frd —1A **4**
Faversham Wlk. B'frd —5G **37**
Fawcett Pl. B'frd —3E **45**
Faxfleet St. B'frd —2H **43**
Faye Gdns. B'frd —2F **45**
Fearnsides St. B'frd —1F **35**
Fearnsides Ter. B'frd —1F **35**
Fearnville Dri. B'frd —4F **37**
Featherbed Clo. B'frd —3D **60**
Featherbed La. G'lnd —3D **60**
Feather Rd. B'frd —2D **36**
Feather St. Kei —5F **7**
Federation St. B'frd —1B **44**
Felbrigg Av. Kei —5B **6**
Felcourt Dri. B'frd —1G **45**
Fell Cres. Kei —6B **6**
Fell Gro. Kei —5B **6**
Fell La. Kei —6A **6**
Fellside Clo. W Bowl —1B **44**
Fellwood Av. Haw —5A **12**
Fellwood Clo. Haw —5A **12**
Fenby Av. B'frd —5D **36**
(in two parts)
Fenby Clo. B'frd —6E **37**
Fenby Gdns. B'frd —6E **37**
Fenby Gro. B'frd —6E **37**
Fencote Cres. B'frd —1E **29**
Fencote Ho. B'frd —1E **29**
(off Rowantree Dri.)
Fender Rd. B'frd —2D **42**
Fenned Rd. Bail —1A **18**
Fenton Fold. Oaken —1B **52**
Fenton Rd. Hal —2H **55**
Fenwick Dri. B'frd —4D **28**
Fenwick Ho. B'frd —2B **44**
(off Parkway)
Ferguson St. Hal —1C **56**
Fernbank Av. B'frd —2H **15**
Fernbank Av. Oakw —1B **12**
Fernbank Dri. Bail —4E **17**
Fernbank Dri. Bgly —2G **15**
Fernbank Rd. B'frd —6D **28**
Fernbank St. Bgly —2G **15**
Fernbank Ter. Bgly —2G **15**
Ferncliffe. —2H 15
Ferncliffe Ct. Shipl —5D **16**
Ferncliffe Dri. Bail —2F **17**
Ferncliffe Dri. Kei —1B **6**
Ferncliffe Rd. Bgly —2F **15**
Ferncliffe Rd. Shipl —5D **16**
Fern Ct. Kei —1C **6**
Ferndale. Cytn —6G **33**
Ferndale Av. Cytn —6G **33**
Ferndale Gro. B'frd —3G **27**
Ferndene. Bgly —2H **15**
Ferndown Ter. B'frd —6H **35**
Fernfield Ter. Hal —3C **48**
Fernhill. Bgly —6G **9**
Fern Hill Av. Shipl —6D **16**
Fern Hill Gro. Shipl —6D **16**
Fern Hill Mt. Shipl —6D **16**
Fern Hill Rd. Shipl —6D **16**
Ferniehurst. Bail —4G **17**
Fern Lea. Q'bry —2F **41**
(off Scarlet Heights)
Fern Lea St. Sower B —2D **54**
Fernley Gdns. Wyke —1G **51**
Fern Pl. Shipl —5D **16**
(off Ashfield Dri.)
Fern St. B'frd —6F **27**
Fern St. Hal —3B **48**
(in two parts)
Fern St. Kei —3E **7**
Ferrand Av. B'frd —3E **45**
Ferrand La. Bgly —2F **15**
Ferrand La. Gom —4H **53**
Ferrand Rd. Shipl —5D **16**
Ferrands Clo. H'den —4B **14**
Ferrands Pk. Way. H'den —4B **14**
Ferrand St. Bgly —2G **15**
Ferriby Clo. B'frd —4F **29**
Festival Av. Shipl —2H **27**
Feversham St. B'frd
—3C **36** (5G **5**)

Fieldedge La. Riddl —1A **8**
Fieldgate Rd. B'frd —6F **19**
Fld. Head La. Oxe —2E **21**
Fieldhead St. Field B —3F **35**
Fld. Head Way. Hal —4F **39**
Fieldhouse Cotts. Hal —2A **56**
(off Carlton Ho. Ter.)
Fieldhouse Dri. B'frd —2F **37**
Field Hurst. Scho —6B **52**
Fieldhurst Ct. Bier —3E **45**
Field Side. Pel —5H **47**
Fields Rd. Low M —6A **44**
Field St. B'frd —2B **36** (4E **5**)
Fld. Top Rd. Brigh —6D **58**
Field Vw. Hal —6G **39**
Fieldway. Cytn —4H **33**
Fife St. Haw —6H **11**
Fifth Av. B'frd —6E **29**
Fifth Av. Low M —5A **44**
Filey St. B'frd —3B **36**
Finchley St. B'frd —6H **35**
Finch St. B'frd —5H **35**
Findon Ter. B'frd —3G **29**
Finkil St. Brigh —2C **58**
Finkle St. Sower B —3A **54**
Finsbury Dri. B'frd —2B **28**
Firbank Grn. B'frd —4F **29**
Firbeck. H'den —5B **14**
Firethorn Clo. B'frd —1E **35**
First Av. B'frd —6E **29**
First Av. Hal —3B **56**
First Av. B'frd —5D **6**
Fir St. Haw —1G **21**
Fir St. Kei —1D **12**
Fir St. Wilsd —3C **24**
First St. Low M —5A **44**
Firth Av. Brigh —4E **59**
Firth Carr. Shipl —2F **27**
Firth La. Wilsd —2C **24**
Firth Rd. B'frd —4F **27**
Firths Ter. Hal —3H **47**
(off Ramsden St.)
Firth St. Brigh —6E **59**
Firth St. T'tn —3D **32**
Fir Tree Gdns. B'frd —1F **29**
Fitzgerald St. B'frd —4H **35**
Fitzroy Rd. B'frd —2D **36**
Fitzwilliam St. B'frd —4B **36**
Five Lane Ends. —1D 28
Five Oaks. Bail —3E **17**
Five Rise Locks. —1F **15**
Fixby Av. Hal —2G **55**
Flappit Springs. —1C 22
Flasby St. Kei —3E **7**
Flat Nook. Bgly —2H **15**
Flawith Dri. B'frd —5F **29**
Flaxen St. B'frd —2H **43**
Flaxman Rd. B'frd —3E **29**
Flaxton Grn. B'frd —5F **29**
Flaxton Pl. B'frd —3F **35**
Fleece St. B'frd —4D **42**
Fleece St. Kei —4E **7**
Fleet La. Q'bry —1D **40**
Fletcher La. B'frd —3H **27**
Fletcher Rd. B'frd —2F **43**
Fletton Ter. B'frd —5D **28**
Flinton Gro. B'frd —4F **29**
Flockton Clo. B'frd —5C **36**
Flockton Clo. B'frd —5C **36**
Flockton Cres. B'frd —5C **36**
Flockton Dri. B'frd —5C **36**
Flockton Gro. B'frd —5C **36**
Flockton Rd. B'frd —5C **36**
Flockton Ter. B'frd —5C **36**
Florence Av. Wilsd —1B **24**
Florence St. B'frd —3E **37**
Florence St. Hal —6A **48**
Florida Rd. All —3G **25**
Florist St. Kei —2G **7**
Flower Acre. Ell —3F **61**
(off Elizabeth St.)
Flower Bank. B'frd —3B **28**
Flower Bank. Sower B —4B **54**
Flowerfields. Hip —4C **50**
Flower Haven. B'frd —1F **29**
Flower Haven. B'frd —1F **29**
Flower Hill. B'frd —3D **26**
Flower Mt. Bail —1H **17**
Flowers Mt. Bail —1H **17**
(off Ashfield Dri.)
Floyd St. B'frd —6F **35**
Foldings Av. Scho —5B **52**
Foldings Clo. Scho —5A **52**
Foldings Ct. Scho —5A **52**

Foldings Gro. *Schol* —5A **52**
Foldings Pde. *Schol* —5A **52**
Foldings Rd. *Schol* —5A **52**
Fold, The. *Haw* —6F **11**
Folkestone St. *B'frd* —2D **36**
(in two parts)
Folkton Holme. *B'frd* —5F **29**
Folly Hall Av. *B'frd* —3F **43**
Folly Hall Clo. *B'frd* —3F **43**
Folly Hall Gdns., The. *B'frd* —3F **43**
Folly Hall Rd. *B'frd* —3F **43**
Folly Hall Wlk. *B'frd* —3F **43**
Folly Vw. Rd. *Haw* —1H **21**
Fontmell Clo. *B'frd* —1G **45**
Forber Gro. *B'frd* —4G **37**
Forbes Ho. *B'frd* —6G **37**
(off Stirling Cres.)
Ford. *Q'bry* —3C **40**
Ford Hill. *Q'bry* —3C **40**
Ford St. *Kei* —2G **7**
Fore La. *Sower B* —4C **54**
Fore La. *Sower B* —4B **54**
Foreside Bottom La. *Denh* —5F **31**
Foreside La. *Denh* —4D **30**
Forest Av. *Hal* —1G **47**
Forest Cres. *Hal* —1G **47**
Forester Ct. *Denh* —1F **31**
(off Main Rd.)
Forest Grn. *Hal* —2G **47**
Forest Gro. *Hal* —2H **47**
Forrester's Ter. *Holy G* —6A **60**
Forster St. *B'frd* —2A **36** (3E **5**)
Forster Sq. *B'frd* —2B **36** (4E **5**)
Foster Av. *T'tn* —3F **33**
Foster Gdns. *Kei* —4B **6**
Foster Pk. *Denh* —6G **23**
Foster Pk. Gro. *Denh* —6G **23**
Foster Pk. Rd. *Denh* —6G **23**
Foster Pk. Vw. *Denh* —6G **23**
(in two parts)
Foster Rd. *Kei* —1D **12**
Foster's Ct. *Hal* —6C **48**
(off Union St.)
Foster Sq. *Denh* —1F **31**
Foster St. *Q'bry* —2E **41**
Foston Clo. *B'frd* —5G **29**
Foston La. *B'frd* —5F **29**
Foulds Ter. *Bgly* —1G **15**
Foundry Hill. *Bgly* —2F **15**
Foundry La. *B'frd* —5D **36**
Foundry St. *Brigh* —6G **59**
Foundry St. *Cleck* —5G **53**
Foundry St. *Hal* —6C **48**
Foundry St. *Sower B* —4D **54**
Foundry St. N. *Hal* —2H **47**
Foundry Ter. *Cleck* —6G **53**
Fountain St. *B'frd* —2A **36** (3C **4**)
Fountain St. *Hal* —6C **48**
Fountain St. *Low M* —5G **43**
Fountain St. *Q'bry* —2E **41**
Fountain St. *T'tn* —3D **32**
Fountain Ter. *Wyke* —2H **51**
Fountain Way. *Shipl* —6G **17**
Fourlands. —5E 19
Fourlands Ct. *B'frd* —5E **19**
Fourlands Cres. *B'frd* —5E **19**
Fourlands Dri. *B'frd* —5E **19**
Fourlands Gdns. *B'frd* —5E **19**
Fourlands Gro. *B'frd* —5E **19**
Fourlands Rd. *B'frd* —5E **19**
Four Lane Ends. —1D 34
Fourth Av. *B'frd* —6E **29**
Fourth Av. *Kei* —5C **6**
Fourth St. *Low M* —5A **44**
Fowler St. *B'frd* —4D **36**
Fox Ct. *G'lnd* —2D **60**
Fox Cft. Clo. *Q'bry* —4C **40**
Foxcroft Dri. *B'frd* —6D **58**
Foxhill. *Bail* —2E **19**
Foxhill Av. *Q'bry* —2D **40**
Foxhill Clo. *Q'bry* —2D **40**
Foxhill Dri. *Q'bry* —2D **40**
Foxhill Rd. *Q'bry* —2D **40**
Foxstone Ri. *Bail* —2A **18**
Fox St. *Bgly* —2F **15**
Fox St. *Cleck* —6D **52**
Foxwood Ho. *B'frd* —4F **37**
(off Westbury St.)
Frances St. *Brigh* —4E **59**
Frances St. *B'frd* —3F **61**
Frances St. *Kei* —3C **6**
Francis Clo. *Hal* —6A **48**
Francis Ho. *B'frd* —5D **28**
(off Hatfield Rd.)

Francis Sq. *Cull* —1F **23**
(off Station Rd.)
Francis St. *B'frd* —4C **36** (6G **5**)
Francis St. *Hal* —6A **48**
Frankel Gdns. *Brigh* —4E **59**
Franklin Ho. *B'frd* —2F **5**
Franklin St. *Hal* —6H **47**
Frank Pl. *B'frd* —5F **35**
Frank St. *B'frd* —5F **35**
Frank St. *Hal* —1A **56**
Fraser Av. *C'ley* —1H **29**
Fraser St. *B'frd* —1G **35**
Frederick Clo. *B'frd* —4B **18**
Frederick St. *Kei* —4F **7**
Fred's Pl. *B'frd* —6E **37**
Fred St. *Kei* —5D **6**
Freeman Rd. *Hal* —2G **57**
Free School La. *Hal* —2A **56**
Fremantle Gro. *B'frd* —4G **37**
Frensham Dri. *B'frd* —6B **34**
Frensham Gro. *B'frd* —6B **34**
Frensham Way. *B'frd* —6B **34**
Freshfield Gdns. *All* —6H **25**
Friar Ct. *B'frd* —1E **29**
Friars Ind. Est. *B'frd* —6D **18**
Friendly. —2C 54
Friendly Av. *Sower B* —2C **54**
Friendly Fold. *Hal* —3A **48**
Friendly Fold Ho. *Hal* —3A **48**
(off Lentilfield St.)
Friendly Fold Rd. *Hal* —3A **48**
Friendly St. *Hal* —3A **48**
Friendly St. *T'tn* —3D **32**
Frimley Dri. *B'frd* —1G **43**
Frith St. *Cro R* —5A **12**
Frizinghall. —2G 27
Frizinghall Rd. *B'frd* —4G **27**
Frizley Gdns. *B'frd* —3G **27**
Frodingham Vs. *B'frd* —5F **29**
Frogmere Ter. *Oaken* —6B **44**
Frogmore Av. *Oaken* —6B **44**
Fruit St. *Kei* —3G **7**
Fulford Wlk. *B'frd* —5F **29**
Fullerton St. *B'frd* —3C **36** (5G **5**)
Fulmar M. *B'frd* —2A **34**
Fulton St. *B'frd* —2H **35** (4C **4**)
Furever Feline Museum. —5G **17**
Furnace Gro. *B'frd* —6B **44**
Furnace Inn St. *B'frd* —4F **37**
Furnace La. *B'shaw* —5H **45**
Furnace Rd. *Oaken* —6B **44**
(in three parts)
Furness Av. *Hal* —6F **39**
Furness Cres. *Hal* —6F **39**
Furness Dri. *Hal* —6F **39**
Furness Gdns. *Hal* —6F **39**
Furness Gro. *Hal* —1F **47**
Furness Pl. *Hal* —1G **47**
Fusden La. *Gom* —4H **53**
Futures Way. *B'frd* —4B **36**
Fyfe Cres. *Bail* —3H **17**
Fyfe Gro. *Bail* —3A **18**
Fyfe La. *Bail* —2A **18**

G

Gables, The. *Bail* —2A **18**
Gables, The. *Bail* —3A **18**
(off Dewhirst Rd.)
Gainest. *Hal* —2H **55**
Gain La. *B'frd & Fag* —6F **29**
Gainsborough Clo. *B'frd* —5C **28**
Gaisby. —1H 27
Gaisby La. *B'frd & Shipl* —3G **27**
Gaisby Mt. *Shipl* —2H **27**
Gaisby Pl. *Shipl* —1H **27**
Gaisby Ri. *Shipl* —1H **27**
Galefield Grn. *B'frd* —5D **42**
Gale St. *B'frd* —5B **12**
Gale St. *Kei* —3E **7**
Galloway Rd. *B'frd* —6F **19**
Galsworthy Av. *B'frd* —4A **26**
Gannerthorpe Clo. *Wyke* —2G **51**
Ganny Rd. *Brigh* —5F **59**
Gaol La. *Hal* —6C **48**
(in two parts)
Garden Clo. *Wyke* —1G **51**
Gardener's Sq. *Hal* —5A **50**
Garden Fld. *Wyke* —2G **51**
Garden Fold. *Hip* —5A **50**
Garden La. *B'frd* —4D **26**
Garden Rd. *Brigh* —3D **58**
Gardens, The. *Bgly* —2B **16**
Gardens, The. *Hal* —2A **56**
Garden St. *B'frd* —3D **26**
Garden St. *Cro R* —5B **12**

Garden St. N. *Hal* —5D **48**
Garden Ter. *B'frd* —4E **27**
Garden Vw. *Bgly* —2A **16**
Gardiner Row. *B'frd* —1D **44**
Garfield Av. *B'frd* —5F **27**
Garfield Ho. *B'frd* —5H **35**
(off Hutson St.)
Garfield St. *All* —6G **25**
Garfield St. *Hal* —4A **48**
Garforth Rd. *Kei* —3G **7**
Garforth St. *All* —6H **25**
Gargrave Rd. *B'frd* —2G **5**
Garibaldi St. *B'frd* —2G **37**
(in two parts)
Garnett St. *B'frd* —2C **36** (4G **5**)
Garrowby Ho. *B'frd* —5D **18**
(off Thorp Gth.)
Garsdale Av. *B'frd* —6E **19**
Garsdale Cres. *Bail* —1A **18**
Gth. Barn Clo. *B'frd* —4E **27**
Gth. Land Way. *B'frd* —6E **37**
Garth St. *Kei* —4D **6**
Garthwaite Mt. *All* —6H **25**
Garton Dri. *B'frd* —2F **29**
Garvey Vw. *B'frd* —5A **36**
Garwick Ter. *G'lnd* —2D **60**
Gas Ho. Yd. *Oaken* —6A **44**
Gas Works La. *Ell* —2F **61**
Gas Works Rd. *Kei* —3H **7**
(in two parts)
Gas Works Rd. *Sower B* —3F **55**
Gatefield Mt. *B'frd* —5E **43**
Ga. Head La. *G'lnd* —3A **60**
Gathorne St. *B'frd* —5F **35**
Gathorne St. *Brigh* —4F **59**
Gaukroger La. *Hal* —2D **56**
Gavin Clo. *B'frd* —2D **36**
Gawcliffe Rd. *Shipl* —6G **17**
Gawthorpe Av. *Bgly* —6G **9**
Gawthorpe Dri. *Bgly* —6G **9**
Gawthorpe La. *Bgly* —6G **9**
Gawthorpe St. *Wilsd* —1B **24**
Gayle Clo. *Wyke* —3G **51**
Gaynor St. *B'frd* —2H **35** (3A **4**)
Gaythorne Rd. *B'frd* —6A **36**
Gaythorne Rd. *Fag* —4E **29**
Gaythorne Ter. *Cytn* —5A **34**
Gaythorn Ter. *Hal* —4A **50**
Geelong Clo. *B'frd* —4B **28**
George's Pl. *B'frd* —4A **36**
George Sq. *Hal* —6C **48**
George's Sq. *Cull* —1F **23**
George's St. *Hal* —5D **6**
George St. *Bail* —4G **17**
George St. *B'frd* —3B **36** (5F **5**)
George St. *Brigh* —5G **59**
George St. *Cleck* —5F **53**
George St. *Denh* —6G **23**
George St. *Ell* —3F **61**
George St. *G'lnd* —2D **60**
George St. *Hal* —6C **48**
George St. *Hip* —6B **50**
George St. *Ras* —6E **59**
George St. *Shipl* —5D **16**
George St. *Sower B* —4D **54**
George St. *T'tn* —3D **32**
Geraldton Av. *B'frd* —4A **28**
Gerard Ho. *B'frd* —6E **19**
(off Fairhaven Grn.)
Gerard St. *Hal* —6B **48**
Ghyll Lodge. *Bgly* —5G **15**
Ghyll, The. *Bgly* —5G **15**
Ghyll Wood Dri. *Bgly* —5G **15**
Gibbet St. *Hal* —6F **47**
Gibb La. *Hal* —2D **46**
Gibraltar Av. *Hal* —1G **55**
Gibraltar Rd. *Hal* —6G **47**
Gibson St. *B'frd* —3D **36**
Giles Hill La. *Hal* —4G **41**
(in two parts)
Giles St. *B'frd* —4H **35**
Giles St. *Wibs* —2E **43**
Gill Beck Clo. *Bail* —1A **18**
Gillingham Grn. *B'frd* —6G **37**
Gill La. *Cowl* —1E **11**
Gill La. *T'tn* —4C **32**
Gill La. *Yead* —1G **19**
Gillrene Av. *Wilsd* —3D **24**
Gillroyd Ri. *B'frd* —2F **35**
Gill's Ct. *Hal* —6C **48**
Gillstone Dri. *Haw* —6H **11**
Gilmour St. *Hal* —4A **48**
Gilpin St. *B'frd* —1D **36**

Gilstead. —2A 16
Gilstead Ct. *Bgly* —2A **16**
Gilstead Dri. *Bgly* —2A **16**
Gilstead La. *Bgly* —2H **15**
Gilynda Clo. *B'frd* —2C **34**
Gipsy St. *B'frd* —1G **37**
Girlington. —6E 27
Girlington Rd. *B'frd* —6D **26**
Gisburn St. *B'frd* —3D **6**
Glade, The. *S'ley* —5H **29**
Gladstone Pl. *Denh* —1F **31**
Gladstone Rd. *Hal* —6A **48**
Gladstone St. *All* —6H **25**
Gladstone St. *Bgly* —3F **15**
Gladstone St. *B'frd* —3E **37**
Gladstone St. *Cleck* —6F **53**
Gladstone St. *Holy G* —5A **60**
Gladstone St. *Kei* —5D **6**
Gladstone St. *Q'bry* —2F **41**
Gladstone Vw. *Hal* —4E **57**
Glaisdale Ct. *All* —4G **25**
Glaisdale Gro. *Hal* —6B **50**
Glaisdale Ho. *B'frd* —6E **19**
(off Garsdale Av.)
Glazier Rd. *Q'bry* —1C **40**
Gleanings Av. *B'frd* —6E **47**
Gleanings Dri. *Hal* —6D **46**
Glebe Fold. *Riddl* —1H **7**
Gledcliffe. *Hal* —5D **48**
(off Charlestown Rd.)
Gleddings Clo. *Hal* —4A **56**
Gledhill Rd. *B'frd* —3D **36**
Gledhills Yd. *Hal* —2H **55**
(off King Cross Rd.)
Gledhow Dri. *Oxe* —3G **21**
Glenaire. *Shipl* —4A **18**
Glenaire Dri. *Bail* —4E **17**
Glenbrook Dri. *B'frd* —2C **34**
Glendale. *Bgly* —6F **15**
Glendale Clo. *B'frd* —4E **43**
Glendale Dri. *B'frd* —4E **43**
Glendare Av. *B'frd* —3D **34**
Glendare Rd. *B'frd* —3D **34**
Glendare Ter. *B'frd* —3D **34**
Glendene. *Bgly* —6F **15**
Glenfield. *Shipl* —4A **18**
Glenfield Av. *B'frd* —3H **43**
Glenfield Mt. *B'frd* —3H **43**
Glen Gth. *Kei* —6F **7**
Glenholme. *Shipl* —4A **18**
Glenholme Heath. *Hal* —6G **47**
Glenholme Rd. *B'frd* —6F **27**
Glenholm Rd. *Bail* —3D **17**
Glenhurst. *B'frd* —2F **45**
Glenhurst Av. *Kei* —6E **7**
Glenhurst Dri. *Kei* —6F **7**
Glenhurst Gro. *Kei* —6F **7**
Glenhurst Rd. *Shipl* —5C **16**
Glen Lee La. *Kei* —1F **7**
Glenlee Rd. *B'frd* —2D **34**
Glenlyon Av. *Kei* —2C **6**
Glenlyon Dri. *Kei* —2C **6**
Glenmore Clo. *B'frd* —6E **29**
Glenmount. *Bgly* —6F **15**
Glen Mt. Clo. *Hal* —3G **47**
Glen Ri. *Bail* —3D **16**
Glen Rd. *Bail* —1B **16**
Glen Rd. *Bgly* —1A **16**
Glenrose Dri. *B'frd* —3C **34**
Glenroyd. *Shipl* —4A **18**
Glenroyd Av. *B'frd* —3H **43**
Glenside Av. *Shipl* —4A **18**
Glenside Rd. *Shipl* —4A **18**
Glenstone Gro. *B'frd* —2D **34**
Glen Ter. *Hal* —2B **56**
Glen Ter. *Hip* —6A **50**
Glenton Sq. *B'frd* —5F **27**
Glen Vw. *Hal* —2B **56**
Glen Vw. *H'den* —4B **14**
Glenview Av. *B'frd* —4C **26**
Glenview Clo. *Shipl* —6A **16**
Glenview Dri. *Shipl* —1A **26**
(in two parts)
Glenview Gro. *Shipl* —6B **16**
Glen Vw. Rd. *Bgly* —6F **15**
Glenview Rd. *Shipl* —1A **26**
Glenview Ter. *Shipl* —5D **16**
Glen Way. *Eld* —1B **16**
Glenwood Av. *Baal* —3C **16**
Globe Fold. *B'frd* —1G **35**
Gloucester Av. *B'frd* —6F **29**
Gloucester Rd. *Bgly* —3H **15**
Glover Ct. *B'frd* —5A **36**
Glydegate. *B'frd* —3A **36** (5C **4**)
Glyndon Ct. *Brigh* —6F **59**

Grove, The. *Gre* —6F **19**
Grove, The. *Hip* —5B **50**
Grove, The. *Idle* —6D **18**
Grove, The. *Q'bry* —2D **40**
  (off New Pk. Rd.)
Grove, The. *Shipl* —6C **16**
Groveville. *Hal* —4A **50**
Groveway. *B'frd* —3C **28**
Guard House. —4A 6
Guard Ho. Av. *Kei* —4C **6**
Guard Ho. Dri. *Kei* —4C **6**
Guard Ho. Gro. *Kei* —4B **6**
Guard Ho. Rd. *Kei* —4C **6**
Guide Post Farm. *Hal* —4G **39**
  (off Keighley Rd.)
Guild Way. *Hal* —1D **54**
Guisborough Ho. *B'frd* —6E **19**
  (off Idlethorp Way)
Gurbax Ct. *B'frd* —2G **37**
Gurney Clo. *B'frd* —6H **35**
Guy St. *B'frd* —3B **36** (6E **5**)
Gwynne Av. *B'frd* —6G **29**

Hadassah St. *Hal* —3D **56**
Haddon Av. *Hal* —4C **56**
Hag La. *Hal* —2C **48**
Haigh Beck Vw. *B'frd* —6E **19**
Haigh Corner. *B'frd* —6F **19**
Haigh Fold. —4E 29
Haigh Fold. *B'frd* —4E **29**
Haigh Hall. *B'frd* —6F **19**
Haigh Hall Rd. *B'frd* —6F **19**
Haigh House Hill. —6E **61**
Haigh Ho. Hill. *Hud* —6E **61**
Haigh Ho. Rd. *Hud* —6E **61**
Haigh La. *Hal* —3D **56**
Haigh St. *B'frd* —6D **36**
Haigh St. *Brigh* —4E **59**
Haigh St. *G'lnd* —2B **60**
Haigh St. *Hal* —5H **47**
Haincliffe Pl. *Kei* —1D **12**
Haincliffe Rd. *Kei* —1D **12**
Hainsworth Moor Cres. *Q'bry* —3D **40**
Hainsworth Moor Dri. *Q'bry* —3D **40**
Hainsworth Moor Gth. *Q'bry* —3D **40**
Hainsworth Moor Gro. *Q'bry* —3D **40**
Hainsworth Moor Vw. *Q'bry* —3D **40**
Hainworth. —2D 12
Hainworth Crag Rd. *Kei* —3C **12**
Hainworth La. *Kei* —2D **12**
Hainworth Rd. *Kei* —2D **12**
Hainworth Shaw. —2F 13
Hainworth Wood Rd. *Kei* —2D **12**
Hainworth Wood Rd. N. *Kei* —6E **7**
Halcyon Way. *B'frd* —6G **35**
Halesworth Cres. *B'frd* —1G **45**
Haley Hill. *Hal* —4C **48**
Half Acre Rd. *T'tn* —2B **32**
Half Ho. La. *Brigh* —2B **58**
Half St. *Kei* —3D **6**
Halifax. —2C 48
Halifax Blue Sox Rugby League
  Football Club. —2C **56**
Halifax Ind. Cen., The. *Hal* —5A **48**
Halifax La. *L'ft* —5A **46**
Halifax Old Rd. *Hal* —5H **49**
Halifa**x** Rd. *Butt* —4C **42**
Halifax Rd. *Cleck & Liv* —6A **52**
Halifax Rd. *Cro R & Kei* —4B **12**
  (in two parts)
Halifax Rd. *Cro R & Cull* —5B **12**
  (nr. Hardgate La.)
Halifax Rd. *Denh* —2F **31**
  (in two parts)
Halifax Rd. *G'lnd & Ell* —1D **60**
Halifax Rd. *Hal* —2H **49**
Halifax Rd. *Hip & Brigh* —1B **58**
  (nr. Broad Oak La.)
Halifax Rd. *Hip* —5H **49**
  (nr. Leeds Rd.)
Halifax Rd. *Hud* —6H **61**
Halifax Rd. *Q'bry* —5C **40**
Halifax Town Football Club. —2C **56**
Hallas La. *Cull* —2G **23**
  (in two parts)
Hall Av. *B'frd* —2F **29**
Hallbank Clo. *B'frd* —2H **43**
Hall Bank Dri. *Bgly* —1G **15**
Hallbank Dri. *B'frd* —2H **43**
Hall Cliffe. *Bail* —1H **17**
Hallcroft. *Bgly* —6F **9**
Hallfield Dri. *B'frd* —2G **17**
Hallfield Pl. *B'frd* —1A **36** (1C **4**)
Hallfield Rd. *B'frd* —1H **35** (2B **4**)

Hallfield St. *B'frd* —1A **36** (2C **4**)
Hallgate. *B'frd* —1A **36**
Hall Ings. *B'frd* —3A **36** (5D **4**)
Hall Ings. *Hal* —4G **57**
Hall La. *B'frd* —4B **36** (6F **5**)
Hall La. *B'frd* —1F **49**
Hall La. *Shipl* —5G **17**
Hallowes Gro. *Cull* —2F **23**
Hallowes Pk. Rd. *Cull* —2F **23**
Hallows Rd. *Kei* —2G **7**
Hallows, The. *Kei* —3C **6**
Hall Rd. *B'frd* —2E **29**
Hall Royd. *Shipl* —6E **17**
Hall Stone Ct. *She* —6A **42**
Hall St. *B'frd* —2G **43**
Hall St. *Brigh* —5F **59**
Hall St. *Hal* —6B **48**
Hall St. *Haw* —1G **21**
Hall St. *Oakw* —3H **11**
  (off Clough La.)
Hall St. N. *Hal* —3B **48**
Hallwood Grn. *B'frd* —2G **29**
Halstead Pl. *B'frd* —6F **35**
Halton Pl. *B'frd* —6F **35**
Hambledon Av. *B'frd* —2D **44**
Hambleton Bank. *Hal* —5D **38**
Hambleton Cres. *Hal* —6D **38**
Hambleton Dri. *Hal* —6C **38**
Hambleton La. *Oxe* —2B **30**
Hame, The. *Holy G* —6A **60**
Hamilton St. *B'frd* —1H **35** (1B **4**)
Hammerston Leach La. *Holy G & Ell*
  —4D **60**
Hammerstones Rd. *Ell* —3D **60**
Hammerton Clo. *Ell* —2F **61**
Hammerton St. *B'frd* —3C **36** (5G **5**)
Hammond Pl. *B'frd* —4E **27**
Hammond St. *Hal* —1H **55**
Hampden Pl. *B'frd* —5H **35**
Hampden Pl. *Hal* —6B **48**
Hampden St. *B'frd* —5H **35**
Hampton Pl. *B'frd* —5D **18**
Hampton St. *Hal* —2H **55**
Hamworth Dri. *Oakw* —3H **11**
Handel St. *List* —2G **35**
Hanging Ga. La. *Oxe* —2E **21**
Hanging Wood Way. *West I* —3E **53**
Hangram St. *Brigh* —5F **59**
Hannah Ct. *Wyke* —2G **51**
Hanover Clo. *B'frd* —6E **27**
Hanover Sq. *B'frd* —1H **35** (1B **4**)
Hanover Sq. *Wyke* —2G **51**
Hanover St. *Hal* —1H **55**
Hanover St. *Kei* —4E **7**
Hanover St. *Sower B* —3F **55**
Hanson Ct. *Wyke* —3G **51**
Hanson Fold. *Wyke* —2G **51**
Hanson La. *Hal* —6G **47**
Hanson Mt. *Wyke* —3G **51**
Hanson Pl. *Wyke* —2G **51**
Hanson Rd. *Brigh* —6C **58**
Hanworth Rd. *Low M* —5H **43**
Hapsburg Ct. B'frd —4A **36**
  (off Elsdon Gro.)
Harbeck Dri. *H'den* —5B **14**
Harborough Grn. App *B* —5G **19**
  (off Leavens, The)
Harbour Cres. *B'frd* —3E **43**
Harbour Pk. *B'frd* —3D **42**
Harbour Rd. *Wibs* —3D **42**
Harclo Rd. *Kei* —3G **7**
Harcourt Av. *T'tn* —2D **32**
Harcourt St. *B'frd* —6D **36**
Hardaker La. *Bail* —3E **17**
Hardaker Rd. *B'frd* —2A **4**
Hardaker St. *B'frd* —1H **35**
Harden. —4B 14
Harden & Bingley Cvn. Pk. *H'den*
  —6A **14**
Harden Brow La. *H'den* —4A **14**
Harden Gro. *Idle* —4G **29**
Harden Gro. *Kei* —6G **7**
Harden La. *Wilsd* —6B **14**
Harden Rd. *H'den* —4B **14**
Harden Rd. *Kei* —6G **7**
Hardgate La. *Cro R* —6B **12**
  (in two parts)
Hardhill Ho. *H'den* —4B **14**
  (off Ferrands Pk. Way)
Hard Ings Rd. *Kei* —3H **7**
Hardknot Clo. *B'frd* —6C **34**
Hard Nese La. *Oxe* —6D **20**
  (in two parts)
Hardwick St. *Kei* —5C **6**

Hardy Av. *B'frd* —3G **43**
Hardy Pl. *Hov E* —2C **58**
Hardy St. *B'frd* —3B **36** (6E **5**)
Hardy St. *Brigh* —4F **59**
Hardy St. *Wibs* —2G **43**
Harehill Clo. *B'frd* —4D **18**
Hare Hill Edge. *Oldf* —4A **10**
Harehill Rd. *B'frd* —4D **18**
Harehills La. *Oldf* —4C **10**
Hare St. *Hal* —6H **47**
Harewood Av. *Hal* —5F **47**
Harewood Cres. *Oakw* —2A **12**
Harewood Pl. *Hal* —1G **55**
Harewood Ri. *Oakw* —2B **12**
Harewood Rd. *Oakw* —3A **12**
Harewood St. *B'frd* —2D **36** (3H **5**)
  (in two parts)
Harker Rd. *Low M* —4G **43**
Harland Clo. *B'frd* —5A **28**
Harley Pl. *Brigh* —6E **59**
  (off Harley St.)
Harley St. *Brigh* —6E **59**
Harlow Rd. *B'frd* —4E **35**
Harmon Clo. *B'frd* —3E **45**
Harold Pl. *Shipl* —5D **16**
Harold St. *Bgly* —1E **15**
Harper Av. *Idle* —4D **18**
Harper Cres. *Idle* —4E **19**
Harper Gro. *Idle* —4D **18**
Harper Royd La. *Sower B* —5D **54**
Harp La. *Q'bry* —1D **40**
Harrier Clo. *B'frd* —2H **33**
Harriet St. *B'frd* —1F **35**
Harriet St. *Brigh* —3E **59**
Harris Ct. *B'frd* —6E **35**
Harrison Rd. *Hal* —1C **56**
Harrison St. *Bgly* —3G **15**
Harrison Va. *Bgly* —2G **15**
Harris St. *Bgly* —3G **15**
Harris St. *B'frd* —2C **36** (4G **5**)
Harrogate Av. *B'frd* —5C **28**
Harrogate Pl. *B'frd* —5C **28**
Harrogate Rd. *B'frd* —5D **28**
Harrogate St. *B'frd* —5C **28**
Harrogate Ter. *B'frd* —5C **28**
Harrop Edge. —5C 24
Harrop La. *Wilsd* —4A **24**
Harrow St. *Hal* —6H **47**
Harry La. *Cytn* —5G **33**
Harry La. *Oxe* —4G **21**
Harry St. *B'frd* —6E **37**
Harsley Fold. *Brigh* —5H **59**
Hartington St. *Kei* —3E **7**
Hartington Ter. *B'frd* —4E **35**
Hartland Rd. *B'frd* —5G **37**
Hartley Bank La. *Hal* —3A **50**
Hartley's Sq. *E Mor* —2D **8**
Hartley St. *B'frd* —4C **36**
Hartley St. *Hal* —5A **48**
Hartlington Ct. *Bail* —2A **18**
Hartman Pl. *B'frd* —5D **26**
Hartshead Moor Top. —6A 52
Hart St. *B'frd* —5E **35**
Haslam Clo. *B'frd* —1C **36** (2H **5**)
Haslam Gro. *Shipl* —1A **28**
Haslemere Clo. *B'frd* —6F **37**
Haslingden Dri. *B'frd* —5D **26**
Hastings Av. *B'frd* —1H **43**
Hastings Pl. *B'frd* —1H **43**
Hastings St. *B'frd* —1H **43**
Hastings Ter. *B'frd* —1H **43**
Hatchet La. *Oaken* —1C **52**
Hatfield Rd. *B'frd* —5D **28**
Hathaway Av. *B'frd* —4B **26**
Hatters Fold. *Hal* —6D **48**
Hatton Clo. *B'frd* —4A **42**
Haugh End La. *Sower B* —5C **54**
Haugh Shaw Cft. *Hal* —2A **56**
Haugh Shaw Rd. *Hal* —2A **56**
Havelock Sq. *T'tn* —3E **33**
Havelock St. *B'frd* —5D **34**
Havelock St. *T'tn* —3E **33**
Haven, The. *B'frd* —1E **39**
Hawes Av. *B'frd* —1G **43**
Hawes Cres. *B'frd* —1G **43**
Hawes Dri. *B'frd* —1G **43**
Hawes Gro. *B'frd* —1G **43**
Hawes Mt. *B'frd* —1G **43**
Hawes Rd. *B'frd* —1F **43**
Hawes Ter. *B'frd* —1G **43**
Hawke Way. *Low M* —5A **44**
Hawksbridge La. *Oxe* —4E **21**
Hawkshead Clo. *B'frd* —4A **36**
Hawkshead Dri. *B'frd* —4A **36**
Hawkshead Wlk. *B'frd* —4A **36**

Hawkshead Way. *B'frd* —4A **36**
  (off Hawkshead Clo.)
Hawkstone Dri. *Kei* —2C **6**
Hawk St. *Kei* —3F **7**
  (off Pheasant St.)
Hawks Wood Av. *B'frd* —4D **26**
Hawksworth Rd. *Bail* —1G **17**
Hawley Ter. *B'frd* —3G **29**
Haworth. —1H 21
Haworth Rd. *B'frd* —4C **26**
Haworth Rd. *All* —4G **25**
Haworth Rd. *B'frd* —4C **26**
Haworth Rd. *Cro R* —5A **12**
Haworth Rd. *Cull* —1B **22**
Haworth Rd. *Wilsd* —3H **23**
Hawthorn Av. *B'frd* —1G **37**
Hawthorn Clo. *Brigh* —4G **59**
Hawthorn Cres. *Bail* —2H **17**
Hawthorn Dri. *B'frd* —6E **19**
Hawthorne Av. *Shipl* —2H **27**
Hawthorne Way. *E Mor* —3E **9**
Hawthorn St. *B'frd* —1G **37**
Hawthorn St. *Hal* —2A **56**
Hawthorn St. *Hip* —5B **50**
Hawthorn Vw. *Bail* —2A **18**
Haycliffe Dri. *B'frd* —1E **43**
Haycliffe Gro. *B'frd* —1D **42**
Haycliffe Gro. *B'frd* —1E **43**
Haycliffe Hill. —1F 43
Haycliffe Hill Rd. *B'frd* —1F **43**
Haycliffe La. *B'frd* —1E **43**
Haycliffe Rd. *B'frd* —6F **35**
Haycliffe Ter. *B'frd* —6F **35**
Hayclose Mead. *B'frd* —5E **43**
Hayden St. *B'frd* —3D **36**
Haydn Pl. *Q'bry* —2E **41**
Hayfield Clo. *Bail* —1A **18**
Hayfields, The. *Haw* —5G **11**
Hayley Ct. *Hal* —5C **48**
  (off Hayley Hill)
Haynes St. *B'frd* —5F **7**
Hays La. *Hal* —4D **38**
Hazebrouck Dri. *Bail* —1F **17**
Hazel Beck. *Bgly* —5F **15**
Hazelcroft. *B'frd* —3F **29**
Hazel Cft. *Shipl* —1G **27**
Hazel Dene. *Holy G* —5B **60**
  (off Cross St.)
Hazeldene. *Q'bry* —3D **40**
Hazel Gro. *Hal* —6E **51**
Hazelheads. *Bail* —1G **17**
Hazelhurst Av. *Bgly* —5F **15**
Hazelhurst Brow. *B'frd* —5B **26**
Hazelhurst Ct. *B'frd* —3E **37**
  (BD3)
Hazelhurst Ct. *B'frd* —5B **26**
  (BD9)
Hazelhurst Gro. *Q'bry* —4D **40**
Hazelhurst Rd. *B'frd* —5B **26**
Hazelhurst Rd. *Q'bry* —4D **40**
Hazelhurst Ter. *B'frd* —5B **26**
Hazelmere Av. *Bgly* —5G **15**
Hazel Mt. *Shipl* —6G **17**
Hazel Wlk. *B'frd* —5B **26**
Hazelwood Av. *Riddl* —2H **7**
Hazelwood Rd. *B'frd* —4A **26**
Headland Dri. *B'frd* —2D **42**
Headley La. *T'tn* —5C **32**
Healey Av. *Bgly* —3G **15**
Healey La. *Bgly* —3G **15**
Healey Wood Cres. *Brigh* —6E **59**
Healey Wood Gro. *Brigh* —6F **59**
Healey Wood Rd. *Brigh* —6F **59**
Heap La. *B'frd* —2C **36** (3G **5**)
Heap St. *B'frd* —2C **36** (3G **5**)
Heap St. *Hal* —3C **48**
Hearn Gth. *Hal* —6C **48**
Heath Av. *Hal* —3B **56**
Heathcliff. *Haw* —6F **11**
Heath Cres. *Hal* —3C **56**
Heatherbank Av. *Oakw* —1B **12**
Heather Bank Clo. *Cull* —2F **23**
Heather Ct. *Bgly* —6G **9**
Heather Dri. *Mt Tab* —2C **46**
Heather Gro. *B'frd* —3H **25**
Heather Gro. *Kei* —3B **6**
Heatherlands Av. *Denh* —5F **23**
Heather Pl. *Q'bry* —1B **40**
Heather Rd. *Bail* —1H **17**
Heatherside. *Bail* —1F **17**
Heatherstones. *Hal* —3B **56**
Heather Vw. *Bgly* —1B **16**
Heathfield. —2G 61
Heathfield Av. *Ell* —2H **61**
Heathfield Clo. *Bgly* —1G **15**

Heathfield Gro. B'frd —5C 34
Heathfield Gro. Hal —3C 56
(off Heath Rd.)
Heathfield Ind. Est. Ell —2G 61
Heathfield Pl. Hal —3C 56
Heathfield St. Ell —3G 61
Heathfield Ter. Hal —3C 56
Heathfield Vw. B'frd —5C 26
Heath Gdns. Hal —3C 56
Heath Gro. E Mor —3D 8
Heath Hall. Hal —2C 56
Heath Hall Av. B'frd —2D 44
Heath Hill Rd. Hal —5C 46
Heath La. Hal —3C 56
Heath Lea. Hal —2C 56
Heathmoor Clo. Hal —6F 39
Heathmoor Clo. Idle —5C 18
Heathmoor Mt. Hal —5F 39
Heathmoor Pk. Rd. Hal —4F 39
Heathmoor Way. Hal —5F 39
Heath Mt. Hal —3B 56
Heath Pk. Av. Hal —2C 56
Heath Rd. B'frd —6D 28
Heath Rd. Hal —3C 56
Heath Royd. Hal —3C 56
Heath St. Bgly —2G 15
Heath St. B'frd —2E 37
Heath St. Hal —3B 56
Heath Ter. B'frd —2D 36
Heath Vs. Hal —3C 56
Heathy Av. Hal —6A 40
Heathy La. Hal —5H 39
Heaton. —4E 27
Heaton Av. Cleck —6E 53
Heaton Av. Sandb —4C 8
Heaton Clo. Bail —1F 17
Heaton Clo. Bgly —1H 15
Heaton Cres. Bail —1F 17
Heaton Cres. Bgly —1H 15
Heaton Dri. Bail —1F 17
Heaton Dri. Bgly —1H 15
Heaton Grove. —3F 27
Heaton Gro. B'frd —3F 27
Heaton Gro. Cleck —6E 53
Heaton Gro. Shipl —6G 17
Heaton Hill. B'frd —4C 42
Heaton Pk. Dri. B'frd —4D 26
Heaton Pk. Rd. B'frd —4D 26
Heaton Rd. B'frd —4E 27
Heaton Royds. —2D 26
Heaton Royds La. B'frd —2D 26
Heaton Shay. —2D 26
Heaton St. B'frd —4C 36 (6G 5)
Heaton St. Cleck —5F 53
Heatons Yd. Brigh —6F 59
Hebble Brook Clo. Mix —1E 47
Hebble Cotts. Hal —4G 47
Hebble Ct. Hal —1F 47
Hebble Dean. Hal —4H 47
Hebble Gdns. Hal —4G 47
Hebble La. Hal —4H 47
Hebble Row. Oakw —4G 11
(off Providence La.)
Hebble Va. Dri. Hal —3G 47
Hebble Vw. Hal —3G 47
Hebb Vw. B'frd —1C 42
Hebden Bri. Rd. H Bri —6E 21
Hebden Rd. Haw —1H 21
Heber St. Kei —5D 6
Hector Clo. B'frd —2G 43
Heddon Clo. B'frd —4A 36
Heddon Gro. B'frd —4A 36
Hedge Clo. B'frd —6B 26
Hedge Nook. Wyke —1G 51
Hedge Side. B'frd —1C 34
Hedge Top La. Hal —2G 49
Hedge Way. B'frd —6C 26
Heidelberg Rd. B'frd —5E 27
Height Grn. Sower B —3D 54
Height La. Oxe —5H 21
Heights La. Bgly —2F 9
Heights La. B'frd —4B 26
Heights La. B'frd —6F 37
Helena Way. B'frd —3E 45
Helen Rose Ct. Shipl —4A 18
Helen St. Shipl —5D 16
Helen Ter. Brigh —4D 58
Hellewell St. B'frd —4D 42
Helmshore Dri. B'frd —1B 34
Helmsley St. B'frd —5C 36
Hemingway Rd. B'frd —5F 19
Hemsby Gro. Kei —1D 12
(off Hemsby St.)
Hemsby St. Kei —1D 12
Henacrewood Ct. Q'bry —4E 41
Henage St. Q'bry —2D 40
Henderson Pl. B'frd —2G 43
Hendford Dri. B'frd —2C 36 (3H 5)
Hendy Cotts. G'lnd —2D 60
Henfield Av. B'frd —6C 18
Henley Av. B'frd —1A 44
Henley Ct. B'frd —1B 44
Henley Gro. B'frd —1A 44
Henley Rd. B'frd —1B 44
Henry St. Brigh —3E 59
Henry St. Cytn —5A 34
Henry St. Hal —1B 56
Henry St. Kei —4E 7
Henry St. T'tn —3D 32
Herbert Pl. B'frd —1G 37
Herbert St. Bgly —2G 15
Herbert St. B'frd —5H 35
Herbert St. Cytn —6A 34
Herbert St. Ctly —1H 25
Herbert St. Hal —1H 55
Herbert St. Shipl —4D 16
Hereford Way. B'frd —5C 36
Heritage Pk. Bgly —5G 9
Heritage Way. Oakw —3G 11
Hermit Hole. —3C 12
Hermit St. Oakw —3C 12
Hermon Av. Hal —1A 56
Hermon Gro. Hal —1A 56
Heron Clo. Q'bry —1C 40
Herschel Rd. B'frd —2B 34
Heshbon St. B'frd —6E 37
Hesketh Pl. Hal —6E 51
Hessle Ho. B'frd —6E 19
(off Idlethorp Way)
Hew Clews. B'frd —6C 34
Heybeck Wlk. B'frd —1H 45
Heyford Ct. B'frd —4H 27
Heygate Clo. Bail —1H 17
Heygate La. Bail —1H 17
Hey La. Stanb —5D 10
Heys Av. T'tn —3F 33
Heys Cres. T'tn —3G 33
Heysham Dri. B'frd —1G 45
Heys Ho. Hal —5A 48
(off Crossley Gdns.)
Hey St. B'frd —2H 35 (4A 4)
Hey St. Brigh —3F 59
Heywood Clo. Hal —3G 49
Hick St. B'frd —2B 36 (4F 5)
Higgin La. Hal —2E 57
Higham & Dob La. Sower B —4A 54
High Ash. Shipl —6A 18
High Ash Pk. All —6F 25
High Bank La. Shipl —1B 26
High Banks Clo. Riddl —1H 7
High Binns La. Oxe —5H 21
Highbridge Ter. B'frd —2B 44
Highbury Clo. Q'bry —3C 40
High Busy La. Shipl & B'frd —5A 18
(in three parts)
High Cliffe Clo. T'tn —3E 33
Highcliffe Dri. Hal —6F 47
High Cote. Riddl —1F 7
High Cft. Q'bry —2E 41
Highcroft Gdns. Kei —5H 7
High Cross La. Q'bry —4F 41
Highdale Cft. B'frd —5D 18
Higher Brockwell. Sower B —4B 54
Higher Coach Rd. Bail —3A 16
(in two parts)
Higher Downs. B'frd —1B 34
Higher Intake Rd. B'frd —6E 29
Higher School St. Shipl —5D 16
Higherwood Clo. Kei —5G 7
Highfell Ri. Kei —6A 6
High Fernley Ct. Wyke —1G 51
High Fernley Rd. Wyke —2E 51
(in two parts)
Highfield. —4C 6
Highfield. B'frd —2F 45
Highfield. S'wram —6H 41
Highfield Av. B'frd —6C 18
Highfield Av. Brigh —5F 51
Highfield Av. G'lnd —2B 60
Highfield Av. Hal —4B 42
Highfield Clo. E Mor —2D 8
Highfield Ct. Oakw —3G 11
Highfield Cres. Bail —1G 17
Highfield Cres. B'frd —3B 26
Highfield Dri. B'frd —3B 26
Highfield Dri. L'ft —5A 46
Highfield Gdns. B'frd —4B 26
Highfield Gro. B'frd —1C 28
Highfield Gro. Ell —1E 61
Highfield Ho. B'frd —6G 27
(off Church St.)
Highfield La. Kei —3C 6
High Fld. La. Oakw —2G 11
Highfield M. Bail —1G 17
Highfield M. E Mor —2D 8
Highfield Pl. B'frd —6G 27
(off Church St.)
Highfield Pl. Hal —1H 55
Highfield Rd. Cleck —6E 53
Highfield Rd. Ell —3F 61
Highfield Rd. Five E & Idle —2C 28
Highfield Rd. Friz —2G 27
Highfield Rd. Kei —4C 6
Highfield Rd. L'ft —5A 46
High Fields. Sower B —3G 55
Highfield St. Kei —4D 6
Highfield Ter. Bgly —2G 15
Highfield Ter. Cleck —6E 53
Highfield Ter. Cull —1F 23
Highfield Ter. Hal —1H 55
(off Highfield Pl.)
Highfield Ter. Q'bry —3D 40
Highfield Ter. Shipl —5C 16
High Fold. Bail —1G 17
High Fold. Bgly —3E 9
High Fold. Kei —6B 6
High Fold. Yead —1H 19
High Fold La. Kei —1C 6
Highgate. B'frd —3D 26
Highgate. Denh —3G 31
Highgate Clo. Q'bry —1A 42
Highgate Gro. Q'bry —1A 42
Highgate Rd. Q'bry —2G 41
High Gro. La. Hal —2E 57
High Ho. Av. B'frd —3C 28
High Ho. Rd. B'frd —3C 28
Highlands Clo. B'frd —6C 34
Highlands Gro. B'frd —6C 34
Highlands La. Hal —5H 39
Highlands Pk. Hal —5H 39
Highland Ville. Hal —6B 50
High La. Hal —5D 46
High Lees Rd. Hal —6D 38
High Level Way. Hal —5H 47
Highley Hall Cft. Clif —4H 59
Highley Pk. Clif —5H 59
High Mdw. Kei —2C 6
High Meadows. G'lnd —2C 60
High Meadows. Wilsd —2C 24
Highmoor. Bail —2E 17
Highmoor Cres. Brigh —4H 59
Highmoor La. Brigh & Cleck —4H 59
(in two parts)
Highmoor Wlk. Bail —3E 17
High Pk. Cres. B'frd —4C 26
High Pk. Dri. B'frd —4C 26
High Pk. Gro. B'frd —4C 26
High Poplars. B'frd —3B 28
Highroad Well. —5F 47
Highroad Well. Hal —6F 47
Highroad Well Ct. Hal —6F 47
Highroad Well La. Hal —6E 47
High Shaw Rd. W. Hal —2H 55
High Spring Gdns. La. Kei —2C 6
High Spring Rd. Kei —5H 7
High St. Idle, Idle —5D 18
High St. Brighouse, Brigh —4E 59
High St. Cleckheaton, Cleck —5F 53
High St. Ct. Ludd —4A 46
High St. Greetland, G'lnd —3D 60
High St. Halifax, Hal —1B 56
High St. Keighley, Kei —4D 6
High St. Luddenden, Ludd —4A 46
High St. Pl. Idle —5D 18
High St. Queensbury, Q'bry —2E 41
High St. Shipley, Shipl —6G 17
High St. Thornton, T'tn —3D 32
High St. Wibsey, Wibs —2F 43
High Sunderland La. Hal —4D 48
Highthorne Av. B'frd —6E 29
Hightown Rd. Cleck & Liv —6F 53
High Utley. —2C 6
High Wicken Clo. T'tn —3D 32
Hilda St. H'tn —3E 27
Hillam Rd. B'frd —4H 27
Hillam St. B'frd —6F 35
Hillary Rd. Shipl —6A 18
Hill Brow Clo. All —6G 25
Hill Clo. Bail —3F 17
Hillcote Dri. B'frd —5A 36
Hill Cres. Hal —2F 57
Hill Crest. Sower B —2D 54
(off Dalton St.)
Hill Crest Av. Denh —6G 23
Hillcrest Av. Q'bry —3F 41
Hill Crest Av. Sower B —2D 54
(off Dearden St.)
Hill Crest Dri. Denh —6F 23
Hillcrest Dri. Q'bry —3F 41
Hill Crest Mt. Denh —6F 23
Hillcrest Mt. Schol —6B 52
Hill Crest Rd. Denh —6F 23
Hillcrest Rd. Q'bry —3F 41
Hill Crest Rd. T'tn —2D 32
Hill Crest Vw. Denh —6F 23
Hill Cft. T'tn —2E 33
Hill End Clo. Hip —6A 50
Hill End Clo. Nor G —3E 51
Hill End Gro. B'frd —6C 34
Hill End La. H'den —6G 13
Hill End La. Q'bry —3D 40
Hillfoot. Shipl —6C 16
Hill Ho. Edge La. Oxe —6F 21
Hill Ho. La. Oxe —6G 21
Hill Ho. La. Sower B —5B 54
Hill Lands. Wyke —6G 43
Hill Pk. Av. Hal —4H 47
Hill Rd. Hal —6E 49
Hillside Av. L'ft —6A 46
Hillside Av. Oakw —3F 11
Hillside Gro. Oakw —3F 11
Hillside Rd. Bgly —1F 15
Hill Side Rd. B'frd —2C 36 (3G 5)
Hillside Rd. Shipl —1G 27
Hillside Ter. Bail —2G 17
Hill Side Ter. B'frd —2C 36 (2G 5)
Hillside Vw. Sower B —3C 54
Hillside Villas. —6H 5
Hillside Works Ind. Est. Cleck —3F 53
Hill St. B'frd —4D 36
(BD4)
Hill St. B'frd —2E 43
(BD6)
Hill St. Cleck —6E 53
Hill St. Hal —1B 56
Hill St. Haw —1G 21
Hill Top. —2C 32
Hill Top. Hal —2G 55
Hill Top. Q'bry —1D 40
Hill Top Cotts. B'frd —5C 26
Hill Top Gro. All —6G 25
Hill Top La. All —6G 25
Hill Top La. Bgly —3F 9
(in two parts)
Hill Top Rd. Hain —4C 12
Hill Top Rd. Oakw —3F 11
Hill Top Rd. T'tn —2B 32
Hill Top Wlk. Kei —4B 6
Hill Top Way. Kei —4B 6
Hill Vw. Hal —4H 39
Hillview Gdns. Hal —4G 49
Hill Vw. Ri. B'frd —5G 37
Hilton Av. Shipl —2F 27
Hilton Cres. Bail —3G 17
Hilton Dri. Shipl —2F 27
Hilton Gro. B'frd —3E 35
Hilton Gro. Shipl —2F 27
Hilton Rd. B'frd —3E 35
Hilton Rd. Shipl —2F 27
Hinchcliffe St. B'frd —1D 36
Hinchliffe Av. Bail —3H 17
Hindley Wlk. B'frd —1B 42
Hind St. B'frd —1G 35 (2A 4)
Hind St. Wyke —3G 51
Hions Clo. Brigh —6E 59
Hipperholme. —4B 50
Hipswell St. B'frd —1E 37
Hird Av. B'frd —3G 43
Hird Rd. Low M —5H 43
Hird St. Kei —6D 6
Hird St. Shipl —5F 17
Hirst La. Shipl —4C 16
Hirst Lodge Ct. B'frd —2B 28
Hirst Mill Cres. Shipl —4C 16
Hirst Wood Cres. Shipl —5C 16
Hirst Wood Rd. Shipl —5B 16
Hive St. Kei —5C 6
Hobb End. T'tn —1C 32
Hob Cote La. Oakw —4D 10
Hob La. Sower B —6D 54
Hob La. Stanb —6A 10
Hobson Fold. Wyke —3H 51
Hockney Rd. B'frd —1F 35
Hodgson Av. B'frd —1F 37
Hodgson Fold. B'frd —3B 28
Hodgson Yd. B'frd —2E 29
Holborn Ct. Low M —5G 43
Holden La. Bail —1H 17
(in two parts)

Lloyds Dri. *Low M* —5A **44**
Locarno Av. *B'frd* —5C **26**
Locherbie Grn. *All* —6H **25**
Lochy Rd. *B'frd* —5D **42**
Locksley Rd. *Brigh* —6H **59**
Locks, The. *Bgly* —1F **15**
Lock St. *Hal* —1D **56**
Lock Vw. Bgly —1E 15
(off Cemetery Rd.)
Lockwood St. *B'frd* —2G **43**
Lockwood St. *Low M* —6A **44**
Lockwood St. *Shipl* —5D **16**
Lode Pit La. *Bgly* —1B **16**
Lodge Av. *Ell* —2H **61**
Lodge Dri. *Ell* —2H **61**
Lodge Ga. Clo. *Denh* —6G **23**
Lodge Hill. *Bail* —2D **16**
Lodge Pl. *Ell* —2H **61**
Lodge St. *Cull* —1F **23**
Lodore Av. *B'frd* —4C **28**
Lodore Pl. *B'frd* —4D **28**
Lodore Rd. *B'frd* —4C **28**
Loft St. *B'frd* —1D **34**
Lombard St. *Hal* —2H **55**
London Rd. *Norl* —4F **55**
Longbottom Av. *Sower B* —4A **54**
Longbottom Ter. *Hal* —3D **56**
Long Causeway. *Hal* —6F **31**
Long Causeway. *Oxe* —6B **22**
Long Clo. *Wyke* —1F **51**
Longcroft. *Kei* —5E **7**
Longcroft Link. *B'frd* —2H **35** (3B **4**)
Longcroft Pl. *B'frd* —2H **35** (4B **4**)
Longfield. *Holy G* —5B **60**
Longfield Av. *Hal* —4G **49**
Longfield Dri. *B'frd* —6E **37**
Longfield Ter. Hal —4G 49
(off Longfield Av.)
Longford Ter. *B'frd* —4D **34**
Long Heys. *G'lnd* —3C **60**
Longhouse Dri. *Denh* —1F **31**
Longhouse La. *Denh* —1F **31**
Long Ho. Rd. *Hal* —5E **39**
Longlands Dri. *Haw* —5H **11**
Longlands La. *Denh* —6F **23**
Longlands St. *B'frd* —2H **35** (3B **4**)
(in two parts)
Long La. *All* —6D **24**
Long La. *B'frd* —2B **26**
Long La. *H'den* —4A **14**
Long La. *Q'bry* —4D **40**
Long La. *S'wram* —6E **49**
Long La. *Sower B* —6C **54**
Long La. *Wheat* —3G **47**
Long Lee. —5G 7
Long Lee La. *Kei* —6F **7**
Longley La. *Sower B* —6B **54**
Long Lover La. *Hal* —5G **47**
Long Meadows. *B'frd* —3A **28**
Long Preston Chase. *App B* —6F **19**
Long Reach. *Hal* —2C **46**
Long Row. *Low M* —6H **43**
Longrow. *T'tn* —2C **32**
Long Row Ct. B'frd —6A 36
(off Gaythorne Rd.)
Longroyd. *Thack* —5B **18**
Long Royd Dri. *Bail* —1A **18**
Longroyde Clo. *Brigh* —6D **58**
Longroyde Gro. *Brigh* —6D **58**
Longroyde Rd. *Brigh* —6D **58**
Longside Hall. *B'frd* —3G **35**
Longside La. *B'frd* —3G **35** (5A **4**)
Long St. *B'frd* —4D **36**
Long Wall. *G'lnd* —2D **60**
Longwood Av. *Bgly* —6D **8**
Longwood Vw. *Bgly* —6E **9**
Lonsdale St. *B'frd* —1D **36**
Lord La. *Haw* —5F **11**
Lordsfield Pl. *B'frd* —2F **45**
Lord's La. *Brigh* —6F **59**
Lord St. *Hal* —6C **48**
Lord St. *Haw* —6H **11**
Lord St. *Kei* —4E **7**
Lord St. *Sower B* —2E **55**
Loris St. *B'frd* —2F **45**
Lorne St. *B'frd* —6D **36**
Lorne St. Cro R —5B 12
(off Bingley Rd.)
Lorne St. *Kei* —3G **7**
Lot St. *Haw* —6H **11**
Loughrigg St. *B'frd* —6A **36**
Louisa St. *B'frd* —5D **18**
Louis Av. *B'frd* —5G **35**
Love La. *Hal* —2B **56**
Low Ash Av. *Shipl* —6H **17**
Low Ash Cres. *Shipl* —6H **17**
Low Ash Dri. *Shipl* —6H **17**
Low Ash Gro. *Shipl* —6H **17**
Low Ash Rd. *Shipl* —1A **28**
Low Baildon. —2H 17
Low Bank. —2F 11
Low Bank Dri. *Oakw* —2F **11**
Low Bank La. *Oakw* —2F **11**
Low Banks. —1H 7
Low Clo. *Bgly* —3H **15**
Lowell Av. *B'frd* —4D **34**
Lwr. Ainley. *Hal* —5H **39**
Lwr. Ashgrove. *B'frd* —3H **35** (6B **4**)
Lwr. Balfour St. *B'frd* —5C **36**
Lwr. Bentley Royd. *Sower B* —3C **54**
Lwr. Brockwell La. *Sower B* —5B **54**
Lwr. Clay Pits. *Hal* —5H **47**
Lwr. Clifton St. *Sower B* —3E **55**
Lwr. Clyde St. *Sower B* —4D **54**
Lwr. Copy. *All* —6H **25**
Lwr. Crow Nest Dri. *Hal* —6F **51**
Lower Edge Bottom. —2H 61
Lwr. Edge Rd. *Ell & Brigh* —2H **61**
Lwr. Ellistones. G'lnd —2A 60
(off Saddleworth Rd.)
Lower Fagley. —4G 29
Lwr. Finkil St. *Brigh* —2C **58**
Lwr. Fleet. *Q'bry* —2C **40**
Lwr. George St. *B'frd* —2F **43**
Lwr. Globe St. *B'frd* —1G **35**
Lower Grange. —2H 33
Lwr. Grange Clo. *B'frd* —2A **34**
Lwr. Grattan Rd. *B'frd* —2H **35** (4A **4**)
Lower Grn. *Bail* —3E **17**
Lwr. Green Av. *Schol* —5B **52**
Lwr. Heights Rd. *T'tn* —1C **32**
Lwr. Holme. *Bail* —4G **17**
Lwr. House Clo. *Thack* —4B **18**
Lower Ings. *Hal* —2E **39**
Lwr. Kipping La. *T'tn* —3D **32**
Lwr. Kirkgate. *Hal* —6D **48**
Lower La. *B'frd* —5D **36**
Lower La. *E Bier* —6F **45**
Lwr. Lark Hill. *Cleck* —6D **52**
Lwr. Newlands. *Brigh* —6F **59**
Lwr. Range. *Hal* —4C **48**
Lwr. Rushton Rd. *B'frd* —2G **37**
Lwr. School St. *B'frd* —5G **43**
Lwr. School St. *Shipl* —5D **16**
Lower Town. —5H 21
Lowertown. *Oxe* —5G **21**
Lwr. Wellgate. *G'lnd* —2C **60**
Lwr. Westfield Rd. *B'frd* —6E **27**
Lower Woodlands. —6C 44
Lower Wyke. —5G 51
Lwr. Wyke Grn. *Wyke* —5F **51**
Lwr. Wyke La. *Wyke* —5F **51**
Loweswater Av. *B'frd* —5D **42**
Lowfield Clo. *Low M* —6A **44**
Lowfields Way. *Lfds B* —1G **61**
Low Fold. *B'frd* —4B **28**
Low Fold. *Schol* —5B **52**
Low Grn. *B'frd* —6E **35**
Low Grn. Ter. *B'frd* —6F **35**
Low Ho. Flats. Cleck —6F 53
(off Westgate)
Low La. *Cytn* —4F **33**
Low La. *Q'bry* —6C **32**
Low Mill La. *Kei* —4F **7**
Low Moor. —5H 43
Low Moor St. *Low M* —5H **43**
Low Moor Ter. *Hal* —1F **55**
Lowry Vw. *Kei* —5E **7**
Low Spring Rd. *Kei* —5G **7**
Low St. *Kei* —4E **7**
(in two parts)
Lowther St. *B'frd* —5D **28**
Low Utley. —1C 6
Low Well St. *B'frd* —6H **35**
Low Wood. *Wilsd* —3D **24**
Low Wood Ct. *Utley* —1D **6**
Lucy Hall Dri. *Bail* —3C **16**
Lucy St. *Hal* —5D **48**
Luddenden. —4A 46
Luddenden La. *L'ft* —6A **46**
Luddendon Pl. Q'bry —1C 40
(off Mill La.)
Ludlam St. *B'frd* —4A **36**
Luke Rd. *B'frd* —5G **35**
Lulworth Gro. *B'frd* —1F **45**
(in two parts)
Lumbfoot Rd. *Stanb* —6C **10**
Lumb La. *B'frd* —6G **27** (1A **4**)
Lumb La. *Hal* —3B **48**
Lumb La. *Wains* —5B **38**
Lumbrook Clo. *Hal* —2A **50**
Lumby St. *B'frd* —5D **18**
Lund St. *Bgly* —2F **15**
Lund St. *B'frd* —2C **34**
Lund St. *Kei* —3E **7**
Lundy Ct. *B'frd* —6A **36**
Lune St. *Cro R* —5B **12**
Lupton St. *B'frd* —6A **28**
Lustre St. *Kei* —4C **6**
Luther Way. *B'frd* —4B **28**
Luton St. *Hal* —6H **47**
Luton St. *Kei* —4D **6**
Lydbrook Pk. *Cop* —5A **56**
Lydgate. —6C 50
Lydgate. *N'wram* —2G **49**
Lydgate Pk. *Light* —6C **50**
Lydgate St. *C'ley* —6H **19**
Lymington Dri. *B'frd* —5G **37**
Lynch Av. *Gt Hor* —6D **34**
Lyncroft. *B'frd* —3B **28**
Lyndale Dri. *Shipl* —6B **18**
Lyndean Gdns. *Idle* —6C **18**
Lynden Av. *Shipl* —5A **18**
Lynden Ct. *B'frd* —4E **43**
Lyndhurst Gro. *All* —6A **26**
Lyndon Ter. *Bgly* —2G **15**
Lynfield Dri. *B'frd* —4A **26**
Lynfield Mt. *Shipl* —5A **18**
Lynsey Gdns. *B'frd* —4D **44**
Lynthorne Rd. *B'frd* —3G **27**
Lynton Av. *B'frd* —5D **26**
Lynton Dri. *B'frd* —5C **26**
Lynton Dri. *Kei* —2H **7**
Lynton Dri. *Shipl* —6E **17**
Lynton Gro. *B'frd* —5D **26**
Lynton Gro. *Bshw* —2H **39**
Lynton Ter. *Cleck* —5F **53**
Lynton Vs. *B'frd* —5D **26**
Lynwood Av. *Shipl* —5A **18**
Lynwood Ct. *B'frd* —6C **18**
Lynwood Ct. *Kei* —6A **6**
Lynwood Cres. *Hal* —2H **55**
Lynwood M. *B'frd* —1H **45**
Lyons St. *Q'bry* —2F **41**
Lyon St. *T'tn* —2D **32**
Lytham Dri. *Q'bry* —1H **41**
Lytham St. *Hal* —6H **47**
Lythe Ho. *B'frd* —2G **5**
Lytton Rd. *B'frd* —1D **34**

Mabel Royd. *B'frd* —4D **34**
McBurney Clo. *Hal* —3B **48**
Mackingstone Dri. *Oakw* —2F **11**
Mackingstone La. *Oakw* —1F **11**
Mackintosh St. *Hal* —1H **55**
McMahon Dri. *Q'bry* —1H **41**
Macturk Gro. *B'frd* —6E **27**
Maddocks St. *Shipl* —5E **17**
Madewel Ho. *Ell* —4G **61**
Madison Av. *B'frd* —2G **45**
Madni Clo. *Hal* —6B **48**
Mafeking Ter. *Shipl* —2H **27**
Magnolia Dri. *All* —3F **25**
Maidstone St. *B'frd* —2E **37**
Main Rd. *Denh* —1F **31**
Main Rd. *E Mor* —3D **8**
Mainspring Rd. *Wilsd* —2C **24**
Main St. *Bgly* —2F **15**
Main St. *Ctly* —1H **25**
Main St. *Haw* —6G **11**
Main St. *Low M* —5A **44**
Main St. *Stanb* —1B **20**
Main St. *Wilsd* —2C **24**
Main St. *Wyke* —1G **51**
Maitland Clo. *All* —2H **33**
Maize St. *Kei* —1C **12**
Malham Av. *B'frd* —4A **26**
Mallard Clo. *B'frd* —2E **29**
Mallard Ct. *B'frd* —2A **34**
Mallard Vw. *Oxe* —5G **21**
Mallory Clo. *B'frd* —3D **34**
Malmesbury Clo. *B'frd* —2G **45**
Malsis Cres. *Kei* —5C **6**
Malsis Rd. *Kei* —5C **6**
Maltby Ho. B'frd —5H 35
(off Park La.)
Maltings Rd. *Hal* —3F **47**
Maltings, The. *Cleck* —5E **53**
Malt Kiln La. *T'tn* —4B **32**
Malton Ho. B'frd —1E 29
(off Rowantree Dri.)
Malton St. *Hal* —3C **48**
Malton St. *Sower B* —2D **54**
Malt St. *Kei* —1C **12**
Malvern Brow. *B'frd* —5B **26**
Malvern Cres. *Riddl* —1G **7**
Malvern Gro. *B'frd* —6B **26**
Malvern Rd. *B'frd* —6B **26**
Malvern St. *B'frd* —4G **5**
Manchester Rd. *B'frd* —1H **43** (6D **4**)
Mancot Ho. B'frd —5A 36
(off Manchester Rd.)
Mandale Gro. *B'frd* —3B **42**
Mandale Rd. *B'frd* —3B **42**
Mandeville Cres. *B'frd* —3D **42**
Manley St. *Brigh* —4E **59**
Manley St. Pl. Brigh —4E 59
(off Manley St.)
Mannheim Rd. *B'frd* —5E **27**
Manningham. —5G 27
Manningham La. *B'frd* —5G **27** (1B **4**)
Mann's Ct. *B'frd* —4D **4**
Mannville Gro. *Kei* —5C **6**
Mannville Pl. *Kei* —5C **6**
Mannville Rd. *Kei* —6C **6**
Mannville St. *Kei* —5C **6**
Mannville Ter. *B'frd* —3H **35** (5B **4**)
Mannville Wlk. Kei —5C 6
(off Mannville St.)
Mannville Way. *Kei* —5C **6**
Manor Clo. *B'frd* —1B **34**
Manor Clo. *Hal* —3B **56**
Manor Ct. *Bgly* —6G **15**
Manor Ct. *Schol* —6B **52**
Manor Dri. *Bgly* —5G **15**
Manor Dri. *Hal* —3B **56**
Mnr. Farm Clo. *Bgly* —1H **25**
Manor Gdns. *Cull* —2F **23**
Manor Gro. *Riddl* —3A **8**
Mnr. Heath Rd. *Hal* —3B **56**
Mnr. House Rd. *Wilsd* —1C **24**
Manor La. *Shipl* —6F **17**
(in two parts)
Manorley La. *B'frd* —5C **42**
Manor Pk. *B'frd* —1B **34**
Manor Pk. *Oakw* —3G **11**
Manor Pl. *Kei* —1C **6**
Manor Rd. *Bgly* —6G **15**
Manor Rd. *Kei* —1C **6**
Manor Row. *B'frd* —2A **36** (2C **4**)
Manor Row. *Low M* —4G **43**
Manor Royd. *Hal* —3C **56**
Manor St. *Eccl* —4D **28**
Manor St. *Schol* —6B **52**
Manor Ter. *B'frd* —4D **28**
Manscombe Rd. *All* —6A **26**
Mansel M. *B'frd* —2G **45**
Manse St. *B'frd* —2E **37**
Mansfield Av. *Bgly* —6H **9**
Mansfield Rd. *B'frd* —5G **27**
Mansion La. *Hal* —3C **56**
Manywells Brow. *Cull* —3E **23**
(in two parts)
Manywells Brow Ind. Est. *Cull* —2F **23**
Manywells Cres. *Cull* —2F **23**
Manywells La. *Cull* —2D **22**
Maple Av. *B'frd* —1G **37**
Maple Av. *Oakw* —3H **11**
Maple Ct. Bgly —3F 15
(off Ash Ter.)
Maple Gro. *Bail* —4C **16**
Maple Gro. *Gom* —4H **53**
Maple Gro. *Kei* —2C **6**
Maple St. *Hal* —2H **55**
Marbridge Ct. *B'frd* —1F **43**
Marchbank Rd. *B'frd* —1E **37**
March Cote La. *Bgly* —1G **25**
Marchwood Gro. *Cytn* —4B **34**
Margaret St. *Hal* —6B **48**
Margaret St. *Kei* —3C **6**
Margate Rd. *B'frd* —5C **36**
Margate St. *Sower B* —4C **54**
Margram Bus. Cen. Hal —5B 48
(off Horne St.)
Marina Gdns. Sower B —3F 55
(off Park Rd.)
Marion Dri. *Shipl* —6G **17**
Marion St. *Bgly* —2G **15**
Marion St. *B'frd* —2G **35**
Marion St. *Brigh* —3E **59**
Mark Clo. *B'frd* —5E **19**
Market Ct. *T'tn* —3E **33**
Market Pl. Cleck —6G 53
(off Albion St.)
Market Pl. *Kei* —4E **7**
Market Pl. *Shipl* —5F **17**
Market Sq. *Shipl* —6F **17**
Market St. *Bgly* —2F **15**

Market St. *B'frd* —3A **36** (5C **4**)
(in two parts)
Market St. *Brigh* —5F **59**
Market St. *Cleck* —6G **53**
Market St. *Hal* —6C **48**
Market St. *Kei* —5E **7**
Market St. *Shipl* —6F **17**
Market St. *T'tn* —3E **33**
Market St. *Wibs* —2G **43**
Markfield Av. *Low M* —6G **43**
Markfield Clo. *Low M* —6G **43**
Markfield Cres. *Low M* —6G **43**
Markfield Dri. *Low M* —6G **43**
Mark St. *B'frd* —6A **36**
Marland Rd. *Kei* —3G **7**
Marlborough Av. *Hal* —3B **56**
Marlborough Ho. *Ell* —2F **61**
(off Southgate)
Marlborough Rd. *B'frd* —6G **27**
Marlborough Rd. *Idle* —5E **19**
Marlborough Rd. *Shipl* —6E **17**
Marlborough St. *Kei* —3F **7**
Marldon Rd. *Hud* —6A **49**
Marley Clo. *B'frd* —1C **34**
Marley Ct. *Bgly* —4D **8**
Marley La. *Cytn* —6E **33**
Marley Rd. *Kei* —3H **7**
Marley St. *B'frd* —2C **36**
Marley St. *Kei* —5D **6**
Marley Vw. *Bgly* —4D **8**
Marling Rd. *Hud* —6H **61**
Marlott Rd. *Shipl* —5H **17**
Marmion Av. *B'frd* —2A **34**
Marne Av. *Cytn* —6A **34**
Marne Cres. *B'frd* —6D **18**
Marquis Av. *Oaken* —6D **44**
Marriner Rd. *Kei* —5E **7**
Marriner's Dri. *B'frd* —3F **27**
Marriner Wlk. *Kei* —6E **7**
Marsh. —6G 53
(nr. Cleckheaton)
Marsh. —3F 21
(nr. Oxenhope)
Marshall St. *Kei* —2D **6**
Marsh Delph La. *Hal* —1F **57**
Marsh Delphs. *Hal* —1F **57**
Marshfield Pl. *B'frd* —6H **35**
Marshfields. —1H 43
Marshfield St. *B'frd* —6H **35**
Marsh Gro. *B'frd* —6G **35**
Marsh La. *B'shaw* —6H **45**
Marsh La. *Hal* —1E **57**
Marsh La. *Oxe* —4E **21**
Marsh St. *B'frd* —1H **43**
Marsh, The. *B'frd* —4H **45**
Marsh Top. —3G 21
Marshway. *Hal* —5A **48**
Marsland Ct. *Cleck* —3F **53**
Marsland Pl. *B'frd* —2F **37**
Marston Clo. *Q'bry* —2F **41**
Marten Rd. *B'frd* —6G **35**
Martin Grn. La. *G'lnd* —2A **60**
Martin St. *Brigh* —4F **59**
Martlett Dri. *B'frd* —1B **44**
Mary St. *B'frd* —4E **37**
Mary St. *Brigh* —3E **59**
Mary St. *Denh* —6G **23**
Mary St. *Oxe* —5G **21**
(off Denholme Rd.)
Mary St. *Shipl* —5D **16**
Mary St. *T'tn* —3D **32**
Mary St. *Wyke* —1G **51**
Maryville Av. *Brigh* —2C **58**
Masefield Av. *B'frd* —4A **26**
Masham Pl. *B'frd* —5D **26**
Masonic St. *Hal* —1G **55**
Mason Sq. *Hal* —2H **47**
(off Keighley Rd.)
Master La. *Hal* —3H **55**
Matlock St. *Hal* —4A **48**
Matron Heights. *Sower B* —3C **54**
Matthew Clo. *Kei* —2G **7**
Mattyfields Clo. *Hal* —4G **39**
Maude Av. *Bail* —3G **17**
Maude Cres. *B'frd* —4A **54**
Maude St. *G'lnd* —2D **60**
Maude St. *Hal* —2A **48**
Maudsley St. *B'frd* —2C **36** (4H **5**)
Maud St. *B'frd* —3D **36**
Maurice Av. *Brigh* —3D **58**
Mavis St. *B'frd* —2D **36** (3H **5**)
Mawson St. *Shipl* —5D **16**
Maw St. *B'frd* —4B **36**
Maxwell Rd. *B'frd* —3D **42**
May Av. *T'tn* —3E **33**

Mayfair. *B'frd* —5H **35**
Mayfair Way. *B'frd* —4F **37**
Mayfield. *Hip* —4A **50**
Mayfield Av. *Brigh* —5F **51**
Mayfield Av. *Hal* —1A **56**
Mayfield Av. *Wyke* —2G **51**
Mayfield Dri. *Hal* —1A **56**
Mayfield Dri. *Sandb* —3C **8**
Mayfield Gdns. *Hal* —1A **56**
Mayfield Gdns. *Sower B* —3F **55**
(off Park Rd.)
Mayfield Gro. *Bail* —2H **17**
Mayfield Gro. *Brigh* —5F **51**
Mayfield Gro. *Hal* —1A **56**
Mayfield Gro. *Wilsd* —1B **24**
Mayfield Mt. *Hal* —1A **56**
(nr. Parkinson La.)
Mayfield Mt. *Hal* —2A **56**
(off King Cross Rd.)
Mayfield Pl. *Wyke* —2G **51**
Mayfield Ri. *Wyke* —2H **51**
Mayfield Rd. *Kei* —3D **6**
Mayfield St. *Hal* —2A **56**
Mayfield Ter. *Cytn* —6A **34**
Mayfield Ter. *Cleck* —6G **53**
Mayfield Ter. *Hal* —6H **47**
Mayfield Ter. *Wyke* —2H **51**
Mayfield Ter. St. *Hal* —2A **56**
Mayfield Vw. *Wyke* —2H **51**
Mayo Av. *B'frd* —1H **43**
Mayo Cres. *B'frd* —2A **44**
Mayo Dri. *B'frd* —2A **44**
Mayo Gro. *B'frd* —2A **44**
Mayo Rd. *B'frd* —2A **44**
May St. *Cleck* —5F **53**
May St. *Hal* —4B **48**
May St. *Haw* —1H **21**
May St. *Kei* —3E **7**
Maythorne Cres. *Cytn* —5B **34**
Maythorne Dri. *Cytn* —5C **34**
May Tree Clo. *Cytn* —4B **34**
Mayville Av. *Sandb* —3B **8**
Mazebrook Av. *Cleck* —3G **53**
Mazebrook Cres. *Cleck* —3G **53**
Meadowbank Av. *All* —6H **25**
Meadow Clo. *H'den* —4B **14**
Meadow Clo. *She* —5B **42**
Meadow Ct. *Hal* —3G **25**
Meadow Ct. *T'tn* —3D **32**
(off Chapel St.)
Meadow Cres. *Hal* —3G **47**
Meadowcroft. *B'frd* —2B **44**
Meadow Cft. *Kei* —5A **6**
Mdw. Croft Clo. *B'frd* —5B **18**
Meadowcroft Ri. *B'frd* —3E **45**
Meadow Dri. *Hal* —3G **47**
Meadowlands. *Schol* —4A **52**
Meadow La. *Hal* —3G **47**
Meadow Rd. *B'frd* —5G **19**
Meadowside Rd. *Bail* —1A **18**
Meadows, The. *Wibs* —2G **43**
Meadow Vw. *Oakw* —3H **11**
Meadow Vw. *Wyke* —4G **51**
Meadow Wlk. *Hal* —3G **47**
(off Meadow La.)
Mead Vw. *B'frd* —6G **37**
Meadway. *B'frd* —6G **37**
Mean La. *OLdf* —4A **10**
Mearclough Rd. *Sower B* —3F **55**
Medley La. *Hal* —1F **49**
Medway. *Q'bry* —3F **41**
Meggison Gro. *B'frd* —5G **35**
Megna Way. *B'frd* —5A **36**
Melba Rd. *B'frd* —6F **35**
Melbourne Gro. *B'frd* —1G **37**
Melbourne Pl. *B'frd* —4H **35** (6B **4**)
Melbourne St. *Hal* —4A **48**
Melbourne St. *Shipl* —5E **17**
Melbourne Ter. *B'frd*
—4A **36** (6C **4**)
Melbury Ho. *B'frd* —2H **5**
Melcombe Ho. *B'frd* —3G **5**
Melcombe Wlk. *B'frd* —5G **37**
Melford St. *B'frd* —1E **45**
Mellor Mill La. *Holy G* —5B **60**
Mellor St. *Brigh* —5F **59**
Mellor St. *Hal* —2A **56**
Melrose St. *Ell* —3E **61**
Melrose Ho. *B'frd* —5G **37**
(off Ned La.)
Melrose St. *B'frd* —5E **35**
Melrose St. *Hal* —4A **48**
Melrose Ter. *Ell* —3F **61**
(off Savile Rd.)

Melsonby Ho. *B'frd* —6E **19**
(off Cavendish Rd.)
Melton Ter. *B'frd* —3G **29**
Melville St. *B'frd* —2G **35**
Mendip Way. *Low M* —5F **43**
Menin Dri. *Bail* —1G **17**
Menstone St. *B'frd* —1G **35** (2A **4**)
Merchants Ct. *B'frd* —4C **36**
Merlin Gro. *B'frd* —2A **34**
Merlinwood Dri. *Bail* —1H **17**
Merrion Cres. *Hal* —2E **57**
Merrion St. *Hal* —2E **57**
Merrivale Rd. *All* —1G **33**
Merrydale Rd. *Euro I* —5C **44**
Merton Fold. *B'frd* —5A **36**
Merton Rd. *B'frd* —4H **35** (6A **4**)
Merville Av. *Bail* —1G **17**
Metcalfe St. *B'frd* —5D **36**
Methuen Oval. *Wyke* —4G **51**
Mexborough Ho. *Ell* —2F **61**
(off Gog Hill)
Mexborough Rd. *B'frd* —2H **27**
Meynell Ho. *B'frd* —1E **29**
Miall St. *Hal* —5A **48**
Michael Gth. *B'frd* —2F **43**
Mickledore Ridge. *B'frd* —6C **34**
Micklemoss Dri. *Q'bry* —1C **40**
Micklethwaite. —4F 9
Micklethwaite Dri. *Q'bry* —3E **41**
Micklethwaite La. *Bgly* —5E **9**
Middlebrook Clo. *B'frd* —2C **34**
Middlebrook Cres. *B'frd* —3B **34**
Middlebrook Dri. *B'frd* —2B **34**
Middlebrook Hill. *B'frd* —2B **34**
Middlebrook Ri. *B'frd* —2B **34**
Middlebrook Vw. *B'frd* —2C **34**
Middlebrook Wlk. *B'frd* —2C **34**
Middlebrook Way. *B'frd* —3B **34**
Middle Dean St. *G'lnd* —3C **60**
Middle Ellistones. *G'lnd* —2A **60**
(off Saddleworth Rd.)
Middle La. *Cytn* —4A **34**
Middle St. *B'frd* —2A **36** (3D **4**)
Middle St. *Sower B* —6A **54**
Middleton St. *B'frd* —6F **27**
Middle Way. *Kei* —4G **7**
Midgeham Gro. *H'den* —4A **14**
Midgeley Rd. *Bail* —4E **17**
Midgley Row. *B'frd* —2D **44**
Midland Hill. *Bgly* —2F **15**
Midland Rd. *Bail* —3H **17**
Midland Rd. *B'frd* —5H **27** (1C **4**)
Midland Rd. *Friz* —2G **27**
Midland Ter. *B'frd* —4H **27**
Midland Ter. *Kei* —3E **7**
Midway Av. *Bgly* —6G **9**
Mildred St. *B'frd* —6C **28** (1G **5**)
Mile Cross Gdns. *Hal* —1G **55**
Mile Cross Pl. *Hal* —1G **55**
Mile Cross Rd. *Hal* —1G **55**
Mile Cross Ter. *Hal* —1G **55**
Miles Hill Cres. *B'frd* —2E **45**
Miles Hill Dri. *B'frd* —2E **45**
Mile Thorn St. *Hal* —6H **47**
Milford Pl. *B'frd* —4E **27**
Millbeck Clo. *B'frd* —3A **34**
Millbeck Clo. *T'tn* —3A **34**
Mill Carr Hill Rd. *Oaken* —6D **44**
Mill Clo. La. *Q'bry* —3C **40**
Mill Ct. *Oxe* —5G **21**
(off Yate La.)
Millergate. *B'frd* —2A **36** (4C **4**)
Millersdale Clo. *Euro I* —4C **44**
Millgate. *Bgly* —2F **15**
Millgate. *Ell* —2F **61**
Mill Gro. *Brigh* —3D **58**
Mill Hey. *Haw* —6H **11**
Mill Hill. *Haw* —6G **11**
Mill Hill La. *Brigh* —3D **58**
Mill Hill Top. *H'den* —5B **14**
Mill Ho. Ri. *B'frd* —2D **44**
Milligan Av. *B'frd* —2B **28**
Mill La. *B'frd* —4A **36**
Mill La. *B'twn* —3B **48**
Mill La. *B'frd* —4A **36**
Mill La. *Brigh* —5F **59**
Mill La. *Butt* —6C **46**
Mill La. *Cleck* —2F **53**
Mill La. *Holy G* —5C **60**
Mill La. *Ludd* —3A **46**
Mill La. *Mix* —4E **39**
Mill La. *Oakw* —3F **11**
Mill La. *Oxe* —4G **21**
Mill La. *Q'bry* —1C **40**
Millmoor Clo. *D Hill* —5B **26**

Mill Royd St. *Brigh* —5F **59**
Mill St. *B'frd* —1B **36** (2E **5**)
Mill St. *Cull* —1F **23**
Mill St. *Hal* —6A **56**
Mill St. *Wibs* —2E **43**
Milner Clo. *G'lnd* —2C **60**
Milner Ing. *Wyke* —1G **51**
Milner La. *G'lnd* —2C **60**
Milner Rd. *Bail* —4F **17**
Milner Royd La. *Norl* —4G **55**
Milner St. *Hal* —6B **48**
Milne St. *B'frd* —2G **35**
Milton Av. *Sower B* —2D **54**
Milton Pl. *Hal* —6B **48**
Milton St. *B'frd* —2G **35**
Milton St. *Denh* —1G **31**
Milton St. *Sower B* —2D **54**
Milton Ter. *Cleck* —5E **53**
Milton Ter. *Hal* —6B **48**
Minnie St. *Haw* —1G **21**
Minnie St. *Kei* —5D **6**
Minorca Mt. *Denh* —6F **23**
Mint St. *B'frd* —5D **28**
Mirfield Av. *B'frd* —2C **28**
Mission St. *Brigh* —6G **59**
Mistral Clo. *Wyke* —3G **51**
Mitcham Dri. *B'frd* —5E **27**
Mitchell Clo. *B'frd* —4E **19**
Mitchell La. *B'frd* —4E **19**
Mitchell Sq. *B'frd* —5A **36**
Mitchell St. *Brigh* —4E **59**
Mitchell St. *Kei* —3F **7**
Mitchell St. *Sower B* —3E **55**
Mitchell Ter. *Bgly* —4F **15**
Mitre Ct. *B'frd* —6F **37**
Mitton St. *Bgly* —1H **25**
Mitton St. *B'frd* —6G **35**
Mixenden. —6E 39
Mixenden Clo. *Hal* —6E **39**
Mixenden Ct. *Hal* —1F **47**
(off Mixenden Rd.)
Mixenden La. *Hal* —5F **39**
Mixenden Rd. *Hal* —5E **39**
Moffat Clo. *B'frd* —4D **42**
Moffat Clo. *Hal* —2G **47**
Monckton Ho. *B'frd* —1B **44**
(off Parkway)
Mond Av. *B'frd* —6F **29**
Monk Barn Clo. *Bgly* —1G **15**
Monk St. *B'frd* —2G **35** (4A **4**)
Montague St. *B'frd* —6G **35**
Montague St. *Sower B* —4C **54**
Monterey Dri. *All* —4F **25**
Mont Gro. *B'frd* —6G **35**
(off Montague St.)
Montrose Pl. *Q'bry* —1C **40**
Montrose St. *B'frd* —3H **27**
Montserrat Rd. *B'frd* —2H **45**
Moody St. *B'frd* —4B **36**
Moor Bank. *B'frd* —4H **45**
Moorbottom. —6D 52
Moorbottom. *Cleck* —6D **52**
Moor Bottom La. *Bgly* —2G **15**
Moor Bottom La. *G'lnd* —6A **56**
(in two parts)
Moor Bottom La. *Kei* —3D **12**
Moor Bottom La. *Sower B* —6D **54**
Moor Bottom Rd. *Hal* —5H **39**
Moor Clo. Av. *Q'bry* —3C **40**
Moor Clo. Farm M. *Q'bry* —3C **40**
Moor Clo. Pde. *Q'bry* —2C **40**
Moor Clo. Rd. *Q'bry* —3C **40**
Moorcroft. *Bgly* —6H **9**
Moorcroft Av. *B'frd* —2H **45**
Moorcroft Av. *Oakw* —2A **12**
Moorcroft Dri. *E Bier* —2H **45**
Moorcroft Rd. *B'frd* —2H **45**
Moorcroft Ter. *B'frd* —2H **45**
Moor Dri. *Oakw* —2G **11**
Moore Av. *B'frd & Wibs* —6D **34**
Moor Edge. —3A 14
Moor Edge High Side. *H'den* —3A **14**
Moor Edge Low Side. *H'den* —3A **14**
Moorend. —5F 53
(nr. Cleckheaton)
Moor End. —6D 38
(nr. Mixenden)
Moor End. —1C 28
(nr. Springfield)
Moor End Av. *Hal* —4E **47**
Moor End Gdns. *Hal* —4F **47**
Moor End La. *Norl* —5F **55**
(in two parts)
Moor End Rd. *Hal* —6D **38**
Moor End Vw. *Hal* —5A **47**

Moore St. *Kei* —5E **7**
Moore Vw. *B'frd* —6D **34**
Moorfield Av. *B'frd* —6F **29**
Moorfield Av. *Schol* —6A **52**
Moorfield Dri. *Bail* —1G **17**
Moorfield Dri. *Oakw* —2H **11**
Moorfield Pl. *B'frd* —5D **18**
(in two parts)
Moorfield Rd. *Bgly* —6G **15**
Moorfield St. *Hal* —3A **56**
Moorfield Way. *Schol* —6A **52**
Moorgarth Av. *B'frd* —6F **29**
Moorgate. *Bail* —1G **17**
Moorgate Av. *B'frd* —6E **29**
Moorgate St. *Hal* —2H **55**
Moor Gro. *Hal* —4A **42**
Moorhead. —6C 16
Moorhead Cres. *Shipl* —6C **16**
Moorhead La. *Shipl* —6C **16**
Moorhead Ter. *Shipl* —6C **16**
Moor Hey La. *Ell* —4H **61**
Moorhouse Av. *B'frd* —2C **28**
Moor Ho. Clo. *Oxe* —4G **21**
Moorhouse Ct. *Oxe* —4G **21**
Moorhouse Dri. *B'shaw* —4H **45**
Moorhouse La. *B'shaw* —4H **45**
Moorhouse La. *Oxe* —3F **21**
Moorings, The. *App B* —5F **19**
Moorland Av. *Bail* —1H **17**
Moorland Av. *Bgly* —6H **9**
Moorland Clo. *Hal* —2G **47**
Moorland Cres. *Bail* —1H **17**
Moorland Cres. *Pud* —1H **37**
Moorland Gro. *Pud* —6H **29**
Moorland Mills. *Cleck* —4F **53**
Moorland Pl. *Low M* —6A **44**
Moorland Rd. *Pud* —6H **29**
Moorlands Av. *B'frd* —6F **29**
Moorlands Av. *Hal* —2G **47**
Moorlands Ct. *G'lnd* —1B **60**
Moorlands Cres. *Hal* —2G **47**
Moorlands Dri. *Hal* —3G **47**
Moorlands Ind. Cen. *Cleck* —4F **53**
Moorlands Pl. *Hal* —2B **56**
Moorlands Rd. *B'shaw* —4H **45**
Moorlands Rd. *G'lnd* —1B **60**
Moorlands Vw. *Hal* —2B **56**
Moorlands Ter. *Kei* —5H **7**
Moorland Vw. *Low M* —6A **44**
Moorland Vw. *Sower B* —4B **54**
Moorland Vw. *Wilsd* —3D **24**
Moorland Villa. *Sower B* —6B **54**
Moor La. *Hal* —1G **47**
Moorlea Dri. *Bail* —2H **17**
Moor Pk. Clo. *B'frd* —1E **37**
Moor Pk. Dri. *B'frd* —1F **37**
Moor Pk. Rd. *B'frd* —1E **37**
Moor Royd. *Hal* —3A **56**
Moor Side. —5E 29
(nr. Bradford)
Moor Side. —6G 43
(nr. Wyke)
Moorside. *D Hill* —5C **26**
Moorside Av. *B'shaw* —4H **45**
Moorside Av. *B'frd* —5E **29**
Moorside Clo. *B'frd* —4E **29**
Moorside Cft. *B'frd* —5E **29**
Moorside Gdns. *B'frd* —4E **29**
Moorside Gdns. *Hal* —1H **47**
Moorside Ho. Wilsd —3C **24**
(off Crooke La.)
Moorside La. *B'frd* —2F **37**
Moor Side La. *Oxe* —2D **20**
Moorside M. *B'frd* —4E **29**
Moorside Pl. *B'frd* —2F **37**
Moorside Ri. *Cleck* —6D **52**
Moorside Rd. *B'frd* —3E **29**
Moorside Rd. *Wilsd* —3C **24**
Moorside St. *Low M* —5F **43**
Moorside Ter. *B'frd* —5F **29**
Moor Stone Pl. *She* —6A **42**
Moor St. *Oakw* —2H **11**
Moor St. *Q'bry* —2E **41**
Moor Ter. B'frd —6E **29**
(off Glenmore Clo.)
Moorthorpe Av. *B'frd* —6F **29**
Moor Top. —5F 43
Moor Top Gdns. *Hal* —3G **39**
Moor Top Rd. *Hal* —5D **46**
Moor Top Rd. *Low M* —5F **43**
Moor Vw. *B'frd* —4H **45**
Moor Vw. Av. *Shipl* —5E **17**
Moor Vw. Ct. *Sandb* —4C **8**
Moor Vw. Cres. *Bgly* —1E **25**

Moorview Dri. *Bgly* —1E **25**
Moorview Dri. *Shipl* —6B **18**
Moorview Gro. *Kei* —6F **7**
Moor Vw. Ter. *Stanb* —6B **10**
Moorville Av. *B'frd* —6F **29**
Moorville Dri. *B'shaw* —4H **45**
Moor Way. *Oakw* —2G **11**
Moorwell Pl. *B'frd* —3E **29**
Moravian Pl. *B'frd* —5H **35**
Morden Ho. *B'frd* —3G **5**
Moresby Rd. *B'frd* —5C **42**
Moreton Ho. *B'frd* —2G **5**
Morley Av. *B'frd* —6F **29**
Morley Carr. —6H 43
Morley Carr Rd. *Low M* —6H **43**
Morley St. *B'frd* —3H **35** (6B **4**)
Morley Vw. *Hal* —4E **57**
Morningside. *B'frd* —6F **27**
Morningside. *Denh* —5F **23**
Morning St. *Kei* —1D **12**
Mornington Rd. *Bgly* —2G **15**
Mornington St. *Kei* —3D **6**
Mornington Vs. *B'frd* —6H **27**
Morpeth St. *B'frd* —2G **35**
Morpeth St. *Q'bry* —2E **41**
Mortimer Av. *B'frd* —6F **29**
Mortimer Row. *B'frd* —2F **37**
Mortimer St. *B'frd* —1D **34**
Mortimer St. *Cleck* —6F **53**
Morton Gro. *E Mor* —3D **8**
Morton La. *E Mor* —3D **8**
Morton Rd. *B'frd* —4F **37**
Mortons Clo. *Sid* —4E **57**
Moser Av. *B'frd* —2C **28**
Moser Cres. *B'frd* —2C **28**
Mosley Ho. B'frd —4F **37**
(off Parsonage Rd.)
Moss Bldgs. *Cleck* —5F **53**
Moss Carr Av. *Kei* —6H **7**
Moss Carr Gro. *Kei* —6H **7**
Moss Carr Rd. *Kei* —6H **7**
Mosscar St. *B'frd* —2C **36** (4H **5**)
Mossdale Av. *B'frd* —4A **26**
Moss Dri. *Hal* —5G **39**
Moss Fld. *B'frd* —4F **5**
Moss La. *Hal* —5G **39**
Moss Row. *Wilsd* —1C **24**
Moss Side. *B'frd* —5C **26**
Moss St. *Cro R* —5A **12**
Moss St. *T'tn* —2C **32**
Mosstree Clo. *Q'bry* —1C **40**
Mossy Bank Clo. *Q'bry* —1E **41**
Mostyn Gro. *B'frd* —3E **43**
Mostyn M. *Hal* —2A **48**
Moulson Ct. *B'frd* —6A **36**
Moulson Ter. *Denh* —1F **31**
Mountain. —1C 40
Mountain Vw. *Hal* —5A **40**
Mountain Vw. *Shipl* —1H **27**
Mount Av. *B'frd* —2D **28**
Mount Av. *Hal* —6E **47**
Mountbatten Ct. *B'frd* —1A **44**
Mount Cres. *Cleck* —5F **53**
Mount Cres. *Hal* —6E **47**
Mountfields. *Hal* —5C **50**
Mount Gdns. *Cleck* —5F **53**
Mount Gro. *B'frd* —2D **28**
Mountleigh Clo. *Euro I* —5C **44**
Mt. Pellon. *Hal* —5H **47**
Mt. Pellon Rd. *Hal* —5G **47**
Mount Pl. *Shipl* —5E **17**
Mt. Pleasant. *Butt* —4C **42**
Mt. Pleasant. *Denh* —1F **31**
Mt. Pleasant. *Sandb* —4C **8**
Mt. Pleasant Av. *Hal* —5B **48**
Mt. Pleasant St. *Q'bry* —2E **41**
Mount Rd. *B'frd* —2E **29**
Mount Rd. *Wibs* —2E **43**
Mt. Royd. *B'frd* —5H **27**
Mount St. *B'frd* —3C **36** (5H **5**)
Mount St. *Cleck* —5F **53**
Mount St. *Eccl* —2D **28**
Mount St. *Hal* —6C **48**
Mount St. *Kei* —4D **6**
Mount St. *Sower B* —3D **54**
Mt. Street W. *Hal* —5G **47**
Mount Tabor. —2C 46
Mt. Tabor Rd. *Hal* —6B **38**
Mount Ter. *B'frd* —2D **28**
Mount Ter. *Hal* —4A **47**
Mount Vw. *Bgly* —2H **15**
Mount Vw. *Hal* —2C **46**
Mount Vw. *Oakw* —3F **11**
Mount Vw. *Q'bry* —2D **40**
Mowbray Clo. *Cull* —2E **23**

Mozeley Dri. *Hal* —5H **39**
Mucky La. *Ell* —5D **60**
Muff St. *B'frd* —2E **43**
Muff Ter. *B'frd* —2E **43**
Muirhead Dri. *B'frd* —1G **45**
Mulberry St. *Kei* —3F **7**
Mulcture Hall Rd. *Hal* —6D **48**
Mulgrave St. *B'frd* —3D **36** (5H **5**)
Mumford St. *B'frd* —6A **36**
Munby St. *B'frd* —2C **34**
Munster St. *B'frd* —6D **36**
Munton Clo. *B'frd* —5C **42**
Murdoch St. *Hal* —3H **7**
Murdstone Clo. *B'frd* —6A **36**
Murgatroyd St. *B'frd* —1A **44**
(in two parts)
Murgatroyd St. *Shipl* —5F **17**
Murray St. *B'frd* —6F **29**
Museum Ct. *B'frd* —5E **29**
Musgrave Dri. *B'frd* —5E **29**
Musgrave Gro. *B'frd* —5E **29**
Musgrave Mt. *B'frd* —5E **29**
Musgrave Rd. *B'frd* —5E **29**
Musselburgh St. *B'frd* —2G **35**
Mutton La. *All* —5D **24**
Myers Av. *B'frd* —3C **28**
Myers La. *B'frd* —3C **28**
Myrtle Av. *Bgly* —3F **15**
Myrtle Av. *Hal* —1G **47**
Myrtle Ct. *Bgly* —3F **15**
Myrtle Dri. *Cro R* —4B **12**
Myrtle Dri. *Hal* —1G **47**
Myrtle Gdns. *Hal* —1G **47**
Myrtle Gro. *Bgly* —3F **15**
Myrtle Gro. *Hal* —1G **47**
Myrtle Gro. *Q'bry* —4C **40**
Myrtle Pl. *Bgly* —2F **15**
Myrtle Pl. *Hal* —1G **47**
Myrtle Pl. *Shipl* —5D **16**
Myrtle Rd. *Ell* —4F **61**
Myrtle St. *Bgly* —2G **15**
Myrtle St. *B'frd* —3E **37**
Myrtle Vw. *Oakw* —2H **11**
Myrtle Wlk. Bgly —2F **15**
(off Ferncliffe Rd.)
Mytholmes. —5G 11
Mytholmes La. *Haw* —6G **11**
(in two parts)

Nab End Rd. *G'lnd* —2D **60**
Nab La. *Shipl* —6B **16**
Nab Wood. —6B 16
Nab Wood Bank. *Shipl* —6B **16**
Nab Wood Clo. *Shipl* —6C **16**
Nab Wood Cres. *Shipl* —6B **16**
Nab Wood Dri. *Shipl* —1B **26**
Nab Wood Gdns. *Shipl* —6B **16**
Nab Wood Gro. *Shipl* —6B **16**
Nab Wood Mt. *Shipl* —6B **16**
Nab Wood Pl. *Shipl* —6B **16**
Nab Wood Ri. *Shipl* —6B **16**
Nab Wood Rd. *Shipl* —1B **26**
Nab Wood Ter. *Shipl* —6B **16**
Napier Rd. *B'frd* —2F **37**
Napier Rd. *Ell* —3E **61**
Napier St. *B'frd* —2F **37**
Napier St. *Kei* —5F **7**
Napier St. *Q'bry* —2F **41**
Napier Ter. *B'frd* —2F **37**
Naples St. *B'frd* —6F **27**
Nares St. *Cro R* —5A **12**
Nares St. *Kei* —4D **6**
Narrow La. *H'den* —4B **14**
Narrows, The. *H'den* —4B **14**
Naseby Ho. *B'frd* —4F **37**
Naseby Ri. *Q'bry* —2F **41**
Nashville Rd. *Kei* —5C **6**
Nashville St. *Kei* —5C **6**
Nashville Ter. Kei —5C **6**
(off Nashville Rd.)
National Museum of Photography,
Film & Television. —3A **36** (6C **4**)
National Waterhouse Homes. Hal
(off Harrison Rd.) —1C **56**
Navigation Rd. *Hal* —1D **56**
Naylor St. *Hal* —6H **47**
Neal St. *B'frd* —3A **36** (6C **4**)
Nearcliffe Rd. *B'frd* —5E **27**
Near Crook. *Thack* —4B **18**
Near Royd. *Oven* —2A **48**
Necropolis Rd. *B'frd* —4D **34**
Ned Hill Rd. *Hal* —1G **39**
Ned La. *B'frd* —5G **37**
Nelson Pl. *Q'bry* —2E **41**

Nelson Pl. *Sower B* —3F **55**
Nelson St. *All* —6A **26**
Nelson St. *B'frd* —3A **36** (6D **4**)
Nelson St. *Cro R* —5A **12**
(nr. Albion St.)
Nelson St. *Cro R* —5A **12**
(nr. East Ter., in two parts)
Nelson St. *Q'bry* —2E **41**
Nelson St. *Sower B* —3E **55**
Nene St. *B'frd* —5G **35**
Nesfield St. *B'frd* —1H **35** (1B **4**)
Nessfield Dri. *Kei* —6B **6**
Nessfield Gro. *Kei* —6B **6**
Nessfield Rd. *Kei* —6B **6**
Netherby St. *B'frd* —2D **36**
Netherfield Pl. *Cleck* —6G **53**
Netherhall Rd. *Bail* —2H **17**
Netherlands Av. *B'frd* —4G **43**
Netherlands Sq. *Low M* —5H **43**
Nether Moor Vw. *Bgly* —2G **15**
Nettle Gro. *Hal* —4G **49**
Neville Av. *B'frd* —2D **44**
Neville Ct. *Shipl* —5D **16**
Neville Rd. *B'frd* —5D **36**
Neville St. *Kei* —3F **7**
Neville St. *Mar* —6G **53**
Nevill Gro. *B'frd* —4B **26**
Newall St. *B'frd* —5H **35**
Newark Ho. B'frd —5H **35**
(off Roundhill St.)
Newark Rd. *Bgly* —6F **9**
Newark St. *B'frd* —4C **36**
New Augustus St. *B'frd* —3B **36** (6F **5**)
New Bank. *Hal* —5D **48**
New Bond St. *Hal* —6B **48**
New Brighton. —1A 26
New Brighton. *Bgly* —1A **26**
New Brunswick St. *Hal* —6B **48**
Newburn Rd. *B'frd* —4F **35**
Newby Ho. B'frd —5D **28**
(off Otley Rd.)
Newby St. *B'frd* —5A **36**
Newcastle Ho. *B'frd* —3F **5**
New Clayton Ter. *Cull* —2F **23**
New Clo. Rd. *Shipl* —6A **16**
New Clough Rd. *Norl* —5F **55**
Newcombe St. *Ell* —4G **61**
New Cross St. *B'frd* —1A **44**
(in two parts)
New Cross St. *Oaken* —6D **44**
New Delight. *Hal* —4E **39**
New England Rd. *Kei* —6E **7**
New Fold. *B'frd* —4C **42**
Newforth Gro. *B'frd* —1G **43**
Newhall. —2C 44
Newhall Dri. *B'frd* —3B **44**
Newhall Mt. *B'frd* —3B **44**
Newhall Rd. *B'frd* —2D **44**
New Hey Rd. *B'frd* —5C **36**
New Hey Rd. *Fix & Brigh* —5H **61**
New Holme Rd. *Haw* —1H **21**
New Ho. La. *Q'bry* —3H **41**
Newill Clo. *B'frd* —1C **44**
Newington St. *B'frd* —1G **35** (2A **4**)
New John St. *B'frd* —2H **35** (4C **4**)
New Kirkgate. *Shipl* —5F **17**
New Laithe Rd. *B'frd* —2E **43**
Newlands Av. *B'frd* —6F **29**
Newlands Av. *Hal* —1G **49**
Newlands Av. *Sower B* —4A **54**
Newlands Clo. *Brigh* —6F **59**
Newlands Cres. *Hal* —2G **49**
Newlands Dri. *Bgly* —5E **9**
Newlands Dri. *Hal* —2G **49**
Newlands Gro. *Hal* —2G **49**
Newlands Pl. *B'frd* —1D **36**
Newlands Rd. *Hal* —6C **46**
Newlands, The. *Sower B* —5A **54**
Newlands Vw. *Hal* —2G **49**
New La. *B'frd* —3F **37**
New La. *Hal* —3D **56**
New La. *Ski G* —4A **56**
Newlay Clo. *B'frd* —6G **19**
New Line. *B'frd* —6F **19**
New Longley La. *Sower B* —6C **54**
Newlyn Rd. *Riddl* —2A **8**
Newman St. *B'frd* —1D **44**
New Otley Rd. *B'frd* —1C **36** (2G **5**)
New Pk. Rd. *B'frd* —1D **40**
New Popplewell La. *Schol* —5B **52**
Newport Pl. *B'frd* —6G **27**
Newport Rd. *B'frd* —6G **27**
New Rd. *Denh* —1F **31**
New Rd. *G'lnd* —1A **60**
New Rd. *Hal* —1C **56**

New Rd. Holy G —6C 60
New Rd. L'ft —4A 46
New Rd. E. Schol —5B 52
New Road Side. —1H 51
New Row. Bgly —5H 15
New Row. C'ley —4H 29
New Row. D Hill —5C 26
New Row. Holy G —5C 60
New Row. Wyke —3H 51
Newroyd Rd. B'frd —1A 44
Newsholme. —1E 11
Newsholme New Rd. Oakw —1E 11
Newstead Av. Hal —6G 47
Newstead Gdns. Hal —6G 47
Newstead Gro. Hal —6G 47
Newstead Heath. Hal —6G 47
Newstead Pl. Hal —6G 47
Newstead Ter. Hal —6G 47
Newstead Wlk. B'frd —5H 35
New St. Bail B —6F 51
New St. Bier —3D 44
New St. Bgly —4E 9
New St. Clif —4H 59
New St. Denh —1F 31
New St. Hal —5G 47
New St. Haw —1G 21
New St. Idle —5D 18
New St. Oaken —6D 44
New St. Oakw —3H 11
New St. S'wram —3G 57
New Toftshaw. —3F 45
New Toftshaw. B'frd —3F 45
Newton Pk. Brigh —1D 58
Newton Pl. B'frd —5H 35
Newton St. B'frd —5A 36
(in two parts)
Newton St. Sower B —3D 54
Newton Way. Bail —1G 17
New Town. —5C 6
New Town Clo. Kei —4D 6
New Town Ct. Kei —4D 6
New Works Rd. Low M —6G 43
Nicholas Clo. B'frd —2D 34
Nicholson Clo. Bgly —5G 9
Nidderdale Wlk. Bail —1A 18
Nidd St. B'frd —3D 36
Nightingale St. Kei —3E 7
(off Linnet St.)
Nile Cres. Kei —5B 6
Nile St. Cro R —5A 12
Nile St. Kei —5B 6
Nina Rd. B'frd —6D 34
Noble St. B'frd —4F 35
Nog La. B'frd —3E 27
Nook, The. Cleck —5G 53
Nook, The. Sower B —4D 54
Noon Nick. —2H 25
Norbreck Dri. Cro R —5A 12
Norbury Rd. B'frd —2G 29
Norcroft Brow. B'frd —3H 35 (5A 4)
Norcroft St. B'frd —2G 35 (4A 4)
Norfolk Gdns. B'frd —3A 36 (5D 4)
Norfolk Pl. Hal —1A 56
Norfolk St. Bgly —2G 15
Norham Gro. Wyke —3H 51
Norland Rd. G'lnd —6F 55
Norland Rd. Sower B —4D 54
Norland St. B'frd —6D 34
Norland Town. —5G 55
Norland Town Rd. Norl —5F 55
Norland Vw. Hal —3A 56
(off Albert Promenade)
Norland Vw. Sower B —3F 55
Norman Av. B'frd —2D 28
Norman Av. Ell —3G 61
Norman Cres. B'frd —2D 28
Norman Gro. B'frd —2D 28
Norman Gro. Ell —3G 61
Norman La. B'frd —2D 28
Norman Mt. B'frd —2D 28
Norman St. Bgly —2G 15
Norman St. Ell —3G 61
Norman St. Hal —2H 55
Norman St. Haw —6H 11
Norman Ter. B'frd —2D 28
Norman Ter. Ell —3G 61
Norr. —1D 24
Norr Grn. Ter. Wilsd —1D 24
Northallerton Rd. B'frd —6B 28
Northampton St. B'frd —6B 28
North Av. B'frd —4H 27
N. Bank Rd. Bgly —2G 25
North Bolton. Hal —4F 39
North Bri. Hal —5C 48
N. Bridge St. Hal —5C 48
N. Brook St. B'frd —1B 36 (2E 5)
North Cliffe. Sower B —5D 54
N. Cliffe Av. T'tn —3F 33
N. Cliffe Clo. T'tn —2E 33
N. Cliffe Dri. T'tn —3E 33
N. Cliffe Gro. T'tn —2E 33
Northcliffe La. Hal —1F 57
N. Cliffe La. T'tn —2F 33
Northcliffe Rd. Shipl —1E 27
Northcote Rd. B'frd —5D 28
Northcroft Ri. B'frd —6C 26
North Cut. Brigh —5D 58
Northdale Av. B'frd —1G 43
Northdale Cres. B'frd —1G 43
Northdale Mt. B'frd —1G 43
Northdale Rd. B'frd —3F 27
N. Dean Av. Kei —4A 6
N. Dean Bus. Pk. G'lnd —6C 56
N. Dean Rd. G'lnd —6A 56
N. Dean Rd. Kei —4A 6
North Edge. Hal —4A 50
(off Brighouse and Denholme Ga. Rd.)
Northedge La. Hal —4A 50
Northedge Mdw. B'frd —1D 28
Northedge Pk. Hal —4B 50
Northern Clo. B'frd —1D 42
Northfield Clo. Ell —3F 61
(off Victoria Av.)
Northfield Cres. Bgly —6G 15
Northfield Gdns. B'frd —2G 43
Northfield Gro. B'frd —2G 43
Northfield Ho. B'frd —6E 19
Northfield Pl. B'frd —6G 27
Northfield Rd. B'frd —2F 43
Northfield Ter. Q'bry —2G 41
North Fold. B'frd —5D 18
Northgate. Bail —1G 17
Northgate. B'frd —2A 36 (3C 4)
Northgate. Cleck —6F 53
Northgate. Ell —2F 61
Northgate. Hal —6C 48
N. Hall Av. B'frd —3C 18
N. Holme St. B'frd —1A 36 (2D 4)
N. John St. Q'bry —2E 41
Northlea Av. B'frd —4C 18
Northowram. —3G 49
Northowram Grn. Hal —2G 49
North Pde. All —5G 25
North Pde. B'frd —2A 36 (3C 4)
North Pde. Hal —6C 48
N. Park Rd. B'frd —4F 27
N. Park Ter. B'frd —5G 27
N. Queen St. Kei —4E 7
North Rd. B'frd —2F 43
Northrop Clo. B'frd —6D 26
N. Royd. Hip —4A 50
Northside Av. B'frd —3E 35
Northside Rd. B'frd —3D 34
Northside Ter. B'frd —3D 34
North St. B'frd —2B 36 (3F 5)
North St. G'lnd —2D 60
North St. Haw —6F 11
North St. Holy G —5C 60
North St. Idle —3D 18
North St. Kei —4E 7
North St. Oaken —1C 52
North Vw. All —6G 25
North Vw. Wilsd —2C 24
N. View Rd. B'frd —5B 28
(nr. Bolton Rd.)
N. View Rd. B'frd —4H 45
(nr. Bradford Rd.)
N. View St. Kei —2D 6
N. View Ter. Haw —5G 11
North Wlk. H'den —4A 14
North Wing. B'frd —1B 36 (2F 5)
Northwood Cres. B'frd —6E 19
Norton Clo. Ell —4F 61
Norton Clo. Hal —6D 46
Norton Dri. Hal —6D 46
Norton St. Ell —4F 61
Norton Tower. —6D 46
Norwood Av. Shipl —1F 27
Norwood Green. —3D 50
Norwood Grn. Hill. Hal —3D 50
Norwood Pl. Shipl —1F 27
Norwood Rd. Shipl —1F 27
Norwood St. B'frd —1H 43
Norwood St. Shipl —1F 27
Norwood Ter. Hal —3E 51
Norwood Ter. Shipl —1F 27
Nostell Clo. B'frd —1H 35 (2A 4)
Nottingham St. B'frd —2G 37
Nunburnholme Wlk. B'frd —1E 29
Nunlea Royd. Hal —1E 59
Nunroyd Ho. B'frd —3F 37
(off Sticker La.)
Nurser La. B'frd —5G 35
Nurser Pl. B'frd —5G 35
Nursery Av. Hal —2H 47
Nursery Clo. Bail —3D 16
Nursery Clo. Hal —3H 47
Nursery Clo. Kei —1C 6
Nursery Gro. Hal —2H 47
Nursery La. Hal —2G 47
Nursery Rd. B'frd —1D 42
Nursery Rd. Cytn —5H 33
Nuttall Rd. B'frd —2C 36 (3G 5)
Nutter St. Cleck —6E 53

Oak Av. Bgly —4F 15
Oak Av. B'frd —5G 27
Oak Av. Sower B —2D 54
Oak Bank. Bail —3G 17
Oak Bank. Bgly —3G 15
Oak Bank. Shipl —2H 27
Oakbank Av. Kei —6B 6
Oakbank B'way. Oakw —1B 12
Oakbank Ct. Oakw —1B 12
Oakbank Cres. Oakw —1B 12
Oakbank Dri. Kei —6B 6
Oakbank Gro. Kei —6B 6
Oakbank La. Oakw —1B 12
Oakbank Mt. Oakw —1B 12
Oakdale. Bgly —6G 9
Oakdale Av. B'frd —2F 43
Oakdale Av. Shipl —1H 27
Oakdale Clo. B'frd —4G 29
Oakdale Clo. Hal —3A 48
Oakdale Cres. B'frd —2F 43
Oakdale Dri. B'frd —4G 29
Oakdale Dri. Shipl —1A 28
Oakdale Gro. Shipl —1A 28
Oakdale Rd. Shipl —1A 28
Oakdale Ter. B'frd —2F 43
Oakenshaw. —6B 44
Oakenshaw Ct. Wyke —3G 51
Oakenshaw La. Schol —3C 52
Oakes Gdns. Holy G —5B 60
Oakfield Av. Bgly —3A 16
Oakfield Clo. Ell —3E 61
Oakfield Dri. Bail —3H 17
Oakfield Gro. B'frd —5G 27
Oakfield Rd. Kei —1C 12
Oakfield Ter. Shipl —6H 17
Oak Gro. Kei —2C 12
Oakhall Pk. T'tn —2D 32
Oakham Wlk. B'frd —5C 36
Oak Hill. Sower B —6A 54
Oak Hill Rd. Brigh —4F 59
Oakhurst Ct. B'frd —5H 27
Oaklands. B'frd —5C 18
Oaklands. Brigh —6D 58
Oaklands. Shipl —6B 16
Oaklands Av. Hal —2G 49
Oak La. B'frd —5F 27
Oak La. Hal —6A 48
Oak La. Sower B —6A 54
Oakleigh Av. Cytn —6H 33
(in two parts)
Oakleigh Av. Hal —4C 56
Oakleigh Clo. Cytn —5H 33
Oakleigh Gro. Cytn —6H 33
(in two parts)
Oakleigh Rd. Cytn —6H 33
Oakleigh Ter. Cytn —5H 33
Oakleigh Vw. Bail —2F 17
Oakley Ho. B'frd —5H 35
(off Park La.)
Oak Mt. B'frd —5H 27
Oak Mt. Hal —5C 50
Oak Pl. Bail —1B 18
Oak Pl. Hal —6A 48
Oak Pl. Sower B —2D 54
Oakridge Ct. Bgly —1G 15
Oak Ri. Cleck —3F 53
Oakroyd Av. B'frd —2G 43
Oakroyd Clo. B'shaw —6H 45
Oakroyd Clo. Brigh —2F 59
Oak Royd Cotts. Hal —5B 56
Oakroyd Dri. B'shaw —1H 53
Oakroyd Dri. Brigh —2F 59
Oakroyd Rd. B'frd —2F 43
Oakroyd Ter. Bail —3H 17
Oakroyd Ter. B'frd —5H 27
Oakroyd Vs. B'frd —5H 27
Oaks Dri. All —1A 34
Oaks Fold. B'frd —6A 36
Oaks La. All —1A 34
Oaks La. B'frd —2B 34
Oak St. Cytn —5H 33
Oak St. Ell —3F 61
Oak St. Haw —6H 11
Oak St. Oxe —4G 21
Oak St. Sower B —2D 54
Oak St. Wilsd —3C 24
Oak Ter. Hal —6A 48
(off Acorn St.)
Oak Ter. Holy G —5A 60
Oak Vs. B'frd —5H 27
Oakwell Clo. B'frd —6F 35
Oakwood Av. B'frd —3H 27
Oakwood Ct. B'frd —1G 35
Oakwood Dri. Bgly —6F 9
Oakwood Gro. B'frd —6E 27
Oakworth. —3G 11
Oakworth Hall. Oakw —3G 11
Oakworth Rd. Oakw & Kei —1B 12
Oakworth Ter. Oakw —3G 11
(off Dockroyd La.)
Oasby Cft. B'frd —2G 45
Oastler Pl. Low M —5H 43
Oastler Rd. Shipl —5D 16
Oat St. Kei —1C 12
Occupation La. Hal —5G 39
Occupation La. Oakw —1H 11
Octagon Ter. Hal —3G 55
Oddfellows Ct. B'frd —2A 36 (5C 4)
Oddfellows St. Brigh —4F 59
Oddfellows St. Schol —5B 52
Oddy Pl. B'frd —2F 43
Oddy St. B'frd —2G 45
Odsal. —3A 44
Odsal Rd. B'frd —3H 43
(in two parts)
Odsal Stadium. —3A 44
Odsal Top. —3A 44
Ogden. —1F 39
Ogden Cres. Denh —5F 23
Ogden Ho. B'frd —6H 37
Ogden La. Denh —5F 23
Ogden La. Hal —1F 39
Ogden St. Sower B —4C 54
Ogden Vw. Clo. Hal —4F 39
Ogden Water Countryside Centre. —1F 39
Old Allen Rd. T'tn —4A 24
Old Arc., The. Hal —6C 48
(off Old Mkt.)
Old Bank. Hal —6D 48
(in two parts)
Old Bell Ct. Hal —1C 56
(off Trinity Pl.)
Old Brookfoot La. Brigh —4D 58
Old Canal Rd. B'frd —1A 36 (1D 4)
Old Causeway. Sower B —3E 55
Old Cock Yd. Hal —6C 48
Old Corn Mill La. B'frd —5D 34
Old Corn Mill, The. Brigh —6F 37
Old Dalton La. Kei —4F 7
Old Dan La. Holy G —4C 60
Old Dolphin. —1G 41
Old Earth. Ell —2H 61
Oldfield. —5A 10
Oldfield La. Haw —5E 11
Oldfield La. Oldf —5A 10
Oldfield St. Hal —1A 48
Old Godley La. Hal —5E 49
Old Guy Rd. Q'bry —1B 40
Old Hall Clo. Haw —1G 21
Oldham St. Brigh —6E 59
(off Bridge End)
Old La. Brigh —4F 59
Old La. Cull —1F 23
Old La. Hal —2A 48
Old La. L'ft —4A 46
Old La. Ct. Brigh —4F 59
(off Old La.)
Old Langley La. Bail —1H 17
Old Lee Bank. Hal —4B 48
Old Lindley. —6C 60
Old Lindley Rd. Holy G —6C 60
Old Main St. Bgly —1F 15
Old Mkt. Hal —6C 48
Old Marsh. Sower B —2D 54
(off Burnley Rd.)
Old Mill Rd. Shipl —5E 17
Old Oxenhope La. Oxe —2F 21
Old Pk. Rd. B'frd —5E 19
Old Popplewell La. Schol —5A 52
Old Power Way. Lfds B —1G 61
Old Riding La. Ludd —2B 46
Old Rd. B'frd —1C 42
Old Rd. Denh —1F 31

Old Rd. T'tn —3F 33
Old Robin. Cleck —6F 53
(off Westgate)
Old Side Ct. E Mor —2E 9
Old Souls Way. Bgly —5E 9
Old Tannery. Bgly —2G 15
(off Clyde St.)
Old Tannery. Bgly —2F 15
(off Industrial St.)
Old Well Head. Hal —1C 56
Olive Gro. B'frd —1C 34
Oliver Meadows. Ell —2H 61
Oliver St. B'frd —4C 36
Olive Ter. Bgly —2G 15
Olivia's Ct. B'frd —5C 26
Ollerdale Av. All —4G 25
(in two parts)
Ollerdale Clo. All —5G 25
Olympic Pk. Low M —6A 44
Olympic Way. Low M —6A 44
One St. B'frd —4B 4
Onslow Cres. B'frd —1D 44
Opal St. Kei —1C 12
Orange St. B'frd —3E 37
Orange St. Hal —6C 48
Orchard Clo. Hal —1F 55
Orchard Gro. B'frd —6F 19
Orchards, The. Bgly —6G 9
Orchard, The. Kei —4H 7
Orchard Way. Brigh —3E 59
Orleans St. B'frd —4D 42
Ormonde Dri. All —1G 33
Ormond Rd. B'frd —2F 43
Ormondroyd Av. B'frd —3G 43
Ormond St. B'frd —5E 35
Osborne Gro. Hal —6B 50
Osborne St. B'frd —4H 35
Osborne St. Hal —5H 47
Osbourne Dri. Q'bry —2D 40
Osdal Rd. B'frd —3H 43
(off Glenfield Mt.)
Osprey Ct. B'frd —2A 34
Osterley Gro. B'frd —2G 29
Oswald St. B'frd —1E 35
Oswald St. Shipl —6H 17
Oswaldthorpe Av. B'frd —6F 29
Otley Mt. E Mor —3E 9
Otley Rd. Bgly —6H 9
Otley Rd. B'frd —2B 36 (1G 5)
Otley Rd. E Mor —2E 9
Otley Rd. Shipl & C'twn —1F 27
Otley St. Hal —6H 47
Otley St. Kei —5D 6
Otterburn Clo. B'frd —4H 35
Otterburn St. Kei —3E 7
Oulton Ter. B'frd —4G 35
Ousel Hole. —1E 9
Ouse St. Haw —6H 11
Outlands Ri. B'frd —5F 19
Outside La. Oxe —5C 20
Oval, The. Bail —3F 17
Oval, The. Bgly —3H 15
Oval, The. B'frd —1C 34
Ovenden. —3H 47
Ovenden Av. Hal —4A 48
Ovenden Clo. Hal —4A 48
Ovenden Cres. Hal —3A 48
Ovenden Grn. Hal —3H 47
Ovenden Rd. Ter. Hal —3A 48
Ovenden Ter. Hal —3A 48
Ovenden Way. Hal —3G 47
Ovenden Wood. —3E 47
Ovendon Wood Rd. Hal —3E 47
Overdale Dri. B'frd & Shipl —4B 18
Overdale Mt. Sower B —2E 55
Overdale Ter. Haw —6G 11
Overend St. B'frd —2E 43
Overland Cres. B'frd —5F 19
Overmoor Fold. Idle —6B 18
Overton Dri. B'frd —1B 42
Overton Ho. B'frd —5H 35
(off Newstead Wlk.)
Ovington Dri. B'frd —2G 45
Owen Ct. Bgly —5G 9
Owler Ings Rd. Brigh —5E 59
Owlet. —2H 27
Owlet Grange. Shipl —1G 27
Owlet Rd. Shipl —6G 17
Oxenhope. —5G 21
Oxenhope Station Railway Museum. —4G 21
Oxford Clo. Q'bry —3C 40
Oxford Cres. Cytn —5H 33
Oxford Cres. Hal —3D 56
Oxford La. Hal —3D 56
Oxford Pl. Bail —3A 18
Oxford Pl. B'frd —1B 36 (1F 5)
Oxford Rd. B'frd —5C 28
Oxford Rd. Hal —1C 56
Oxford Rd. Q'bry —3C 40
Oxford St. Cytn —5H 33
Oxford St. Kei —5C 6
Oxford St. Sower B —3F 55
Oxford Ter. Bail —3A 18
(off Union St.)
Ox Heys Mdw. T'tn —3G 33
Oxley Gdns. Low M —4G 43
Oxley St. B'frd —1G 35 (2A 4)

Packington St. T'tn —1C 32
Padan St. Hal —3D 56
Paddock. B'frd —3G 27
Paddock Clo. Wyke —4G 51
Paddock La. Hal —5E 47
Paddock Rd. Hal —6E 41
Paddock, The. Bail —1B 18
Paddock, The. Cull —1F 23
Paddock, The. Schol —5B 52
Padgate Ho. B'frd —5H 35
(off Park La.)
Padgum. Bail —1G 17
Padma Clo. B'frd —2F 35
Page Hill. Hal —2G 47
Paget St. Kei —4C 6
Page Wood Clo. B'frd —4C 18
Pakington St. B'frd —5H 35
Paley Pl. B'frd —4C 36
Paley Rd. B'frd —5C 36
Paley Ter. B'frd —5C 36
Palin Av. B'frd —6F 29
Palm Clo. B'frd —3F 43
Palmer Rd. B'frd —1D 36
Palmerston St. B'frd —5D 28
Palm St. Hal —3B 48
Pannal St. B'frd —6E 35
Paper Hall, The. —2B 36 (3F 5)
Parade, The. Bgly —6G 15
Parade, The. H Wd —6G 37
Paradise Fold. B'frd —5C 34
Paradise Green. —5D 34
Paradise La. Warley —1D 54
Paradise Rd. B'frd —3D 26
Paradise Row. Hal —2H 55
Paradise St. B'frd —2H 35 (3A 4)
Paradise St. Hal —1B 56
Park. —1B 18
Park Av. Bgly —3F 15
Park Av. B'frd —3D 18
Park Av. Ell —3E 61
Park Av. Kei —5D 6
Park Av. Oakw —3H 11
Park Av. Shipl —5E 17
Pk. Bottom. Low M —6G 43
Park Cliffe Rd. B'frd —5C 28
Park Clo. Bgly —1G 15
Park Clo. B'frd —2E 29
Park Clo. Hal —3D 46
Park Clo. Kei —6E 7
Park Clo. Light —6C 50
Park Clo. Q'bry —2D 40
Park Ct. B'frd —5G 27
Park Cres. B'frd —6C 28
Park Cres. Hal —4A 48
Park Cres. Sower B —3F 55
(off Grove St.)
Park Dri. Bgly —6H 9
Park Dri. B'frd —3E 27
Park Dri. Hal —1A 56
(HX1)
Park Dri. Hal —2F 55
(HX2)
Park Dri. Rd. Kei —6E 7
Parker's La. Kei —1C 6
Parkfield Av. Ell —3F 61
(off Catherine St.)
Parkfield Dri. Q'bry —2D 40
Parkfield Dri. Sower B —5C 54
Parkfield Rd. B'frd —5H 27
Parkfield Rd. Shipl —5C 16
Park Fields. Hal —3D 46
Park Gdns. Hal —2F 55
Park Ga. B'frd —2B 36 (3F 5)
Park Grn. Hal —4F 49
Park Gro. B'frd —3G 27
Park Gro. Hal —4G 49
Park Gro. Kei —3E 7
Park Gro. Q'bry —2D 40
Park Gro. Shipl —5D 16
Pk. Grove Ct. B'frd —3G 27
Parkhead Clo. B'frd —5E 43
Pk. Hill Clo. B'frd —6B 26
Pk. Hill Dri. B'frd —6B 26
Pk. Hill Gro. Bgly —1G 15
Pk. House Clo. Low M —4A 44
Pk. House Cres. Low M —4A 44
Pk. House Gro. Low M —4A 44
Pk. House Rd. Low M —5H 43
Pk. House Wlk. Low M —4A 44
Parkin La. B'frd —5H 19
Parkinson La. Hal —1G 55
Parkinson Rd. Denh —1G 31
Parkinson St. B'frd —5H 35
Parkland Dri. B'frd —6E 19
Parklands. Bgly —6H 9
Parklands Dri. Sower B —6A 54
Park La. Bail —1B 18
Park La. B'frd —5H 35
Park La. Cytn —5H 33
Park La. Hal —5D 56
Park La. Kei —5E 7
Park La. Q'bry —2F 41
Parklee Ct. Kei —5F 7
Park Mead. B'frd —3D 18
Parkmere Clo. B'frd —3D 44
Park Mt. Av. Bail —2A 18
Park Pl. Idle —3D 18
Park Pl. E. Hal —6C 50
Park Pl. W. Hal —6C 50
Park Rd. Bgly —2F 15
Park Rd. B'frd —4A 36
Park Rd. Eccl —2E 29
(in two parts)
Park Rd. Ell —1F 61
Park Rd. Hal —1B 56
Park Rd. Low M —4G 43
Park Rd. Shipl —6G 17
Park Rd. Sower B —2E 55
Park Rd. Thack —3D 18
Park Row. Brigh —5F 59
Parkside. —1C 44
Parkside. Bgly —1G 15
Park Side. Cytn —5H 33
Parkside. Cleck —6G 53
Parkside. Hal —3B 56
Parkside Av. Q'bry —2D 40
Parkside Ct. Cro R —5A 12
Parkside Dri. B'frd —4E 27
Parkside Gro. B'frd —4E 27
Parkside Rd. B'frd —1H 43
Parkside Ter. Cull —1F 23
Park Sq. B'frd —3D 42
Park Sq. Hal —3G 49
(off Hough)
Parkstone Dri. B'frd —2E 29
Pk. Stone Ri. She —5H 41
Park St. Brigh —5F 59
Park St. Cleck —6D 52
Park St. Haw —6H 11
Park St. Shipl —5E 17
Park St. Sower B —3F 55
Park Ter. Hal —1A 56
(in two parts)
Park Ter. Hip —6B 50
Park Ter. Kei —4F 7
Park Ter. Low M —5G 43
(off Park Rd.)
Park Ter. Shipl —5E 17
Park Ter. T Brow —5H 7
(off Bank Top Way)
Park, The. S'wram —3G 57
Pk. Top Cotts. Bgly —6H 9
Pk. Top Row. Haw —6G 11
Park Vw. B'shaw —6H 45
Park Vw. Cleck —5E 53
Park Vw. Hal —1A 56
Park Vw. Light —6C 50
Park Vw. Q'bry —1D 40
Pk. View Av. Cro R —5A 12
Parkview Ct. Shipl —6E 17
Pk. View Rd. B'frd —5F 27
Pk. View Rd. Hal —4G 49
Pk. View Ter. B'frd —4F 27
Park Way. Bail —4D 16
Parkway. B'frd —1B 44
Parkway. Kei —6E 7
Parkway. Q'bry —2D 40
Parkwood. —5E 7
Park Wood Bottom. —5F 7
Parkwood Ri. Kei —5E 7
Parkwood Rd. Shipl —6D 16
Parkwood St. Kei —5E 7
Parma St. B'frd —4A 36
Parratt Row. B'frd —2F 37
Parrish Pl. Kei —4E 7
Parrish Vw. Hal —3G 57
Parrish Wlk. Q'bry —2E 41
Parrott St. B'frd —2F 45
Parry La. B'frd —4E 37
Parsonage La. Brigh —4E 59
Parsonage Rd. Lais —4F 37
Parsonage Rd. W Bowl —6A 36
Parsonage St. Hal —4D 48
Parsons Rd. B'frd —3E 27
Parson St. Kei —3E 7
Partington Ho. B'frd —6E 19
(off Fairhaven Grn.)
Pasture Clo. Cytn —5B 34
Pasture La. Cytn & B'frd —5A 34
Pasture Ri. Cytn —5B 34
Pasture Rd. Bail —3H 17
Pastureside Ter. E. Cytn —5B 34
Pastureside Ter. W. Cytn —5A 34
Pasture Wlk. Cytn —5A 34
Patchett Sq. Q'bry —2H 41
(off Western Pl.)
Patent St. B'frd —5F 27
Paternoster La. B'frd —5E 35
Patterdale Ho. B'frd —5H 35
(off Hutson St.)
Pattie St. Kei —2D 6
Pavement La. Hal —3G 39
Paw La. Q'bry —4F 41
Pawson St. B'frd —3F 37
Peabody St. Hal —4A 48
Peace St. B'frd —4E 37
Peace St. Ind. Est. B'frd —3E 37
Peach Wlk. B'frd —5D 36
Peacock Ter. Shipl —6E 17
Pearl St. Kei —1C 12
Pearsall Gro. B'frd —2B 36
Pearson Fold. Oaken —1B 52
Pearson La. B'frd —6B 26
Pearson Rd. B'frd —3H 43
Pearson Rd. W. B'frd —3H 43
Pearson Row. Wyke —2H 51
Pearson St. B'frd —3E 37
Pearson St. Cleck —6G 53
Pear St. Hal —1H 55
Pear St. Kei —2C 12
Pear St. Oxe —5G 21
Peas Acre. —3E 9
Peas Acre. Bgly —3E 9
Peaseland Av. Cleck —6E 53
Peaseland Clo. Cleck —6F 53
Peaseland Rd. Cleck —6F 53
Peaselands. Shipl —6E 17
Peckover Dri. Pud —6H 29
Peckover St. B'frd —2B 36 (4F 5)
Peel Clo. Tyer —4G 37
Peel Ct. B'frd —5B 28
Peel Ho. Bgly —3H 15
Peel Pk. Dri. B'frd —5D 28
Peel Pk. Ter. B'frd —5D 28
Peel Pk. Vw. B'frd —6C 28
Peel Row. B'frd —5E 35
Peel Sq. B'frd —1H 35 (2B 4)
Peel St. Bgly —2H 15
Peel St. Q'bry —2F 41
Peel St. Sower B —3D 54
Peel St. T'tn —3D 32
Peel St. Wilsd —3C 24
Pelham Ct. B'frd —4D 28
Pelham Rd. B'frd —4D 28
Pellon. —5G 47
Pellon La. Hal —5H 47
Pellon New Rd. Hal —5G 47
Pellon Ter. B'frd —4D 18
Pellon Wlk. B'frd —4D 18
Pemberton Dri. B'frd —3H 35 (6A 4)
Pembroke Ho. B'frd —1G 45
(off Launceston Dri.)
Pembroke St. B'frd —5A 36
Pendle Ct. Q'bry —4E 41
Pendle Rd. Bgly —2H 15
(in two parts)
Pendragon. B'frd —4C 28
Pendragon La. B'frd —4D 28
Penfield Gro. Cytn —5A 34
Pengarth. Bgly —6H 9
Penistone Hill Country Park. —1E 21
Penistone M. Haw —6G 11
Pennard Ho. B'frd —5H 35
(off Launton Way)
Penn Clo. B'frd —3D 28
Pennine Clo. Q'bry —4D 40
Pennington Ter. B'frd —5G 35
Pennithorne Av. Bail —1G 17
Penn St. Hal —5A 48
Penny Hill Dri. Cytn —5B 34

Penny St. B'frd —2C 36 (5H 5)
Penrose Dri. Gt Hor —6D 34
Pentland Av. Cytn —5A 34
Pentland Clo. Kei —5C 6
Penuel Pl. Hal —4D 56
Pepper Hill. —5G 41
Percival St. B'frd —2C 36 (4H 5)
Percy St. Bgly —2G 15
Percy St. Kei —1D 12
Percy St. Q'bry —1C 40
Perkin La. B'frd —4B 18
(off Far Crook)
Per La. Hal —4F 39
Perry Clo. Kei —2C 12
Perseverance La. B'frd —6E 35
Perseverance Rd. Hal —6A 32
Perseverance St. Bail —1H 17
Perseverance St. Hal —2A 56
Perseverance St. Sower B —2D 54
Perseverance St. Wyke —1G 51
Perth Av. B'frd —4A 28
Perth Ho. B'frd —4F 37
(off Parsonage Rd.)
Peterborough Pl. B'frd —4D 28
Peterborough Rd. B'frd —5D 28
Peterborough Ter. B'frd —4D 28
Petergate. B'frd —2B 36 (4E 5)
Peter La. Hal —6D 46
Petersgarth. Shipl —5C 16
Pether Hill. Slnd —6A 60
Petrie Gro. B'frd —2G 37
Petrie Rd. B'frd —2G 37
Peverell Clo. B'frd —6G 37
Peveril Mt. B'frd —4E 29
Pheasant St. Kei —3F 7
Philpotts Pl. Kei —6D 6
Phoebe La. Hal —3D 56
Phoebe La. Ind. Est. Hal —3D 56
Phoenix Bldgs. B'frd —3G 35 (6A 4)
Phoenix St. Brigh —5F 59
Phoenix Way. B'frd —3G 37
Piccadilly. B'frd —2A 36 (3C 4)
Pickerings, The. Q'bry —3E 41
Pickles Hill. —1D 42
Pickles La. B'frd —1D 42
Pickles St. Kei —6D 6
Pickwood La. Norl —5G 55
Picton St. B'frd —6H 27
Piece Hall Yd. B'frd —2A 36 (4D 4)
Piggott St. Brigh —4E 59
Pigman La. Hal —1C 54
Pine Cft. Kei —2C 6
Pinedale. Bgly —6F 9
Pine St. B'frd —2B 36 (3F 5)
Pine St. Hal —1C 56
Pine St. Haw —1G 21
Pinewood Gdns. Holy G —5B 60
Pinfold La. Sower B —3A 54
Pink St. Haw —2G 21
Pinnar Cft. Hal —2F 57
Pinnar La. Hal —2F 57
Pipercroft. B'frd —5C 42
Pirie Clo. B'frd —4B 28
Pitcliffe Way. B'frd —5B 36
Pit La. B'frd —2C 36
Pit La. Butt —4D 42
Pit La. Q'bry —6C 32
Pitts St. B'frd —5F 37
Pitt St. Kei —4F 7
Plains La. Ell —1F 61
Plane Tree Nest. Hal —1G 55
Plane Tree Nest La. Hal —1G 55
Plane Tree Rd. Sower B —2D 54
Plane Trees Clo. Cleck —2F 53
Planetrees Rd. B'frd —3E 37
Planetrees St. All —6G 25
Plantation Pl. B'frd —5F 37
Plantation Way. Bail —2H 17
Platt Sq. Cleck —6F 53
(off Westgate)
Pleasant Pl. All —6G 25
Pleasant Row. Q'bry —3C 40
Pleasant St. B'frd —5E 35
Pleasant St. Sower B —3E 55
Pleasant Views. Denh —6G 23
Plevna Ter. Bgly —1F 15
Plimsoll St. B'frd —5C 36
Ploughcroft La. Hal —3B 48
Ploughman's Cft. B'frd —3A 28
Plover St. B'frd —6G 35
Plover St. Kei —3E 7
Plumpton Av. B'frd —1B 28
Plumpton Clo. B'frd —2C 28
Plumpton Dri. B'frd —1B 28

Plumpton End. B'frd —1C 28
Plumpton Gdns. B'frd —1A 28
Plumpton Lea. B'frd —1B 28
Plumpton Mead. B'frd —1B 28
Plumpton St. B'frd —1E 35
Plumpton Wlk. B'frd —1B 28
Plum St. Hal —1H 55
Plum St. Kei —2C 12
Plymouth Gro. Hal —5A 48
(off Diamond St.)
Pohlman St. Hal —2H 55
Pollard Av. Bgly —6H 9
Pollard La. B'frd —6D 28
Pollard St. Bgly —1H 25
Pollard St. B'frd —4B 36
Pollard St. N. Hal —6D 32
Pollit Av. Sower B —4A 54
Ponden La. Stanb —6A 10
Pond St. Kei —4E 7
Pond Ter. Brigh —2C 58
Pool Ct. B'frd —2C 36 (3H 5)
Pool St. Kei —2G 7
Pope St. Kei —3F 7
Poplar Av. B'frd —1D 42
Poplar Av. Shipl —2G 27
Poplar Av. Sower B —2E 55
Poplar Ct. B'frd —3F 35
Poplar Cres. Hal —4H 39
Poplar Cres. Shipl —1G 27
Poplar Dri. Sandb —4C 8
Poplar Dri. Shipl —2G 27
Poplar Gro. Bail —4C 16
Poplar Gro. B'frd —1C 42
Poplar Gro. Cleck —6D 52
Poplar Gro. H'den —4A 14
Poplar Gro. Shipl —2G 27
Poplar Rd. B'frd —1E 43
Poplar Rd. Shipl —2G 27
Poplars Pk. Rd. B'frd —3A 28
Poplars, The. Nor G —3E 51
Poplar St. Hal —5C 48
Poplar Ter. Hal —4C 6
(off W. Leeds St.)
Poplar Ter. Sandb —4D 8
Poplar Vw. B'frd —1C 42
Poplar Vw. Hal —1E 59
Popples Dri. Hal —4H 39
Porritt St. Cleck —4F 53
(off Heaton St.)
Portland Rd. B'frd —3F 37
(off Fearnville Dri.)
Portland Ho. B'frd —2F 61
(off Huddersfield Rd.)
Portland Pl. Bgly —3G 15
Portland Rd. Hal —5D 48
Portland St. B'frd —3A 36 (6D 4)
Portland St. Hal —1C 56
Portland St. Haw —6H 11
Portsmouth Av. B'frd —6C 28
Portwood St. B'frd —5B 26
Post Office Rd. B'frd —2E 29
Pothouse Rd. B'frd —3F 43
Powell Av. B'frd —5G 35
Powell Rd. Bgly —2H 15
Powell Rd. Shipl —2H 27
Powell St. Hal —6C 48
(in two parts)
Poxon La. B'frd —2H 35
Pratt La. Shipl —1G 27
Prescott St. Hal —1C 56
Prescott Ter. All —6H 25
Preston La. Hal —4E 47
(in two parts)
Preston Pl. Hal —6A 48
Preston St. B'frd —2G 35
Preston Ter. Bgly —6F 9
(off Sleningford Rd.)
Pretoria St. B'frd —2F 37
Pretoria Ter. Hal —5F 47
Priesthorpe Rd. Fars —3H 29
(in two parts)
Priestley Av. B'frd —3G 43
Priestley Green. —4B 50
Priestley Hill. Q'bry —5C 40
Priestley Pl. Sower B —4C 54
Priestley St. B'frd —1B 36 (2E 5)
Priestley St. T'tn —3D 32
Priestley Ter. B'frd —2G 43
Priestley Theatre, The. —4F 5
Priestman Clo. B'frd —6G 27
Priestman St. B'frd —6G 27
Priestthorpe. —1G 15
Priestthorpe Clo. Bgly —1G 15
Priestthorpe La. Bgly —1G 15
Priestthorpe Rd. Bgly —2G 15

Primrose Bank. Bgly —3H 15
Primrose Dri. Bgly —3H 15
Primrose Gro. Kei —4G 7
Primrose Hill. Bgly —4A 16
Primrose La. Bgly —4H 15
Primrose La. B'frd —3H 27
Primrose Row. Bail —1B 18
Primrose St. B'frd —1G 35
Primrose St. Kei —4G 7
Primrose Way. Hal —4B 42
Prince Albert Sq. Q'bry —1H 41
Princeroyd Way. B'frd —2E 35
Prince's Cres. B'frd —4A 28
Prince's Ga. Hal —3B 56
Princess St. G'lnd —2D 60
Princess St. Hal —6C 48
Princess St. Sower B —3E 55
Prince's St. B'frd —3F 43
(nr. Pothouse Rd.)
Prince's St. B'frd —2G 43
(off Horsley St.)
Prince's St. Butt —4C 42
Prince St. B'frd —2E 45
Prince St. Haw —1H 21
Prince's Way. B'frd —3A 36 (5C 4)
Princeville. —2E 35
Princeville Rd. B'frd —2E 35
Princeville St. B'frd —2F 35
Prior St. Kei —3G 7
Priory Clo. Bgly —1G 15
Priory Ct. Bgly —1G 15
Priory Ct. B'frd —1H 35 (1A 4)
Priory Gro. Bgly —1G 15
Priory Ho. B'frd —6E 19
(off Cavendish Rd.)
Priory Rd. Brigh —6G 59
Procter Ter. B'frd —2F 45
Proctor St. B'frd —2F 45
Prod St. Bail —3C 16
Progress Av. H'den —4A 14
Prospect Av. Hal —6G 47
Prospect Av. Shipl —6G 17
Prospect Clo. Hal —4G 35
Prospect Clo. Shipl —6G 17
Prospect Ct. Hal —5D 46
Prospect Cres. Kei —6A 6
Prospect Dri. Kei —6A 6
Prospect Gro. Shipl —6G 17
Prospect Mt. Kei —6A 6
Prospect Mt. Shipl —6G 17
Prospect Pl. B'frd —6D 26
Prospect Pl. Brigh —5E 59
Prospect Pl. Eccl —5E 29
Prospect Pl. Hal —4H 47
Prospect Pl. Nor G —3E 51
(off Village St.)
Prospect Pl. Q'bry —2E 41
Prospect Rd. Bgly —1A 16
Prospect Rd. B'frd —1B 36 (1F 5)
(in two parts)
Prospect Rd. Cleck —5F 53
Prospect Row. Broc —4E 39
Prospect Row. Hal —2H 47
Prospect St. B'frd —4B 36
Prospect St. Butt —4D 42
Prospect St. Cleck —6F 53
Prospect St. Eccl —2E 29
Prospect St. Hal —5D 48
Prospect St. Haw —1G 21
Prospect St. Kei —5B 6
Prospect St. Shipl —6G 17
Prospect St. T'tn —3E 33
Prospect Ter. All —6A 26
Prospect Ter. Cleck —5F 53
Prospect Ter. L'ft —2A 40
Prospect Wlk. Shipl —6G 17
Providence Av. Bail —1G 17
Providence Bldgs. Hal —3G 57
(off New St.)
Providence Ct. Oakw —3G 11
Providence Cres. Oakw —3G 11
Providence La. Oakw —3G 11
Providence Pl. Brigh —6G 59
Providence Row. Hal —1G 17
Providence Row. E Mor —1E 9
Providence Row. Hal —4E 39
Providence Row. Oven —2H 47
Providence St. B'frd —2H 35 (4B 4)
Providence St. Cleck —5G 53
Providence St. Ell —2F 61
Providence St. Schol —4A 52
Providence Ter. T'tn —3D 32
Providence Vs. Schol —4A 52
Prune Pk. La. All —4E 25

Pule Grn. La. Hal —2B 48
Pule Hill. —2B 48
Pullan Av. B'frd —3D 28
Pullan Dri. B'frd —3E 29
Pullan Gro. B'frd —3E 29
Pullan St. B'frd —4H 35
Pulmans Pl. Hal —5C 56
Pulmans Yd. Hal —5C 56
Pump La. Hal —5F 49
Pump St. B'frd —4F 37
Purbeck Ct. H Wd —1G 45
(off Dorchester Cres.)
Purley Wlk. B'frd —3F 43
Pye Nest. —2G 55
Pye Nest Av. Hal —2F 55
Pye Nest Dri. Hal —3G 55
Pye Nest Gdns. Hal —2G 55
Pye Nest Gro. Hal —3G 55
Pye Nest Ri. Hal —3G 55
Pye Nest Rd. Sower B —3F 55
Pyenot Av. Cleck —6G 53
Pyenot Dri. Cleck —6G 53
Pyenot Gdns. Cleck —6G 53
Pyenot Hall La. Cleck —6G 53
Pyrah Fold. Wyke —1G 51
Pyrah Rd. Low M —4H 43
Pyrah St. Wyke —1H 51

Quail St. Kei —3F 7
Quaker La. B'frd —6F 35
Quaker La. Cleck & Liv —6F 53
Quarry Ct. Brigh —2C 58
(off Spout Ho. La.)
Quarry Hill. Sower B —4D 54
Quarry Pl. B'frd —5D 28
Quarry Rd. Cleck —6F 53
Quarry Rd. Hal —3G 47
Quarry St. H'tn —3E 27
Quarry St. Kei —4F 7
Quayside. Shipl —5F 17
Quayside, The. App B —5G 19
Quebec St. B'frd —3A 36 (5C 4)
Quebec St. Ell —2G 61
Quebec St. Kei —5D 6
Queensbury. —2E 41
Queensbury Rd. Hal —1B 48
Queensbury Sq. Q'bry —2E 41
Queens Clo. Bgly —3H 15
Queens Ct. Bgly —2F 15
Queens Ct. Shipl —6D 16
Queens Dri. Hal —3G 57
Queensgate. B'frd —2A 36 (4D 4)
Queen's Ga. Hal —3B 56
Queen's Gro. Kei —6D 6
Queens Mead. N'wram —2G 49
Queen's Pl. Shipl —5D 16
Queen's Ri. B'frd —4B 28
Queen's Rd. Bgly —5E 9
Queen's Rd. B'frd —5B 28
(BD2)
Queen's Rd. B'frd —5H 27
(BD8)
Queen's Rd. Hal —6H 47
Queen's Rd. Kei —1C 12
Queen's Rd. Nor G —3D 50
Queen's Rd. Shipl —5D 16
Queen St. Bail —4G 17
Queen St. Bgly —2F 15
Queen St. Butt —4C 42
Queen St. Cull —1F 23
Queen St. Gre —6F 19
Queen St. G'lnd —3C 60
Queen St. Haw —1G 21
Queen St. Mar —6G 53
Queen St. Sower B —4A 54
Queen St. Wilsd —3C 24
Queensway. Bgly —2H 15
Queensway. Hal —5H 47
Queensway. Kei —4E 7
(off Airedale Shop. Cen.)
Queen Victoria Cres. Hal —2H 49
Quincy Clo. B'frd —3E 29
Quinsworth St. B'frd —5D 36

Race Moor La. Oakw —2F 11
Rachel Grn. B'frd —4B 28
Radcliffe Av. B'frd —2C 28
Radfield Dri. B'frd —2A 44
Radfield Rd. B'frd —2A 44
Radnor St. B'frd —2E 37
Radwell Dri. B'frd —4A 36 (6C 4)
Raeburn Dri. B'frd —4E 43

Rae Rd. Shipl —1F 27
Raglan Av. Kei —5B 6
Raglan Ct. Hal —6A 48
(off Raglan St.)
Raglan Dri. B'frd —2F 37
Raglan Gdns. Hal —6A 48
(off Lister's Clo.)
Raglan St. B'frd —2F 37
Raglan St. Hal —6A 48
Raglan St. Kei —5B 6
Raglan St. Q'bry —2F 41
Raglan Ter. B'frd —2G 37
Raikes La. B'frd —1H 45
Raikes La. E Bier —3G 45
Raikes Wood Dri. E Bier —4G 45
Railes Clo. L'ft —4A 46
Railway Rd. Idle —5D 18
Railway St. B'frd —2E 45
Railway St. Brigh —6F 59
Railway St. Cleck —6F 53
Railway St. Kei —2E 7
Railway Ter. Brigh —5G 59
(off Clifton Comn.)
Railway Ter. Hal —5A 56
Railway Ter. Low M —6A 44
Rainton Ho. B'frd —5H 35
(off Park La.)
Raistrick Way. Shipl —5H 17
Raleigh St. Hal —2H 55
Ramsden Av. B'frd —4C 34
Ramsden Ct. B'frd —5E 35
Ramsden Pl. Cytn —4H 33
Ramsden St. Hal —3G 47
Ramsey St. B'frd —6H 35
Ramsgate St. Hal —6H 47
Randall Pl. B'frd —4E 27
Randall Well St. B'frd —3H 35 (5B 4)
Randolph St. B'frd —1G 37
Randolph St. Hal —4C 48
Random Clo. Kei —6B 6
Rand Pl. B'frd —4G 35
Rand St. B'frd —4G 35
Ranelagh Av. B'frd —2G 29
Range Bank. Hal —4C 48
Range Bank Top. Hal —4C 48
(off Range La.)
Range Ct. Hal —4C 48
(off All Saint's St.)
Range Gdns. Hal —4C 48
Range La. Hal —5C 48
Range St. Hal —4C 48
Ransdale Dri. B'frd —6H 35
Ransdale Gro. B'frd —6H 35
Ransdale Rd. B'frd —6H 35
Rathmell St. B'frd —2H 43
Ravenham Wlk. B'frd —1G 45
(off Launceston Dri.)
Ravenscliffe. —3G 29
Ravenscliffe Av. B'frd —2F 29
Ravenscliffe Rd. C'ley —1H 29
Ravenscroft Rd. Hal —4B 56
Ravenstone Dri. G'Ind —3C 60
Raven St. Bgly —2F 15
Raven St. Hal —6H 47
Raven St. Kei —4D 6
Raven Ter. B'frd —2A 34
Rawdon Rd. Haw —6G 11
Rawdon St. Kei —5C 6
Raw End Rd. Hal —4B 46
Raw La. Hal —6F 39
Rawling St. Kei —6D 6
Raw Nook. —5B 44
Rawnook. Low M —6A 44
Rawnsley Ho. B'frd —5H 35
(off Manchester Rd.)
Rawroyds. G'Ind —4C 60
Rawson Av. B'frd —1F 37
Rawson Av. Hal —4B 56
Rawson Pl. B'frd —2A 36 (3C 4)
Rawson Pl. Sower B —4C 54
Rawson Rd. B'frd —2H 35 (3B 4)
Rawson Sq. B'frd —2A 36 (3C 4)
Rawson Sq. Idle —4D 18
Rawson St. Hal —6C 48
Rawson St. Wyke —1H 51
Rawson St. N. Hal —4B 48
Rawson Wood. Sower B —5A 54
Rayleigh St. B'frd —5C 36
Raymond Dri. B'frd —1A 44
Raymond St. B'frd —1A 44
Raynbron Cres. B'frd —1B 44
Rayner Av. B'frd —6D 26
Rayner Dri. Brigh —3E 59
Rayner Mt. All —1G 33
Rayner Rd. Brigh —3E 59
Raynham Cres. Kei —3A 6
Rebecca St. B'frd —1H 35 (2A 4)
Recreation La. Ell —3E 61
Recreation Rd. Sower B —3E 55
Rectory Row. Kei —4D 6
Red Beck Rd. Hal —4F 49
Red Beck Va. Shipl —2E 27
Redburn Av. Shipl —2E 27
Redburn Dri. Shipl —2E 27
Redburn Rd. Shipl —2F 27
Redcar La. Steet —2A 6
Redcar Rd. B'frd —1G 29
Redcar St. Hal —6H 47
Redcliffe Av. Kei —4C 6
Redcliffe Gro. Kei —4C 6
Redcliffe St. Kei —4C 6
Redman Clo. Haw —6F 11
Redman Gth. Haw —6F 11
Redmire St. B'frd —2G 37
Redwood Clo. Kei —6G 7
Rees Way. B'frd —1B 36 (1F 5)
Reevy Av. B'frd —4D 42
Reevy Cres. B'frd —4C 42
Reevy Dri. B'frd —3E 43
Reevylands Dri. B'frd —3E 43
Reevy Rd. B'frd —3D 42
Reevy Rd. W. B'frd —3B 42
Reevy St. B'frd —2E 43
Reevy Yd. B'frd —3F 43
(off Green End Rd.)
Regency Ct. B'frd —1F 35
Regency Vw. B'frd —5C 28
Regent Ho. Ell —2F 61
Regent Pl. B'frd —4C 18
Regent Pl. Sower B —2D 54
Regent St. B'frd —4C 18
Regent St. Gre —6F 19
Regent St. Hal —1C 56
Regent St. Haw —6H 11
Regent St. Q'bry —2F 41
Reginald St. B'frd —6H 35
Reighton Cft. B'frd —1G 29
Reins Av. Bail —4F 17
Reins Rd. Brigh —6C 58
Renee Clo. B'frd —3E 45
Renshaw St. B'frd —4D 18
Reservoir Pl. Q'bry —1C 40
Reservoir Rd. Hal —5G 47
Reservoir Rd. Stanb —6C 10
Reservoir Vw. T'tn —3C 32
Retford Pl. B'frd —4G 35
Reva Clo. Bgly —1H 15
Reva Syke Rd. Cytn —6H 33
Reydon Wlk. B'frd —2D 42
Reyhill Gro. B'frd —4A 36 (6D 4)
Reynolds Av. B'frd —4C 34
Reynor Ho. M. B'frd —4A 36
Rhine St. B'frd —4C 36
Rhodesia Av. All —1A 34
Rhodesia Av. Hal —4C 56
Rhodes Pl. Shipl —5F 17
Rhodes St. Hal —6B 48
Rhodes St. Shipl —5E 17
Rhodes Ter. B'frd —3D 28
Rhodesway. B'frd —2B 34
Rhondda Pl. Hal —1G 55
Rhum Clo. B'frd —5D 42
Rhylstone Mt. B'frd —2D 34
Ribble St. Kei —3G 7
Ribbleton Gro. B'frd —1C 36 (2H 5)
Riccall Nook. B'frd —1F 29
Richard Pl. Brigh —3E 59
(off Richard St.)
Richardson Av. B'frd —3G 43
Richardson St. Oaken —1C 52
Richard St. B'frd —2C 36 (4G 5)
Richard St. Brigh —3E 59
Richmond Av. Sower B —4B 54
Richmond Clo. Hal —5C 48
Richmond Gdns. Sower B —4B 54
Richmond M. Shipl —5D 16
Richmond Pl. Shipl —5D 16
Richmond Rd. B'frd —2G 35 (4A 4)
Richmond Rd. Hal —5B 48
Richmond Rd. Shipl —5D 16
Richmond St. Cleck —6F 53
Richmond St. Hal —5B 48
Richmond St. Kei —3D 6
Riddlesden. —1A 8
Riddlesden St. Riddl —2H 7
Ridge Hill. Brigh —6C 58
Ridge Lea. Brigh —6D 58
Ridgemount Rd. Riddl —1G 7
Ridge Vw. Gdns. B'frd —6E 19
Ridge Vw. Rd. Brigh —6D 58
Ridgeway. All —1G 33
Ridgeway. Q'bry —3F 41
Ridgeway. Shipl —1A 28
Ridgeway Gdns. Brigh —2C 58
Ridgeway Mt. Kei —6B 6
Ridgewood Clo. Bail —2A 18
Riding Head La. Ludd —4A 46
Riding Hill. Hal —5C 42
Riding La. Hal —2E 47
Ridings Cft. B'frd —2D 44
Ridings, The. Utley —1D 6
Ridings Way. B'frd —2C 42
Rievaulx Av. B'frd —1G 35 (1A 4)
Rigton St. B'frd —6H 35
Riley La. Hal —3H 39
Rillington Mead. B'frd —1F 29
Rilston St. B'frd —3F 35
Rimswell Holt. B'frd —1G 29
Ringby La. Hal —1B 48
Ringwood Edge. Ell —3D 60
Ringwood Rd. B'frd —6F 35
Ripley Rd. B'frd —5B 36
Ripley St. All —5G 25
Ripley St. B'frd —5A 36
(in two parts)
Ripley St. Hal —6E 51
Ripley St. Riddl —2H 7
Ripley Ter. B'frd —5B 36
Ripley Ter. L'ft —6A 46
Ripon Ho. Ell —2F 61
Ripon St. Hal —1G 55
Ripon Ter. Hal —4B 48
Rise, The. Hal —3G 49
Rishworthian Ct. Hal —6A 56
Rishworth St. Kei —5B 6
Riverside. Kei —4G 7
Riverside Ct. Bail —4E 17
Riverside Est. Shipl —5E 17
River St. Brigh —6G 59
River St. Haw —6H 11
River Wlk. Bgly —2F 15
Riverwood Dri. Hal —5B 56
Rivock Av. Low U —1B 6
Rivock Gro. Kei —1B 6
Road End. G'Ind —2C 60
Roans Brae. B'frd —1G 29
Roberts Bldgs. Hal —6F 47
(off Gibbet St.)
Robertshaw Pl. Bgly —3G 15
Roberts Pl. B'frd —2H 35 (3B 4)
Robert's St. Cleck —6E 53
Roberts St. N. Hal —3C 48
Robert St. B'frd —3C 36 (5G 5)
Robert St. Cro R —5B 12
Robert St. Hal —3A 48
Robin Clo. B'frd —3E 29
Robin Dri. B'frd —3E 29
Robin Hood Way. Brigh —5H 59
Robinson Ct. B'frd —3D 34
Robin St. B'frd —5G 35
Robin Wlk. Shipl —1H 27
Rochdale Dri. Sower B —5B 54
Rochdale Rd. G'Ind —2A 60
Rochdale Rd. Sower B & Hal —2F 55
Rochester Pl. Ell —3F 61
(off Savile Rd.)
Rochester St. B'frd —2E 37
Rochester St. Shipl —1G 27
Rockcliffe Av. Bail —4G 17
Rockhill La. B'frd —4C 44
Rockland Cres. B'frd —4C 34
Rocklands Av. Bail —1G 17
Rocklands Pl. Bail —1G 17
Rock La. T'tn —1C 32
Rock Lea. Q'bry —2F 41
Rocks La. Hal —3F 39
Rocks Rd. Hal —4A 56
Rock St. Brigh —4E 59
Rocks Vw. Hal —3A 56
Rock Ter. Hip —5B 50
Rock Vw. Holy G —5C 60
Rockville Ter. Hal —2A 56
Rockwell La. B'frd —1E 29
Rockwood Rd. C'ley —5H 29
Rodin Av. B'frd —2B 34
Roe Ho. Bail —4F 17
(off Fairview Ct.)
Roger Ct. B'frd —6D 28
Rogerson Sq. Brigh —4E 59
Roils Head Rd. Hal —6D 46
Rokeby Gdns. B'frd —1G 29
Romanby Shaw. B'frd —1F 29
Rombalds Dri. Bgly —2H 15
Romford Ct. B'frd —5D 42
Romsey Gdns. B'frd —6F 37
Romsey M. B'frd —6F 37
Ronald Dri. B'frd —3E 35
Rookery La. Hal —4D 56
Rookery Pl. Brigh —4F 59
Rookes Av. B'frd —3G 43
Rookes La. Hal —4E 51
Rook La. B'frd —1D 44
Rooks Av. Cleck —5E 53
Rooks Clo. Wyke —4H 51
Rook St. Bgly —2F 15
Rookwith Pde. B'frd —1F 29
Rooley Av. B'frd —3H 43
Rooley Banks. Sower B —4A 54
Rooley Clo. B'frd —2A 44
Rooley Cres. B'frd —2A 44
Rooley Heights. Sower B —4A 54
Rooley Hill. —4A 54
Rooley La. B'frd —2H 43
Rooley La. Sower B —4A 54
Roper Gdns. Hal —1F 47
Roper Grn. Hal —1F 47
Roper Ho. Hal —1F 47
Roper La. Hal —3H 39
Roper La. Q'bry —6B 32
Roper St. Kei —4D 6
Rope Wlk. Hal —4B 38
Rose Bank Pl. B'frd —2C 34
Roseberry St. Oakw —3H 11
Rosebery Av. Hal —3D 56
Rosebery Av. Shipl —6G 17
Rosebery Mt. Shipl —6H 17
Rosebery Rd. B'frd —5G 27
Rosebery St. Ell —3F 61
Rosebery Ter. Hal —5A 48
Rosedale Av. All —5F 25
Rosedale Clo. Bail —3E 17
Rosedale Ho. B'frd —1F 29
Rosedale Ho. Sower B —4D 54
(off Sowerby St.)
Rose Gro. La. Hal —2B 54
Rose Heath. I'wth —4F 39
Rose Hill Cres. Low M —1G 51
Roselee Clo. Sid —4E 57
Rosemary Clo. Brigh —6E 59
Rosemary Gro. Hal —4E 57
(in two parts)
Rosemary La. Brigh —6E 59
Rosemary La. Sid —4E 57
Rosemary Ter. Hal —4E 57
Rose Meadows. Kei —6A 6
Rosemont La. Bail —3A 18
Rosemount. —4G 61
Rose Mt. B'frd —4C 28
(BD2)
Rose Mt. B'frd —3H 45
(BD4)
Rose Mt. Hal —3A 56
Rosemount Av. Ell —3G 61
Rosemount Clo. Kei —4D 6
(off Well St.)
Rosemount Ter. Ell —3G 61
Rosemount Wlk. Kei —4D 6
(off Well St.)
Rose Pl. L'ft —2A 54
Rose St. B'frd —6F 27
Rose St. Hal —1H 55
Rose St. Haw —1G 21
Rose St. Kei —4H 7
Rose Ter. Hal —3A 56
(HX2)
Rose Ter. Hal —6A 48
(off West St.)
Rosetta Dri. B'frd —2D 34
Rosewood Av. Riddl —2H 7
Rosewood Gro. B'frd —4F 37
Rosley Mt. B'frd —5D 42
Roslyn Pl. B'frd —3F 35
Rosse Fld. Pk. B'frd —3F 27
Rossefield Rd. B'frd —3E 27
Rossendale Pl. Shipl —6E 17
Rosse St. B'frd —2E 35
Rosse St. Shipl —5F 17
Rossett Ho. B'frd —2F 5
Rosslyn Gro. Haw —1G 21
Rossmore Dri. All —6A 26
Rosy St. Cro R —5B 12
Rothesay Ter. B'frd —3G 35
Rothwell Dri. Hal —2B 56
Rothwell Mt. Hal —2B 56
Rothwell Rd. Hal —2B 56
Rough Hall La. Hal —6A 38
Roundell Av. B'frd —3D 44
Roundhead Fold. App B —5G 19
Round Hill. Hal —5H 39
Roundhill Av. Bgly —5H 15

Round Hill Clo. Hal —5H 39
Round Hill Clo. Q'bry —1H 41
Roundhill Mt. Bgly —6H 15
Roundhill Pl. B'frd —2H 35 (4B 4)
Round Hill Pl. Q'bry —1H 41
Roundhill St. B'frd —5H 35
Round St. B'frd —6A 36
(in two parts)
Round Thorn Pl. B'frd —1E 35
Roundwood. Shipl —6C 16
Roundwood Av. Bail —2B 18
Roundwood Av. B'frd —2G 29
Roundwood Glen. B'frd —2G 29
Roundwood Rd. Bail —2A 18
Roundwood Vw. B'frd —1G 29
Rouse Fold. B'frd —4B 36 (6F 5)
Rowan Av. B'frd —2G 37
Rowanberry Clo. B'frd —3D 28
Rowan Ct. B'frd —6E 29
Rowan Dri. Brigh —4G 59
Rowans, The. Bail —2D 16
Rowan St. Kei —1C 6
Rowantree Av. Bail —1F 17
Rowantree Dri. B'frd —1D 28
Row Bottom Ter. Sower B —3A 54
Row La. Sower B —4A 54
Rowlestone Ri. B'frd —1G 29
Rowsley St. Kei —4F 7
Rowton Thorpe. B'frd —1G 29
Roxburgh Gro. All —1H 33
Roxby St. B'frd —6H 35
Roxholme Ho. B'frd —1E 45
(off Prince St.)
Royal Clo. Gt Hor —6D 34
Royd Av. Ain T —6G 61
Royd Av. Bgly —2A 16
Royd Cres. Hal —5G 47
Royden Gro. B'frd —5E 27
Royd Farm. Hal —4G 39
(off Causeway Foot)
Royd Ho. Gro. Kei —6G 7
Royd Ho. Rd. Kei —6G 7
Royd Ho. Wlk. Kei —6G 7
Royd Ho. Way. Kei —6G 7
Royd Ings Av. Kei —2E 7
Roydlands St. Hal —6B 50
Roydlands Ter. Hal —6B 50
Royd La. Hal —1A 48
Royd La. I'wth —4G 39
Royd La. Kei —2D 6
Royd Mt. Hal —3C 48
Royd Pl. Hal —3C 48
Royds Av. Brigh —5F 51
Roydscliffe Dri. B'frd —3D 26
Roydscliffe Rd. B'frd —4D 26
Royds Cres. Brigh —6F 51
Roydsdale Way. Euro I —5C 44
Royds Hall Av. B'frd —3G 43
Royds Hall La. B'frd —6E 43
Royds Hall La. Butt —5E 43
Royds Pk. Cres. Wyke —1H 51
Roydstone Rd. B'frd —1F 37
Roydstone Ter. B'frd —1F 37
Royd St. Kei —1D 6
(in two parts)
Royd St. T'tn —3C 32
Royd St. Wilsd —3C 24
Royd St. Wyke —1G 51
Royd Way. Kei —2E 7
Royd Wood. Cleck —6F 53
Royd Wood. Oxe —3H 21
Roydwood Ter. Cull —1F 23
Roy Rd. B'frd —2B 42
Ruby St. Kei —1C 12
Rudding Av. All —6G 25
Rudding Cres. All —6G 25
Rudd St. B'frd —5E 35
Ruffield Side. Wyke —6G 43
Rufford Pl. Hal —3B 56
Rufford Rd. Ell —3F 61
Rufford Rd. Hal —3B 56
Rufford St. B'frd —2E 37
Rufford Vs. Hal —3B 56
Rufforth Ho. B'frd —1E 29
(off Rowantree Dri.)
Rufus St. B'frd —6F 35
Rufus St. Kei —3E 7
Rugby Av. Hal —2H 47
Rugby Dri. Hal —2H 47
Rugby Gdns. Hal —2H 47
Rugby Mt. Hal —2H 47
Rugby Pl. B'frd —3F 35
Rugby Ter. Hal —2H 47
Runnymeade Ct. B'frd —6D 18
(off Cobden St.)
Runswick Gro. B'frd —2H 43
Runswick St. B'frd —2H 43
Runswick Ter. B'frd —2H 43
Rupert St. Cro R —5B 12
Rupert St. Kei —3E 7
Rushcroft Ter. Bail —2G 17
Rushdene Ct. Wyke —4G 51
Rushmoor Rd. B'frd —1F 45
Rusholme St. B'frd —1E 45
Rushton Av. B'frd —1G 37
Rushton Hill Clo. Hal —4E 47
Rushton Rd. B'frd —1F 37
Rushton St. Hal —5H 47
Rushton Ter. B'frd —2G 37
Rushworth St. Hal —4A 48
Ruskin Av. B'frd —4B 26
Rusling M. Schol —5B 52
Russel Ho. B'frd —1E 29
(off Yewdall Way)
Russell Av. Q'bry —3E 41
Russell Hall La. Q'bry —2E 41
Russell Rd. Q'bry —3D 40
Russell St. B'frd —4H 35
Russell St. Kei —4D 6
Russell St. Q'bry —2E 41
Russell St. Shipl —2G 27
Russel St. Hal —6C 48
Rustic Av. Hal —3G 57
Ruswarp Cres. B'frd —1F 29
Ruth Ho. B'frd —2C 36
(off Otley Rd.)
Ruth St. Cro R —5A 12
Rutland Ho. Bgly —2G 15
(off Lyndon Ter.)
Rutland St. B'frd —5C 36
Rutland St. Kei —6D 6
Ryan Gro. Kei —3A 6
Ryan St. B'frd —6H 35
Ryburn Ct. Hal —6H 47
(off Hanson La.)
Ryburn Ho. Hal —6H 47
(off Clay St.)
Ryburn St. Sower B —4D 54
Ryburn Ter. Hal —6H 47
Ryburn Vw. Hal —2G 55
Rycroft Av. Bgly —1G 25
Rycroft St. Shipl —2H 27
Rydal Av. Bail —4C 16
Rydal Av. B'frd —3G 27
Rydal St. Kei —5C 6
Rydings Av. Brigh —4E 59
Rydings Clo. Brigh —4D 58
Rydings Dri. Brigh —4D 58
Rydings, The. Brigh —4E 59
(off Halifax Rd.)
Rydings Wlk. Brigh —4D 58
Rydings Way. Brigh —4D 58
Ryecroft. H'den —4H 13
Rye Cft. I'wth —5H 39
Ryecroft Cres. Hal —4F 47
Ryecroft La. Hal —5F 47
Ryecroft Rd. H'den —3F 13
Ryecroft Ter. Hal —4F 47
Ryedale Way. All —5G 25
Ryefield Av. Cytn —4H 33
Ryelands Gro. B'frd —3B 26
Rye La. Hal —4E 47
Rye St. Kei —1D 12
Rylands Av. Bgly —2H 15
Rylstone Gdns. B'frd —5C 28
Rylstone Rd. Bail —3D 16
Rylstone St. Kei —3F 7
Ryshworth Av. Bgly —4D 8
Ryshworth Bri. Bgly —5D 8
Ryton Dale. B'frd —1G 29

Sable Crest. B'frd —3B 28
Sackville St. B'frd —2A 36 (4C 4)
Saddler St. Wyke —1G 51
Saddleworth Rd. G'lnd & Ell —3A 60
Saffron Dri. All —6H 25
Sage St. B'frd —5G 35
Sahara Ct. B'frd —5H 27
St Abbs Clo. B'frd —4G 43
St Abbs Dri. B'frd —4G 43
St Abbs Fold. B'frd —4G 43
St Abbs Ga. B'frd —4G 43
St Abbs Wlk. B'frd —4G 43
St Abbs Way. B'frd —4G 43
St Aidan's Rd. Bail —3H 17
St Aidans Sq. Bgly —5E 9
(off Micklethwaite La.)
St Albans Av. Hal —4C 56
St Alban's Av. Hud —6G 61
St Albans Cft. Hal —3D 56
St Albans Rd. Hal —4C 56
St Andrew's Clo. Hal —6A 40
St Andrew's Cres. Oaken —1C 52
St Andrews Dri. Brigh —3E 59
St Andrews Pl. B'frd —3G 35
St Andrew's Sq. Bgly —5E 9
(off Mickelthwaite La.)
St Andrew's Vs. B'frd —2G 35
St Anne's Av. Hud —6G 61
St Anne's Pl. Hal —5A 48
(off Pellon La.)
St Anne's Rd. Hal —5C 56
St Annes Ter. Bail —3H 17
St Ann's Ct. Hal —6F 39
St Anns Sq. Sower B —3E 55
St Anthonys Gdns. Shipl —1H 27
(off Snowden Rd.)
St Augustine's Ter. B'frd —6C 28 (1G 5)
St Augustine's Ter. Hal —6A 48
St Baise Ct. B'frd —4A 36 (6D 4)
St Bevan's Rd. Hal —4C 56
St Blaise Sq. B'frd —2A 36 (3D 4)
St Chad's Av. Brigh —2C 58
St Chad's Rd. B'frd —6F 27
St Clare's Av. B'frd —5F 29
St Elmo. Q'bry —4C 40
St Eloi Av. Bail —1G 17
St Enoch's Rd. B'frd —2F 43
St George's Av. Hud —6G 61
St George's Pl. B'frd —5D 36
St George's Rd. Hal —4A 48
St George's Sq. Hal —4B 48
St George's St. B'frd —3D 36 (5H 5)
St George's Ter. Hal —4B 48
St Giles Clo. Brigh —2C 58
St Giles Ct. Light —6C 50
St Giles Rd. Hal —6C 50
St Helena Rd. B'frd —2F 43
St Helens Sq. Holy G —5C 60
(off Station Rd.)
St Helier Gro. Bail —1H 17
St Hilda's Ter. B'frd —1G 37
St Ives Gdns. Hal —4C 56
St Ives Gro. H'den —3C 14
St Ives Pl. H'den —3C 14
St Ives Rd. Hal —4C 56
St Ives Rd. H'den —3C 14
St James Bus. Pk. B'frd —3C 36 (6G 5)
St James Ct. Brigh —4F 59
St James Ct. Hal —6C 48
(off St James Rd.)
St James Mkt. B'frd —3C 36 (6G 5)
St James Pl. Bail —1B 18
(off Otley Rd.)
St James Rd. Bail —1B 18
St James Rd. Hal —6C 48
St James Sq. B'frd —4A 36
St James's Sq. Hal —3G 49
St James St. Hal —6C 48
St John's Clo. Cleck —6G 53
(in two parts)
St John's Ct. Bail —3A 18
St John's Ct. Low U —1C 6
(off St John's Rd.)
St Johns Cres. B'frd —1C 34
St John's La. Hal —1C 56
St John's Pl. Cleck —6G 53
St John's Rd. Low U —1C 6
St John St. Brigh —6E 59
St Johns Way. Kei —5B 6
St Jude's Pl. B'frd —1H 35 (1B 4)
St Jude's St. B'frd —1H 35 (1A 4)
St Judes St. Hal —2B 56
St Laurence's Clo. B'frd —2H 27
St Leonard's Gro. B'frd —6D 26
St Leonard's Rd. B'frd —6D 26
St Luke's Clo. Cleck —6D 52
St Luke's Ter. Cleck —6D 52
(off St Luke's Clo.)
St Luke's Ter. E Mor —3D 8
St Margaret's Av. B'frd —1F 45
St Margaret's Pl. B'frd —4F 35
St Margaret's Rd. B'frd —3F 35
St Margaret's Ter. B'frd —4F 35
St Mark's Av. Low M —6G 43
St Mark's Pl. B'frd —6G 43
St Mark's Ter. Low M —6G 43
St Martins Av. Field B —2G 35
St Martin's Vw. Brigh —4E 59
St Mary Magdalenes Clo. B'frd —1G 35 (1A 4)
St Mary's Av. Wyke —3G 51
St Mary's Clo. Wyke —3F 51
St Mary's Ct. Hal —6F 39
St Mary's Cres. Wyke —4F 51
St Mary's Dri. Wyke —3G 51
St Mary's Gdns. Wyke —3G 51
St Mary's Ga. Ell —2F 61
St Mary's Heights. Hal —6F 39
St Mary's Mt. Wyke —3F 51
St Mary's Rd. B'frd —4F 37
St Mary's Rd. Mann & B'frd —5G 27
St Mary's Rd. Riddl —1H 7
St Mary's Sq. Wyke —3G 51
St Mary St. Hal —1B 56
St Matthews Clo. Wilsd —3B 24
St Matthew's Dri. N'wram —2G 49
St Matthews Gro. Wilsd —3C 24
St Matthews Rd. B'frd —2H 43
St Michaels Clo. Bgly —1H 25
St Michael's Rd. B'frd —1G 35
St Paul's Av. B'frd —3F 43
St Paul's Clo. Mann —6G 27
(off Church St.)
St Paul's Gro. B'frd —3F 43
St Paul's Rd. Hal —2H 55
St Paul's Rd. Kei —5F 7
St Paul's Rd. Mann —5G 27
St Paul's Rd. Shipl —6E 17
St Paul's Rd. Wibs —3F 43
St Peg Clo. Cleck —6G 53
St Peg La. Cleck —6G 53
St Peter's Av. Sower B —4A 54
St Peters Sq. Sower B —4A 54
(off Dean La.)
St Philips Ct. Hud —6H 61
St Rouse Fold. B'frd —4B 36
St Stephen's Ct. Hal —5A 56
St Stephen's Rd. B'frd —6H 35
St Stephen's Rd. C'ley —6H 19
St Stephen's St. Hal —5A 56
St Stephen's Ter. B'frd —6A 36
St Stephen's Ter. Hal —6B 56
Saint St. B'frd —5E 35
St Thomas's Rd. B'frd —2H 35 (3B 4)
St Wilfred's. Hal —6F 39
St Wilfrid's Clo. B'frd —4D 34
St Wilfrid's Cres. B'frd —4D 34
St Wilfrid's Rd. B'frd —4D 34
Salcombe Pl. B'frd —1G 45
Salem St. B'frd —1A 36 (2C 4)
Salem St. Q'bry —2D 40
Salisbury Av. Bail —2G 17
Salisbury Pl. Hal —4B 48
Salisbury Rd. B'frd —2G 27
Salisbury Rd. Kei —5C 6
Salisbury Rd. Low M —5G 43
Salisbury Rd. Schol —5B 52
Salisbury St. Sower B —4C 54
Salisbury Ter. Hal —4B 48
Sal Nook Clo. Low M —4H 43
Sal Royd Rd. Low M —6A 44
Saltaire. —5E 17
Saltaire. Cro R —5B 12
Saltaire Rd. Bgly —1B 16
Saltaire Rd. Shipl —5D 16
Saltburn Pl. B'frd —5D 26
Saltburn St. Hal —6H 47
Salterhebble. —4D 56
Salterhebble Hill. Hal —4D 56
Salterhebble Ter. Hal —4D 56
(off Huddersfield Rd.)
Salt Horn Clo. Oaken —6B 44
Saltonstall La. Hal —6A 38
Salt St. B'frd —6G 27
Salt St. Hal —5A 48
Samuel St. Kei —4D 6
Sandacre Clo. B'frd —4G 29
Sandale Wlk. B'frd —4D 42
Sandal Magna. Hal —4C 42
Sandals Rd. Bail —2G 17
Sand Beds. Q'bry —2E 41
Sandbeds Cres. Hal —4G 47
Sandbeds Rd. Hal —5F 47
Sandbeds Ter. Hal —4G 47
Sanderling Ct. B'frd —2A 34
Sanderson Av. B'frd —2G 43
Sandfield Rd. B'frd —1D 28
Sandford Rd. B'frd —2E 37
Sandforth Dri. Hal —3C 48
Sandgate Wlk. B'frd —1H 45
Sandhall Av. Hal —6F 47
Sandhall Cres. Hal —5F 47
(off Sandhall Grn.)
Sandhall Dri. Hal —6F 47
Sandhall Grn. Hal —6F 47
(in two parts)
Sandhall La. Hal —6F 47

Sandhill Mt. B'frd —1D 28
Sandholme Cres. Hip —6B 50
Sandholme Dri. B'frd —1D 28
Sandmead Clo. B'frd —6G 37
Sandmoor Clo. T'tn —3E 33
Sandmoor Gdns. Hal —6H 41
Sandmoor Gth. B'frd —4D 18
Sandmoor Ho. B'frd —6E 19
(off Fairhaven Grn.)
Sandown Av. Hal —1G 47
Sandown Rd. Hal —1G 47
Sandpiper M. B'frd —2A 34
Sandringham Clo. Cytn —4B 34
Sandringham Ct. Cytn —4B 34
Sandringham Rd. Cytn —4B 34
Sandsend Clo. B'frd —4B 26
Sandside Clo. B'frd —1B 44
Sand St. Haw —1G 21
Sand St. Kei —4E 7
Sandy Banks. H'den —5B 14
Sandy Beck. All —4G 25
Sandy Dyke La. Sower B —6A 54
Sandy Ga. Kei —3C 6
Sandygate Ter. B'frd —4F 37
Sandy Lane. —3F 25
Sandymoor. All —3G 25
Sandywood St. Kei —3E 7
Sangster Way. B'frd —2C 44
Santa Monica Cres. B'frd —6C 18
Santa Monica Gro. B'frd —6C 18
Santa Monica Rd. B'frd —6C 18
Santon Ho. B'frd —5A 36
(off Manchester Rd.)
Sapgate La. T'tn —3E 33
Sapling Gro. Cotts. Hal —3H 55
Saplin St. B'frd —6F 27
Savile Av. B'frd —1E 29
Savile Clo. Brigh —4H 59
Savile Cres. Hal —1B 56
Savile Dri. Hal —2B 56
Savile Glen. Hal —1B 56
Savile Grn. Hal —1C 56
Savile La. Brigh —4H 59
Savile Lea. Hal —1B 56
Savile Mt. Hal —2B 56
Savile Pde. Hal —2B 56
Savile Park. —2B 56
Savile Pk. Hal —2B 56
(in three parts)
Savile Pk. Gdns. Hal —2B 56
Savile Pk. Rd. Cleck —2F 53
Savile Pk. Rd. Hal —2B 56
Savile Pk. St. Hal —2A 56
Savile Pk. Ter. Hal —2A 56
(off Moorfield St.)
Savile Rd. Ell —3F 61
Savile Rd. Hal —1B 56
Savile Royd. Hal —2B 56
Savile Way. Lfds B —1G 61
Saville St. Cleck —4F 53
Sawley St. Kei —5D 6
Sawood. —1B 30
Sawood La. Oxe —6B 22
(in two parts)
Sawrey Pl. B'frd —3H 35 (6B 4)
Saxon St. B'frd —1G 35
Saxon St. Hal —6H 47
Saxton Av. B'frd —2C 42
Sayle Av. B'frd —2D 44
Scales La. B'frd —3D 44
Scaley St. B'frd —2F 37
Scarborough Gro. Shipl —6E 17
Scarborough Rd. Shipl —6E 17
Scarborough Ter. Ell —3F 61
Scar Bottom. —3H 55
Scar Bottom. Hal —3H 55
Scar Bottom La. G'lnd —2A 60
Scarcroft Ho. B'frd —2B 44
(off Parkway)
Scargill Ho. B'frd —2F 5
Scar Head Rd. Sower B —5D 54
Scar Hill. Oxe —6A 22
Scarlet Heights. —2F 41
Scarlet Heights. Q'bry —2F 41
Scar Top Rd. Oldf —6A 10
Scarwood Clo. Bgly —1G 15
Scholars Wlk. B'frd —4D 28
Scholebrooke Ct. B'frd —2G 45
(off Broadfield Clo.)
Scholemoor. —4C 34
Scholemoor Av. B'frd —5C 34
Scholemoor La. B'frd —4C 34
Scholemoor Rd. B'frd —4D 34
Scholes. —5B 52
(nr. Cleckheaton)
Scholes. —4D 10
(nr. Oakworth)
Scholes La. G'lnd —6A 56
Scholes La. Oakw —4D 10
Scholes La. Schol —5B 52
Scholes St. B'frd —1H 43
School Clo. Hal —5H 39
School Cote Brow. H'fld —5B 40
School Cote Ter. Hal —5B 40
School Cres. Hal —4H 39
School Fold. Low M —5F 43
School Green. —3G 33
School Grn. Brigh —6E 59
School Grn. T'tn —3G 33
School Grn. Av. T'tn —3F 33
School Ho. Hal —2G 49
School La. B'frd —1G 43
(BD5)
School La. B'frd —2F 43
(BD6)
School La. I'wth —5H 39
School La. Kei —4F 7
School La. S'wram —4G 57
School Pl. Wyke —1G 51
School Ridge. T'tn —1C 32
School Rd. Kei —4B 6
School Sq. B'frd —2F 37
School St. B'frd —3D 44
(BD4)
School St. B'frd —2A 36 (3D 4)
(in two parts)
School St. Butt —4C 42
School St. Cytn —5H 33
School St. Cleck —6D 52
School St. Ctly —6H 15
School St. Cull —1F 23
School St. Cut H —6E 37
School St. Denh —1G 31
School St. G'lnd —1B 60
School St. Hal —1D 56
School St. Kei —1C 6
School St. Low M —5G 43
School St. Oaken —1C 52
School St. Wilsd —2C 24
School Wlk. Kei —4B 6
Score Hill. Hal —1G 49
Scoresby St. B'frd —2B 36 (4F 5)
Scotchman Rd. B'frd —5D 26
Scott La. Cleck —5G 53
Scott La. Riddl —1G 7
Scott La. W. Riddl —1F 7
Scott St. Kei —4D 6
Scotty Bank. Brigh —5E 59
(off Bridge End)
Scotty Cft. La. Brigh —6E 59
(off Bramston St.)
Sculptor Pl. Brigh —4E 59
(off Waterloo Rd.)
Seacroft Ho. B'frd —1E 29
(off Rowantree Dri.)
Seaton St. B'frd —2D 36 (4H 5)
Second Av. B'frd —6E 29
Second Av. Hal —3B 56
Second Av. Kei —5D 6
Second St. Low M —5A 44
Sedan St. Hal —1C 56
(off Trinity Rd.)
Sedburgh Rd. Hal —2D 56
Sedgefield Ter. B'frd —3A 4
Sedge Gro. Haw —5G 11
Sedgewick Clo. B'frd —2A 4
Sedgfield Ter. B'frd —2H 35
Sedgwick Clo. B'frd —1H 35
Seed Hill Ter. Hal —5E 39
Seed Row. B'frd —3D 44
Seed St. Low M —5H 43
See Mill La. Hal —3B 48
Sefton Av. Brigh —2D 58
Sefton Cres. Brigh —2D 58
Sefton Dri. Brigh —2D 58
Sefton Gro. B'frd —4D 28
Sefton Pl. B'frd —4D 28
Sefton Pl. Kei —3E 7
Sefton St. Hal —5A 48
Sefton St. Kei —3E 7
Sefton Ter. Hal —5A 48
Selborne Gro. B'frd —5F 27
Selborne Gro. Kei —6C 6
Selborne Mt. B'frd —5G 27
Selborne Ter. B'frd —5F 27
Selborne Ter. Shipl —1F 27
Selborne Vs. B'frd —4F 27
(off Selborne Gro.)
Selbourne Vs. Cytn —6A 34
Selby. Hal —5F 39
Seldon St. B'frd —6F 35
Sellars Fold. —5E 35
Sellerdale Av. Wyke —4H 51
Sellerdale Dri. Wyke —3H 51
Sellerdale Ri. Wyke —3H 51
Sellerdale Way. Wyke —4H 51
Sellers Fold. B'frd —5E 35
Selside Ho. B'frd —6E 19
(off Garsdale Av.)
Semon Av. B'frd —2B 28
Senior Way. B'frd —3A 36
(in two parts)
Serpentine Rd. Cleck —5F 53
Sevenoaks Mead. All —6H 25
Severn Rd. B'frd —4C 28
Sewell Rd. B'frd —3D 36
Seymour St. B'frd —3C 36 (5H 5)
Shackleton Ter. H'den —4A 14
(off Hill End La.)
Shaftesbury Av. B'frd —6B 26
Shaftesbury Av. Shipl —6G 17
Shaftesbury Ct. B'frd —6B 26
Shakespeare St. Hal —1C 56
Shalimar St. Hal —6H 47
Shann Av. Kei —3B 6
Shann Cres. Kei —3B 6
Shann La. Kei —3B 6
Shann St. B'frd —3H 27
Shapla Clo. Kei —5C 6
Sharp Av. B'frd —3G 43
Sharpe St. B'frd —3A 36 (6C 4)
Sharp St. B'frd —2G 43
Shaw. —5F 21
Shaw Booth La. Hal —1B 46
Shaw Clo. Holy G —5C 60
Shaw Hill. Hal —2C 56
(in two parts)
Shaw La. Ell —1H 61
Shaw La. Hal —2D 56
Shaw La. Holy G —5B 60
Shaw La. Kei —3F 13
Shaw La. Oxe —5F 21
Shaw La. Q'bry —5F 41
Shaw La. Sower B —6D 54
Shaw Lodge. Hal —2D 56
Shaw Mt. L'ft —5A 46
Shaw St. Cleck —6D 52
Shaw St. Holy G —5C 60
Shaw St. Low M —5F 43
Shay Brow. —4F 25
Shay Clo. B'frd —3D 26
Shay Cres. B'frd —3C 26
Shay Dri. B'frd —3C 26
Shay Fold. B'frd —3C 26
Shaygate. Wilsd —3E 25
Shay Grange. B'frd —2C 26
Shay Gro. B'frd —3D 26
Shay La. B'frd —2C 26
Shay La. H Wd —6H 37
Shay La. Oven —2A 48
Shay La. Wilsd —2D 24
Shay Syke. Hal —1D 56
Shay, The. —2C 56
Shearbridge. —3G 35
Shearbridge Grn. B'frd —3G 35 (6A 4)
Shearbridge Pl. B'frd —3G 35
Shearbridge Rd. B'frd —3G 35
Shearbridge Ter. B'frd —4G 35
Shed St. Kei —4E 7
Sheep Hill La. Q'bry —1H 41
Sheldon Ridge. Bier —4D 44
Sheldrake Av. B'frd —2A 34
Shelf. —5A 42
Shelf Hall La. Hal —6H 41
Shelf Moor. Hal —4A 42
Shelley Gro. B'frd —1C 34
Shepherds Fold. Hal —2F 49
Shepherd St. B'frd —5E 35
Sherborne Dri. Kei —6A 6
Sherborne Rd. Gt Hor —3H 35 (6A 4)
Sherborne Rd. Idle —4D 18
Sheridan St. B'frd —5C 36
Sheriff La. Bgly —1A 16
Sherwell Gro. All —6A 26
Sherwell Ri. All —6A 26
Sherwood Clo. Bgly —6H 9
Sherwood Gro. Shipl —5C 16
Sherwood Pl. B'frd —5D 28
Sherwood Rd. Brigh —5G 59
Sherwood Works. Brigh —6H 59
Shetcliffe La. B'frd —3D 44
Shetcliffe Rd. B'frd —3D 44
Shetland Clo. B'frd —3B 28
Shibden Gth. Shib —6G 49
Shibden Grange Dri. Hal —4F 49
Shibden Hall. —5F 49
Shibden Hall Cft. Hal —6G 49
Shibden Hall Rd. Hal —5E 49
Shibden Head. —5C 40
Shibden Head La. Q'bry —4C 40
Shibden Vw. Q'bry —4D 40
Shipley. —5F 17
Shipley Airedale Rd. B'frd —1B 36 (2E 5)
Shipley Fields Rd. Shipl —2F 27
(in two parts)
Shipley Glen Cable Tramway. —3D 16
Ship St. Brigh —5F 59
Shire Clo. B'frd —4D 42
Shirley Av. Wyke —4F 51
Shirley Cres. Wyke —4F 51
Shirley Gro. Hal —6E 51
Shirley Mnr. Gdns. B'frd —2F 37
(off Moorside La.)
Shirley Pl. Wyke —4G 51
Shirley Rd. B'frd —2F 45
(BD4)
Shirley Rd. B'frd —3F 35
(BD7)
Shirley St. Haw —6F 11
Shirley St. Shipl —5D 16
Short Clo. Wyke —6F 43
Short Row. Low M —5H 43
Shortway. T'tn —3G 33
Shroggs Rd. Hal —3H 47
Shroggs St. Hal —5A 48
Shroggs Va. Ter. Hal —5A 48
Shuttleworth La. B'frd —1C 34
Shutts La. Nor G —3C 50
Sickle St. Cleck —5G 53
Siddal. —4E 57
Siddal Gro. Hal —3D 56
Siddal La. Hal —3E 57
Siddal New Rd. Hal —2D 56
Siddal Pl. Hal —4E 57
Siddal St. Hal —4E 57
Siddal Top La. Hal —3E 57
Siddal Vw. Hal —3E 57
Sidings Clo. B'frd —4H 27
Sidings, The. Shipl —5G 17
Silk Mill Dri. E Mor —2E 9
Silk St. B'frd —5E 27
Silsbridge St. B'frd —4A 4
Silson La. Bail —1A 18
Silver Birch Av. Wyke —3H 51
Silver Birch Clo. Wyke —3H 51
Silver Birch Dri. Wyke —3H 51
Silver Birch Gro. Wyke —3H 51
Silverdale Av. Riddl —2G 7
Silverdale Rd. B'frd —1A 44
Silverdale Ter. G'lnd —3A 60
Silverhill Av. B'frd —6F 29
Silverhill Dri. B'frd —6F 29
Silverhill Rd. B'frd —6E 29
Silver St. B'frd —6F 27
Silver St. Hal —6C 48
Silverwood Av. Hal —4E 47
Silverwood Wlk. Hal —4E 47
(in two parts)
Silwood Dri. B'frd —4E 29
Simes St. B'frd —2H 35 (3B 4)
Simm Carr La. Shib —1D 48
Simmonds La. Hal —2D 56
Simms Dene. All —3G 25
Simon Clo. B'frd —1H 45
Simon Fld. Wyke —3G 51
Simpson Green. —4E 19
Simpson Gro. B'frd —4E 19
Simpson St. Hal —3B 48
Simpson St. Kei —4C 6
Sinclair Rd. B'frd —2B 28
Sinden M. B'frd —3D 18
Singleton St. B'frd —1A 36 (1D 4)
Sion Hill. Sid —4E 57
Sir Francis Crossley's Almshouses. Hal —6B 48
(off Margaret St.)
Sir Isaac Holden Pl. List —2F 35
Sir Wilfred Pl. B'frd —5D 18
Sixth Av. B'frd —6E 29
Skelton Wlk. B'frd —6F 19
Skinner La. B'frd —5G 27
Skipton Rd. Kei —3E 7
Skipton Rd. Low U —1B 6
Skircoat Green. —4C 56
Skircoat Grn. Hal —5C 56
Skircoat Grn. Rd. Hal —4C 56
Skircoat Moor Clo. Hal —3A 56
Skircoat Moor Rd. Hal —2H 55
Skircoat Rd. Hal —1C 56
Skirrow St. Bgly —1H 25

Stannary Pl. *Hal* —5B **48**
Stannery. *Slnd* —5A **60**
Stanningley Av. *Hal* —6D **38**
Stanningley Dri. *Hal* —6D **38**
Stanningley Rd. *Hal* —6D **38**
Stansfield Clo. *Hal* —6A **48**
Stansfield Ct. *Sower B* —4D **54**
Stansfield Grange. *Sower B*
—6A **54**
Stansfield Mill La. *Sower B*
—6A **54**
Stansfield Pl. *B'frd* —5D **18**
Stanwick Ho. *B'frd* —3H **27**
Staples La. *Kei* —6C **12**
Stapleton Ho. *B'frd* —3H **27**
Stapper Grn. *Wilsd* —1B **24**
Starkie St. *Kei* —5D **6**
Starling M. *All* —2H **33**
(off Bell Dean Rd.)
Star St. *B'frd* —6G **35**
Starting Post. *Idle M* —6B **18**
Stathers Cotts. *Wyke* —3H **51**
Station App. *Hal* —1D **56**
Station Ct. *B'frd* —2B **36** (4E **5**)
Station Rd. *Bail* —2G **17**
Station Rd. *Brigh* —5G **59**
Station Rd. *Cytn* —5A **34**
Station Rd. *Cull* —1E **23**
Station Rd. *Denh* —1F **31**
Station Rd. *Hal* —6A **40**
Station Rd. *Haw* —6G **11**
Station Rd. *Holy G* —5B **60**
Station Rd. *Low M* —6A **44**
Station Rd. *L'ft* —6A **46**
Station Rd. *Nor G* —3E **51**
Station Rd. *Oakw* —3H **11**
Station Rd. *Oxe* —4D **21**
Station Rd. *Q'bry* —2E **41**
Station Rd. *Shipl* —5F **17**
Station Rd. *Sower B* —4D **54**
Station Rd. *Wilsd* —4H **23**
Station Vw. *Oxe* —4D **21**
Staups La. *Hal* —3F **49**
Staveley Ct. *Bgly* —1G **15**
Staveley Dri. *Shipl* —6B **16**
Staveley Gro. *Kei* —2C **12**
Staveley M. *Bgly* —1G **15**
Staveley Rd. *Bgly* —1G **15**
Staveley Rd. *B'frd* —3F **35**
Staveley Rd. *Kei* —2C **12**
Staveley Rd. *Shipl* —5B **16**
Staveley Way. *Kei* —1C **12**
Staverton St. *Hal* —6G **47**
Staybrite Av. *Bgly* —6G **15**
Staygate. —1A 44
Staygate Grn. *B'frd* —2A **44**
Stead Hill Way. *Thack* —4B **18**
Steadman St. *B'frd* —3D **36**
Steadman Ter. *B'frd* —3D **36**
Stead Rd. *B'frd* —3G **45**
Stead St. *Hal* —6B **48**
Stead St. *Shipl* —5F **17**
Steel Hill. *Kei* —6A **6**
Stell Hill. *Kei* —6A **6**
Stephen Clo. *Hal* —4G **49**
Stephen Cres. *B'frd* —4A **28**
Stephen Rd. *B'frd* —1D **42**
Stephen Row. *Hal* —3G **49**
(off Windmill La.)
Stephenson Rd. *All* —5D **24**
Stephenson St. *B'frd* —6F **35**
Steps La. *Sower B* —2E **55**
Sterne Hill. *Hal* —3H **55**
Stevens Wlk. *Cull* —1F **23**
Stewart Clo. *B'frd* —2E **29**
Stewart St. *Cro R* —5A **12**
Sticker La. *B'frd* —6E **37**
Stile. —5A 54
Stillington Ho. *B'frd* —3H **27**
Stirling Cres. *B'frd* —6G **37**
Stirling St. *Hal* —1B **56**
Stirrup Dri. *B'frd* —3B **28**
Stirton St. *B'frd* —6H **35**
Stockbridge. —2G 7
Stockhill Fold. *B'frd* —5F **19**
(in two parts)
Stockhill Rd. *B'frd* —6F **19**
Stock La. *Hal* —1D **54**
Stocks Hill Clo. *E Mor* —2D **8**
Stocks La. *Ludd & Mt Tab* —4A **46**
Stocks La. *Q'bry* —2H **41**
Stocks La. *Sower B* —4A **54**
Stod Fold. *Hal* —3E **39**
Stogden Hill. *Q'bry* —2H **41**

Stoneacre Ct. *B'frd* —1A **44**
Stonebridge. *B'frd* —5D **18**
(off Idlecroft Rd.)
Stone Chair. —1A 50
Stone Cliffe. *Hal* —4A **56**
(off Wakefield Ga.)
Stone Ct. *E Mor* —3D **8**
Stonecroft. *B'frd* —3E **29**
Stonefield Clo. *B'frd* —2D **28**
Stone Fold. *Bail* —3E **17**
Stonegate. *Bgly* —6G **9**
Stonegate Rd. *B'frd* —1D **28**
Stone Hall M. *B'frd* —3E **29**
Stone Hall Rd. *B'frd* —3D **28**
Stonehaven Ct. *Kei* —6G **7**
Stone Hill. *Bgly* —1H **15**
Stone Ho. Dri. *Q'bry* —3C **40**
Stone La. *Oxe* —5E **21**
Stoneleigh. *Q'bry* —2F **41**
Stone St. *All* —4G **25**
Stone St. *Bail* —3A **18**
Stone St. *B'frd* —2A **36** (3D **4**)
Stone St. *Cleck* —6E **53**
Stone St. *Haw* —1G **21**
(off Sun St.)
Stone St. *Q'bry* —1C **40**
Stoneycroft La. *Kei* —1D **5**
Stoney Hill. *Brigh* —5E **59**
Stoneyhurst Sq. *B'frd* —6G **37**
Stoneyhurst Way. *B'frd* —6F **37**
Stoney La. *Hal* —2H **55**
Stoney La. *Light* —6E **51**
Stoney La. *Oven* —2A **48**
Stoney La. *S'wram* —2A **58**
Stoney Ridge Av. *B'frd* —3H **25**
Stoney Ridge Rd. *Bgly* —3H **25**
Stoney Royd. —2D 56
Stoney Royd Ter. *Hal* —3D **56**
Stoneys Fold. *Wilsd* —1B **24**
Stoney St. *Kei* —1D **6**
Stony La. *All* —5F **25**
Stony La. *B'frd* —2E **29**
Stony La. *G'lnd* —1A **60**
Stoodley Ter. *Hal* —1G **55**
Stormer Hill La. *Norl* —5F **55**
Storr Hill. *Wyke* —1G **51**
Storr Hill Ter. *Wyke* —1G **51**
Stott Hill. *B'frd* —2B **36** (3E **5**)
Stotts Pl. *Hal* —1E **57**
Stott Ter. *B'frd* —3F **29**
Stowell Mill St. *B'frd* —5H **35**
Stradmore Rd. *Denh* —1G **31**
Strafford Way. *App B* —5G **19**
Straight Acres La. *B'frd* —2F **29**
Straight La. *Hal* —6F **39**
Straits. *Bail* —1G **17**
(off Northgate)
Strangford Ct. *B'frd* —5F **19**
Stratford Rd. *B'frd* —4F **35**
Strathallan Dri. *Bail* —2H **17**
Strathmore Clo. *B'frd* —4D **28**
Strathmore Dri. *Bail* —1F **17**
Stratton Ho. *B'frd* —3H **5**
Stratton Rd. *Brigh* —6F **59**
Stratton Vw. *B'frd* —5G **37**
Stratton Wlk. *All* —1G **33**
Strawberry Fields. *Hal* —3E **7**
Strawberry St. *Kei* —3E **7**
Stray, The. *B'frd* —1C **28**
Stream Head Rd. *T'tn* —5B **24**
Street La. *E Mor* —1B **8**
Street La. *Oakw* —4C **10**
Strensall Grn. *B'frd* —3C **42**
Stretchgate La. *Hal* —2G **55**
Strong Close. —4G 7
Strong Clo. Gro. *Kei* —4G **7**
Strong Clo. Rd. *Kei* —4G **7**
Strong Clo. Way. *Kei* —4G **7**
(off Strong Clo. Rd.)
Stuart Ct. *B'frd* —5A **36**
(off Swarland Gro.)
Stubbings Rd. *Bail* —3D **16**
Stubbing Way. *Shipl* —1G **27**
(in two parts)
Stubs Beck La. *West I* —3F **53**
Stub Thorn La. *Hal* —1F **57**
Studdley Cres. *Gil* —2H **15**
Studleigh Ter. *Brigh* —2C **58**
(off Brooklyn Ter.)
Studley Av. *B'frd* —4F **43**
Studley Clo. *E Mor* —2D **8**
Studley Rd. *B'frd* —4F **43**
Stump Cross. —4F 49
Stunsteds Rd. *Cleck* —5F **53**
Sturges Gro. *B'frd* —6D **28**

Sturton Gro. *Hal* —4G **39**
Sturton La. *Hal* —4G **39**
Stye La. *Sower B* —3A **54**
Sty La. *Bgly* —5E **9**
Suffolk Pl. *B'frd* —3B **28**
Sugden Bank. *Sower B* —3E **55**
(off Sunny Bank St.)
Sugden Clo. *Brigh* —6E **59**
Sugden's Almshouses. *Oakw*
—2H **11**
Sugden St. *B'frd* —2G **35** (3A **4**)
Sugden St. *Oaken* —1B **52**
Sulby Gro. *B'frd* —6G **19**
Summerbridge Cres. *B'frd* —2F **29**
Summerbridge Dri. *B'frd* —2F **29**
Summerfield Av. *Brigh* —1F **59**
Summerfield Clo. *Bail* —2E **17**
Summerfield Dri. *Bail* —2F **17**
Summerfield Grn. *Bail* —2F **17**
Summerfield Pk. *Bail* —2F **17**
Summerfield Rd. *B'frd* —1E **29**
Summergate Pl. *Hal* —1H **55**
Summergate St. *Hal* —1H **55**
Summer Hall Ing. *Wyke* —1F **51**
Summer Hill St. *B'frd* —4E **35**
Summerlands Gro. *B'frd* —1C **44**
Summerland Ter. *Sower B* —3F **55**
Summerscale St. *Hal* —5A **48**
Summerseat Pl. *B'frd* —4G **35**
Summer St. *Hal* —2H **55**
Summerville Rd. *B'frd* —3G **35**
Summit St. *Kei* —3D **6**
Sunbridge Rd. *B'frd* —2H **35** (2A **4**)
Sunderland Clo. Brigh —4E **59**
(off Thornhill Bri. La.)
Sunderland Rd. *B'frd* —5F **27**
Sunderland St. *Cro R* —6B **12**
Sunderland St. *Hal* —6B **48**
Sunderland St. *Kei* —5D **6**
Sundown Av. *B'frd* —5C **34**
Sunfield Ter. Mar —6G **53**
(off Mayfield Ter.)
Sun Fold. *Hal* —1D **56**
Sunhill Dri. *Bail* —3C **16**
Sunhurst Clo. *Oakw* —3G **11**
Sunhurst Dri. *Oakw* —3G **11**
Sunningdale. *B'frd* —1B **34**
Sunningdale Cres. *Cull* —2G **23**
Sunnybank. —2B 52
Sunny Bank. *Nor G* —3H **47**
Sunny Bank. *Q'bry* —2F **41**
Sunny Bank. *Shipl* —6F **17**
Sunny Bank. *Wyke* —1A **52**
Sunnybank Av. *B'frd* —2H **43**
Sunnybank Av. *Thornb* —6H **29**
Sunnybank Clo. *Schol* —6B **52**
Sunnybank Cres. *G'lnd* —2B **60**
Sunnybank Dri. *Sower B* —3E **55**
Sunny Bank Grange. Brigh —4E **59**
(off Sunny Bank Rd.)
Sunnybank Gro. *Thornb* —6H **29**
Sunnybank La. *G'lnd* —2B **60**
Sunny Bank La. *Hal* —1H **57**
Sunny Bank La. *S'wram* —1H **57**
Sunny Bank La. *Thornb* —6H **29**
Sunnybank Rd. *B'frd* —2H **43**
Sunny Bank Row. *Brigh* —6E **59**
Sunnybank Rd. *G'lnd* —2A **60**
Sunny Bank Rd. *Hal* —6D **38**
Sunny Bank St. *Sower B* —3E **55**
Sunny Bank Ter. *Hal* —4C **48**
Sunny Brae Cres. *Bgly* —3H **15**
Sunny Brow La. *B'frd* —5B **26**
Sunnycliffe. *E Mor* —3D **8**
Sunnydale Gro. *Kei* —5H **7**
Sunnydale Pk. *E Mor* —2E **9**
Sunnyhill Av. *Kei* —6B **6**
Sunnyhill Gro. *Kei* —6B **6**
Sunny Mt. *H'den* —4B **14**
Sunny Mt. *High* —3D **6**
Sunny Mt. *Sandb* —4C **8**
Sunnyside. *Brigh* —6H **59**
Sunny Side. *Hal* —6C **50**
Sunnyside La. *B'frd* —6B **28**
Sunny Side St. *Hal* —4C **48**
Sunny Vw. Ter. *Q'bry* —3C **40**
Sunset Cres. *Hal* —2E **57**
Sun St. *B'frd* —1B **36** (2F **5**)
Sun St. *Haw* —1G **21**
Sun St. *Kei* —5E **7**
Sun Way. *Hal* —2F **57**
Sun Wood Av. *Hal* —1H **49**
Sun Wood Ter. *Hal* —1H **49**

Suresnes Rd. *Kei* —4D **6**
Surgery St. *Haw* —1H **21**
Surrey Gro. *B'frd* —5A **36**
Surrey St. *Hal* —1G **55**
Surrey St. *Kei* —3G **7**
Sussex St. *Kei* —3G **7**
Sutcliffe Ct. *Hal* —2E **57**
(off Bank Top)
Sutcliffe Pl. *B'frd* —3H **43**
Sutcliffe St. *Hal* —5G **47**
Sutcliffe Ter. Hal —4C **48**
(off Amblers Ter.)
Sutcliffe Wood La. *Hal* —6A **50**
Sutton Av. *B'frd* —2B **28**
Sutton Cres. *B'frd* —5G **37**
Sutton Dri. *Cull* —2F **23**
Sutton Gro. *B'frd* —4G **37**
Sutton Ho. *B'frd* —4G **37**
Sutton Rd. *B'frd* —4G **37**
Swain Green. —4E 37
Swain House. —2C 28
Swain Ho. Cres. *B'frd* —2C **28**
Swain Ho. Rd. *B'frd* —2C **28**
Swain Mt. *B'frd* —2C **28**
Swain Royd Lane Bottom. —4F 25
Swaledale Ho. Sower B —4D **54**
(off Sowerby St.)
Swales Moor Rd. *Hal* —6C **40**
Swallow Fold. *B'frd* —2A **34**
Swallow St. *Kei* —3F **7**
Swan Bank La. *Hal* —2D **56**
Swan St. *B'frd* —4A **36** (6C **4**)
Swarland Gro. *B'frd* —5A **36**
Swift St. *Hal* —4D **56**
Swine La. *Sandb* —3B **8**
Swinton Pl. *B'frd* —4F **35**
Swinton Ter. *Hal* —2H **55**
Swires Rd. *B'frd* —6E **29**
Swires Rd. *Hal* —1B **56**
Swires Ter. *Hal* —1B **56**
Sycamore Av. *Bgly* —3F **15**
Sycamore Av. *B'frd* —2D **34**
Sycamore Clo. *B'frd* —1C **36** (1G **5**)
Sycamore Ct. *B'frd* —1C **36** (1G **5**)
Sycamore Dri. *Cleck* —6D **52**
Sycamore Dri. *Ell* —3D **60**
Sycamore Dri. *Hal* —1E **59**
Sycamore Vw. *Kei* —5B **6**
Sydenham Pl. *B'frd* —5C **28**
Sydney St. *Bgly* —2G **15**
Syke Fold Grange. *Cleck* —6F **53**
Syke La. *Caus F* —1G **39**
Syke La. *Hal* —4C **50**
Syke La. *Q'bry* —4F **41**
Syke La. *Sower B* —4D **54**
Syke Rd. *B'frd* —4E **27**
Syke Side. *Kei* —1D **6**
Sykes La. *Oaken* —1C **52**
Sykes La. *Oakw* —2H **11**
Sykes St. *Cleck* —6F **53**
Sykes Yd. Hal —2H **55**
(off King Cross Rd.)
Sylmet Dio. *B'frd* —1H **35** (2B **4**)
Sylvan Av. *Q'bry* —3D **40**
Syrett Pk. *Hal* —4A **48**
Syringa Av. *All* —3G **25**

Tabbs Ct. *Schol* —4B **52**
Tabbs La. *Schol* —4A **52**
Talbot Ho. *Ell* —3F **61**
Talbot St. *B'frd* —2F **35**
Talbot St. *Kei* —4C **6**
Tamar St. *B'frd* —5G **35**
Tamworth St. *B'frd* —3G **37**
Tanglewood Ct. *B'frd* —2E **43**
Tan Ho. Ct. *B'frd* —4D **44**
Tanhouse Hill. *Hip* —6A **50**
Tan Ho. La. *Hal* —1G **49**
Tan Ho. La. *Wilsd* —1A **24**
Tanhouse Pk. *Hal* —6A **50**
Tan La. *B'frd* —5D **44**
Tannerbrook Clo. *Cytn* —5B **34**
Tanner Hill Rd. *B'frd* —6C **34**
Tannett Grn. *B'frd* —1B **44**
Tanton Cres. *Cytn* —5B **34**
Tanton Wlk. *Cytn* —5B **34**
Tarn Ct. *Kei* —3B **6**
Tarnhill M. *B'frd* —5A **36**
Tarn La. *Oakw* —2A **6**
Tatham's Ct. Hal —2H **55**
(off High Shaw Rd. W.)
Taunton St. *Shipl* —5E **17**
Tay Ct. *B'frd* —5G **35**
Taylor La. *Hal* —6H **31**

Warley Av. *B'frd* —1F **37**
Warley Dene. *Hal* —1D **54**
Warley Dri. *B'frd* —2F **37**
Warley Edge. *Hal* —6E **47**
Warley Edge La. *Hal* —6D **46**
Warley Gro. *B'frd* —1F **37**
Warley Gro. *Hal* —6F **47**
Warley Rd. *Hal* —6F **47**
Warley St. *Hal* —1A **56**
Warley Town. —1D 54
Warley Town La. *Hal* —6C **46**
Warley Vw. *Hal* —6F **47**
Warley Wood Av. *L'ft* —2B **54**
Warley Wood La. *L'ft* —2A **54**
Warmleigh Pk. *Q'bry* —2B **40**
Warneford Sq. *Hal* —2H **55**
  (off King Cross Rd.)
Warnford Gro. *B'frd* —6F **37**
Warren Av. *Bgly* —6H **9**
Warren Dri. *Bgly* —1H **15**
Warren Ho. La. *Hud* —6G **61**
Warren La. *Bgly* —6H **9**
Warren Pk. *Brigh* —2C **58**
Warren Pk. Clo. *Brigh* —2C **58**
Warren Ter. *Bgly* —2A **16**
Warrenton Pl. *B'frd* —4E **35**
Warton Av. *B'frd* —2D **44**
Warwick Clo. *B'frd* —5D **36**
Warwick Clo. *Hal* —3B **56**
  (off Free School La.)
Warwick Dri. *B'frd* —5D **36**
Warwick Ho. *B'frd* —5D **18**
  (off Thorp Gth.)
Warwick Rd. *B'frd* —5D **36**
Waryn Ho. *B'frd* —6E **19**
  (off Fairhaven Grn.)
Washer La. *Sower B* —3G **55**
Washer La. Ind. Est. *Hal* —3H **55**
Washington St. *B'frd* —6D **26**
Washington St. *Hal* —4A **48**
Wastwater Dri. *B'frd* —5D **42**
Watercock St. *B'frd* —4C **36**
Waterfront M. *App B* —5G **19**
Watergate. *Hal* —6A **50**
Water Hill La. *Sower B* —2C **54**
Waterhouse St. *Hal* —6C **48**
Waterhouse St. *Kei* —4C **6**
Water La. *B'frd* —2G **35** (4A **4**)
  (in two parts)
Water La. *Hal* —1D **56**
Water La. *Kei* —5E **7**
Waterloo Cres. *B'frd* —5H **19**
Waterloo Fold. *Wyke* —3H **51**
Waterloo Rd. *Bgly* —2F **15**
Waterloo Rd. *Brigh* —4E **59**
Waterloo Ter. *Sower B* —1E **55**
Waterside. *Bgly* —6D **8**
Waterside. *Hal* —1D **56**
Waterside. *Oxe* —5G **21**
Waterside Rd. *B'frd* —1E **35**
Water St. *Brigh* —4F **59**
Water St. *Sower B* —4D **54**
Water St. *Wyke* —3G **51**
Watford Av. *Hal* —2D **50**
Watkin Av. *T'tn* —3F **33**
Watkinson Av. *Hal* —6A **40**
Watkinson Dri. *Hal* —1H **47**
Watkinson Rd. *Hal* —1H **47**
Watmough St. *B'frd* —6E **35**
Watson Clo. *Oxe* —5G **21**
Watson Mill La. *Sower B* —5D **54**
Watts St. *Cytn* —5H **33**
Watt St. *B'frd* —4F **37**
Watty Hall Av. *B'frd* —1E **43**
Watty Hall La. *B'frd* —1F **43**
Watty Hall Rd. *B'frd* —1E **43**
Wauds Gates. *Bail* —4G **17**
  (off Baildon Rd.)
Waverley Av. *B'frd* —4F **35**
Waverley Av. *Sandb* —3B **8**
Waverley Cres. *Hal* —6A **50**
Waverley Pl. *B'frd* —4F **35**
Waverley Rd. *B'frd* —4F **35**
Waverley Rd. *Ell* —4F **61**
Waverley Ter. *B'frd* —4F **35**
Waverley Ter. *Hal* —6A **50**
Waverton Av. *B'frd* —4D **42**
Wavertree Pk. Gdns. *Low M* —1G **51**
Wayside Cres. *B'frd* —2B **28**
Weardale Clo. *B'frd* —2E **45**
Weatherhill Cres. *Hud* —6G **61**
Weatherhill Rd. *Hud* —6G **61**
Weatherhouse Ter. *Hal* —4F **47**
Weaver Ct. *B'frd* —5D **18**
  (off Moorfield Pl.)

Weavers Cotts. *Oxe* —5G **21**
  (off Waterside)
Weavers Cft. *B'frd* —3C **18**
Weavers Hill. *Haw* —1G **21**
Weaverthorpe Rd. *B'frd* —2G **45**
Webb Dri. *B'frd* —5C **28**
Webber Ga. *Kei* —6B **6**
Webb's Ter. *Hal* —5D **48**
Weber Ct. *B'frd* —2E **37**
  (off Amberley St.)
Webster Pl. *B'frd* —2D **36** (3H **5**)
Webster St. *B'frd* —2D **36**
Wedgemoor Clo. *Wyke* —1G **51**
Weetwood Rd. *B'frd* —1E **35**
Welbeck Dri. *B'frd* —5C **34**
Welbeck Ri. *B'frd* —5C **34**
Welburn Av. *Hal* —6B **50**
Welburn Mt. *B'frd* —3C **42**
Welbury Dri. *B'frd* —5G **27**
Welham Wlk. *B'frd* —1C **36** (1G **5**)
Wellands Grn. *Cleck* —6D **52**
Wellands La. *Schol* —5B **52**
  (in two parts)
Wellands Ter. *B'frd* —2E **37**
Well Clo. St. *Brigh* —4F **59**
Well Cft. *Shipl* —6F **17**
Wellesley Ho. *B'frd* —3F **37**
  (off Wellington St.)
Wellesley St. *B'frd* —2B **36** (3F **5**)
Well Fold. *Idle* —5D **18**
Wellgarth. *Hal* —2B **56**
Wellgate. *G'Ind* —1C **60**
Well Grn. Ct. *B'frd* —4G **45**
Well Grn. La. *Brigh* —2D **58**
Well Gro. *Brigh* —2D **58**
Well Head Dri. *Hal* —1C **56**
Well Head La. *Hal* —2C **56**
Well Head La. *Sower B* —4A **54**
Well Head Ri. *Hal* —2C **56**
Well Heads. —2A 32
Well Heads. *T'tn* —4H **31**
Wellholme. *Brigh* —4F **59**
Wellington Arc. *Brigh* —5E **59**
  (off Briggate)
Wellington Cres. *Shipl* —6E **17**
Wellington Gro. *B'frd* —5D **28**
Wellington Pl. *B'frd* —4E **29**
Wellington Pl. *Hal* —1C **56**
Wellington Rd. *B'frd* —4D **28**
Wellington Rd. *Kei* —5E **7**
Wellington Rd. *Wilsd* —3B **24**
Wellington St. *All* —6A **26**
Wellington St. *Bgly* —2F **15**
Wellington St. *B'frd* —2B **36** (3E **5**)
Wellington St. *Eccl* —5D **28**
Wellington St. *Idle* —6D **18**
Wellington St. *Lais* —3F **37**
Wellington St. *Q'bry* —2F **41**
Wellington St. *Wilsd* —3C **24**
Wellington St. S. *Hal* —1D **56**
Well La. *Hal* —6B **50**
Well La. *Schol* —4B **52**
Well Royd Av. *Hal* —6E **47**
Well Royd Clo. *Hal* —6E **47**
  (in two parts)
Wells Ho. *Sower B* —3E **55**
  (off Church Vw.)
Wells Ter. *Hal* —3E **51**
  (off Village St.)
Wells, The. *Hal* —2G **55**
  (nr. Burnley Rd.)
Wells, The. *Hal* —6E **47**
  (nr. Stock La.)
Well St. *B'frd* —2B **36** (4E **5**)
Well St. *Denh* —1F **31**
Well St. *Holy G* —5B **60**
Well St. *Kei* —4D **6**
Well St. *Wilsd* —2C **24**
Welwyn Av. *Shipl* —6B **18**
Welwyn Dri. *Bail* —3G **17**
Welwyn Dri. *Shipl* —6B **18**
Wembley Av. *T'tn* —3F **33**
Wenborough La. *B'frd* —6H **37**
Wendron Way. *B'frd* —6D **18**
Wenlock St. *B'frd* —3C **36** (5G **5**)
Wenning St. *Kei* —3G **7**
Wensley Av. *Shipl* —6E **17**
Wensley Bank. *T'tn* —3C **32**
Wensley Bank Ter. *T'tn* —3C **32**
Wensley Bank W. *T'tn* —3C **32**
Wensleydale Ri. *Bail* —1A **18**
Wensleydale Rd. *B'frd* —2G **37**
Wensley Ho. *B'frd* —1F **29**
Wentworth Dri. *Hal* —4H **39**
Wentworth Gro. *Hal* —4H **39**

Wesleyan St. *B'frd* —6E **37**
Wesley Av. *Low M* —4A **44**
Wesley Av. S. *Low M* —5A **44**
Wesley Ct. *Hal* —6C **48**
Wesley Dri. *Low M* —4A **44**
Wesley Gro. *B'frd* —4E **19**
Wesley Place. —5H 43
Wesley Pl. *Kei* —2C **12**
Wesley Pl. *Low M* —5A **44**
  (off Main St.)
Wesley St. *Cleck* —5F **53**
West Av. *All* —4F **25**
West Av. *Bail* —2G **17**
West Av. *Hal* —3B **56**
West Av. *Light* —6E **51**
West Bank. *B'frd* —3D **26**
West Bank. *Hal* —1F **47**
West Bank. *Kei* —3B **6**
  (off W. Bank Ri.)
W. Bank Clo. *Kei* —3B **6**
W. Bank Gro. *Riddl* —1G **7**
W. Bank Ri. *Kei* —3B **6**
W. Bank Rd. *Riddl* —1F **7**
West Bolton. *Hal* —4F **39**
Westborough Dri. *Hal* —6F **47**
Westbourne Cres. *Hal* —4D **56**
Westbourne Gro. *Hal* —4D **56**
Westbourne Rd. *B'frd* —5F **27**
Westbourne Ter. *Hal* —4D **56**
West Bowling. —>6B 36
Westbrook Ct. *Hal* —5B **48**
  (off Stannary Pl.)
Westburn Av. *Kei* —5B **6**
Westburn Cres. *Kei* —6B **6**
Westburn Gro. *Kei* —6B **6**
Westburn Pl. *Cleck* —5E **53**
Westburn Way. *Kei* —6B **6**
Westbury Clo. *B'frd* —4F **37**
Westbury Ct. *Hal* —1G **55**
Westbury Pl. *Hal* —1G **55**
Westbury Rd. *B'frd* —2B **42**
Westbury St. *B'frd* —4F **37**
Westbury St. *Ell* —2G **61**
Westbury Ter. *Hal* —1G **55**
Westcliffe Av. *Bail* —1F **17**
Westcliffe Dri. *Hal* —6F **47**
Westcliffe Ri. *Cleck* —6E **53**
Westcliffe Rd. *Cleck* —5E **53**
Westcliffe Rd. *Shipl* —6E **17**
Westcombe Ct. *Wyke* —1G **51**
Westcott Ho. *B'frd* —1A **4**
West Cft. *Wyke* —3G **51**
Westcroft Av. *Hal* —1H **49**
Westcroft Rd. *B'frd* —6E **37**
West Dri. *Oxe* —4G **21**
West End. —3D 40
  (nr. Queensbury)
West End. —6E 53
  (nr. Scholes)
West End. *Q'bry* —3D **40**
W. End Dri. *Cleck* —6E **53**
W. End Rd. *Hal* —1G **55**
W. End St. *B'frd* —2H **35** (4B **4**)
W. End Ter. *B'frd* —2D **28**
W. End Ter. *Shipl* —1E **17**
Westercroft La. *Hal* —2G **49**
Westercroft Vw. *Hal* —2H **49**
Western Av. *Riddl* —1F **7**
  (in two parts)
Western Pl. *Q'bry* —2H **41**
Western Way. *Butt* —4E **43**
Westerton Ct. *Oaken* —6D **44**
Westfell Clo. *Kei* —5B **6**
Westfell Rd. *Kei* —5B **6**
Westfell Way. *Kei* —5B **6**
Westfield. *T'tn* —3G **33**
Westfield Av. *Hal* —6B **50**
Westfield Cres. *B'frd* —6D **28**
Westfield Cres. *Riddl* —1H **7**
Westfield Cres. *Shipl* —1A **28**
Westfield Dri. *Hal* —6B **50**
Westfield Dri. *Riddl* —2H **7**
Westfield Gdns. *Hal* —6B **50**
Westfield Grn. *B'frd* —5G **37**
Westfield Gro. *B'frd* —5C **18**
Westfield Gro. *Shipl* —1A **28**
Westfield Ho. *B'frd* —6D **18**
  (off Buckfast Ct.)
Westfield La. *Shipl & Idle* —1A **28**
Westfield La. *Wyke & Schol* —3G **51**
Westfield M. *T'tn* —4G **33**
Westfield Pl. *Hal* —1A **56**
Westfield Pl. *Schol* —4A **52**
Westfield Rd. *B'frd* —5E **27**
Westfield Rd. *Cytn* —5H **33**

Westfield Rd. *Riddl* —2H **7**
Westfield St. *Brun I* —1B **56**
Westfield Ter. *Bail* —1G **17**
Westfield Ter. *B'frd* —6D **28**
Westfield Ter. *Cytn* —5H **33**
Westfield Ter. *Hal* —5A **48**
West Fold. *Bail* —1G **17**
Westgate. *Bail* —1G **17**
Westgate. *B'frd* —1H **35** (2A **4**)
Westgate. *Brigh* —5H **59**
Westgate. *Cleck* —6E **53**
Westgate. *Eccl* —3E **29**
Westgate. *Ell* —2F **61**
Westgate. *Hal* —6C **48**
Westgate. *Holy G* —6A **60**
  (off Stainland Rd.)
West Ga. *Kei* —4D **6**
Westgate. *Shipl* —5F **17**
Westgate Hill St. *B'frd* —3H **45**
Westgate Mkt. *Hal* —6C **48**
Westgate Pl. *B'frd* —3H **45**
Westgate Ter. *B'frd* —3H **45**
West Gro. *Bail* —1G **17**
Westgrove Ct. *Cleck* —5E **53**
W. Grove St. *B'frd* —2H **35**
Westgrove Ter. *Hal* —6B **48**
Westhill Av. *Cull* —2G **23**
W. Hill St. *Hal* —6A **48**
Westholme Rd. *Hal* —6H **47**
Westholme St. *B'frd* —3H **35**
West Ho. *Ell* —2F **61**
  (off Gog Hill)
Westlands Dri. *All* —6H **25**
Westlands Gro. *All* —6A **26**
West La. *Bail* —2D **16**
  (in two parts)
West La. *Hal* —4F **57**
West La. *Haw* —6F **11**
West La. *Kei* —3B **6**
West La. *T'tn* —2D **32**
Westlea Av. *Riddl* —2H **7**
W. Leeds St. *Kei* —4C **6**
Westleigh. *Bgly* —1G **15**
Westleigh Clo. *Bail* —3E **17**
Westleigh Dri. *Bail* —3E **17**
Westleigh Rd. *Bail* —2E **17**
Westleigh Way. *Bail* —3D **16**
W. Lodge Cres. *Hud* —5H **61**
Westminster Av. *Cytn* —5G **33**
Westminster Cres. *Cytn* —5G **33**
Westminster Dri. *Cytn* —5G **33**
Westminster Gdns. *Cytn* —5G **33**
Westminster Pl. *B'frd* —6B **28** (1F **5**)
Westminster Rd. *B'frd* —6B **28**
Westminster Ter. *B'frd*
  —6B **28** (1F **5**)
Westmoor Av. *Bail* —1F **17**
Westmoor Clo. *Bail* —1F **17**
West Morton. —1C 8
W. Mount St. *Hal* —5A **48**
Westmuir Ho. *B'frd* —5H **35**
  (off Launton Way)
Weston Av. *Q'bry* —2D **40**
Weston St. *Kei* —6B **6**
Weston Va. Rd. *Q'bry* —3D **40**
West Pde. *Hal* —1B **56**
West Pde. *Sower B* —3F **55**
West Pde. Flats. *Hal* —1B **56**
  (off West Pde.)
W. Park Ind. Est. *B'frd* —5D **34**
W. Park Rd. *B'frd* —1D **34**
W. Park St. *Brigh* —5F **59**
W. Park Ter. *B'frd* —1D **34**
West Riding Folk Museum. —5F **49**
West Royd. —5A 18
West Royd. *Hal* —5A **50**
West Royd. *Wilsd* —2C **24**
Westroyd Av. *Cleck* —2F **53**
W. Royd Av. *Hal* —1A **56**
W. Royd Av. *Shipl* —5H **17**
W. Royd Clo. *Hal* —2A **56**
W. Royd Clo. *Shipl* —5H **17**
W. Royd Cres. *Shipl* —5A **18**
W. Royd Dri. *Shipl* —5A **18**
W. Royd Gro. *Shipl* —5A **18**
W. Royd Mt. *Shipl* —5A **18**
W. Royd Rd. *Shipl* —5A **18**
W. Royd Ter. *Shipl* —5A **18**
W. Royd Wlk. *Shipl* —5A **18**
W. Scausby Pk. *Hal* —4G **39**
West Scholes. —6D 32
W. Shaw La. *Oxe* —4E **21**
Westside Ct. *B'frd* —1E **35**
  (off Bk. Girlington Rd.)

West St. Bail —1G 17
West St. Bail B —6F 51
West St. B'frd —3B 36
(BD1)
West St. B'frd —4D 28
(BD2)
West St. Brigh —4E 59
West St. Cleck —6F 53
West St. Hal —6A 48
West St. Holy G —5B 60
West St. She —1H 49
West St. Sower B —4D 54
West Vale. —3D 60
West Vw. Bgly —6H 9
West Vw. B'twn —3B 48
West Vw. B'frd —5C 36
(off New Hey Rd.)
West Vw. Hal —1H 55
(off Hopwood La.)
West Vw. Holy G —5A 60
West Vw. Schol —4B 52
West Vw. Sower B —3E 55
W. View Av. Hal —6G 47
Westview Av. Kei —3C 6
W. View Av. Shipl —6A 18
W. View Clo. Shipl —6A 18
Westview Ct. Kei —3C 6
W. View Cres. Hal —6G 47
W. View Dri. Hal —6F 47
Westview Gro. Kei —3C 6
W. View Rd. Hal —3B 48
W. View St. Cro R —5B 12
W. View Ter. Bshw —2H 39
W. View Ter. Pel —5G 47
Westview Way. Kei —3D 6
Westville Way. T'tn —3D 32
Westward Ho. Hal —1A 48
Westward Ho. Q'bry —2D 40
Westway. Bgly —6H 9
Westway. B'frd —5A 26
Westway. Kei —3B 6
Westway. Shipl —6B 16
Westwood. B'frd —3D 26
Westwood Av. B'frd —2D 28
Westwood Cres. Bgly —5G 15
Westwood Gro. B'frd —2D 28
W. Yorkshire Ind. Est. B'frd —3F 45
Wet Shod La. Brigh —3C 58
Weybridge Ho. B'frd —6G 27
(off Trenton Dri.)
Weyhill Dri. All —1H 33
Weymouth Av. All —1G 33
Weymouth St. Hal —6C 48
Whalley La. Denh —5F 23
Wharfedale Gdns. Bail —1A 18
Wharfedale Ho. Sower B —4D 54
(off Quarry Hill)
Wharfedale Mt. Hal —6H 41
Wharfedale Ri. B'frd —5A 26
Wharfedale Rd. Euro I —4C 44
Wharfe St. B'frd —1B 36 (1E 5)
Wharf St. Brigh —5F 59
Wharf St. Shipl —5F 17
Wharf St. Sower B —3E 55
Wharncliffe Cres. B'frd —3F 29
Wharncliffe Dri. B'frd —3F 29
Wharncliffe Gro. B'frd —3F 29
Wharncliffe Gro. Shipl —1F 27
Wharncliffe Rd. Shipl —2F 27
Wharton Sq. Q'bry —2H 41
(off Highgate Rd.)
Wheater Rd. B'frd —4E 35
Wheat Head Cres. Kei —6A 6
Wheat Head Dri. Kei —6B 6
Wheat Head La. Kei —6A 6
Wheatlands Av. B'frd —5C 26
Wheatlands Cres. B'frd —5C 26
Wheatlands Dri. B'frd —5C 26
Wheatlands Gro. B'frd —5C 26
Wheatlands Sq. B'frd —5C 26
Wheatley. —3G 47
Wheatley Clo. Hal —4A 48
Wheatley Ct. Hal —1F 47
Wheatley La. Hal —4A 48
Wheatley Rd. Hal —3G 47
Wheat St. Kei —1C 12
Whernside Mt. B'frd —1C 42
Whernside Way. Mt Tab —2C 46
Wherwell Rd. Brigh —6F 59
Whetley Clo. B'frd —1G 35
Whetley Gro. B'frd —6E 27
Whetley Hill. B'frd —6F 27
Whetley La. B'frd —1E 35
Whetley Ter. B'frd —1G 35
Whimbrel Clo. B'frd —2A 34
Whiney Hill. Q'bry —2F 41
(off Sand Beds)
Whinfield Av. Kei —4A 6
Whinfield Clo. Kei —3B 6
Whinfield Dri. Kei —3A 6
Whin Knoll Av. Kei —3B 6
Whinney Fld. Hal —3C 56
Whinney Hill Pk. Brigh —2E 59
Whinney Royd La. Hal —6G 41
Whin St. Kei —4C 6
Whiskers La. Hal —2E 49
Whitaker Av. B'frd —4E 29
Whitaker Clo. B'frd —4E 29
Whitburn Way. All —1H 33
Whitby Rd. B'frd —6E 27
Whitby Ter. B'frd —6E 27
Whitcliffe Rd. Cleck —5E 53
Whitcliffe Sq. Cleck —5F 53
(off Whitecliffe Rd.)
White Abbey Rd. B'frd —1G 35 (1A 4)
Whitebeam Wlk. B'frd —2D 28
White Birch Ter. Hal —3G 47
White Castle Ct. Q'bry —1B 40
Whitechapel Gro. Schol —4C 52
Whitechapel Rd. Cleck —4B 52
Whitefield Pl. B'frd —1E 35
Whitegate. Hal —3D 56
White Ga. Ogden —4F 39
Whitegate Dri. Hal —3D 56
Whitegate Rd. Hal —2D 56
Whitegate Ter. Hal —3D 56
Whitegate Top. Hal —3E 57
Whitehall Av. Wyke —4G 51
White Hall La. Hal —5C 38
Whitehall Rd. Cleck & Wyke —3E 53
Whitehall Rd. Hal & Wyke —4D 50
Whitehall Rd. W. Cleck & B'shaw —3F 53
Whitehall St. Hal —6B 50
Whitehaven Clo. B'frd —4D 42
Whitehead Gro. Fag —6E 29
Whitehead Pl. B'frd —5E 29
Whitehead's Ter. Hal —6H 47
Whitehead St. B'frd —3D 36
Whitehill Cotts. Hal —6G 39
Whitehill Cres. Hal —5G 39
Whitehill Dri. Hal —5G 39
Whitehill Grn. Hal —5H 39
Whitehill Rd. H'fld —6G 39
Whitehill Rd. Oakw —1C 10
Whitelands Cres. Bail —2H 17
Whitelands Rd. Bail —2H 17
White La. B'frd —2H 43
White La. Oakw —3D 10
White La. Top. B'frd —2H 43
(off White La.)
Whiteley Av. Sower B —4B 54
White Moor La. Oxe —2A 30
Whites Clo. B'frd —4B 26
White's Ter. B'frd —6F 27
White's Vw. B'frd —1F 35
White Va. B'frd —5C 36
Whiteways. B'frd —4A 28
Whitfield St. Cleck —5F 53
Whitham Rd. Shipl —5C 16
Whitlam St. Shipl —5D 16
Whitley Dri. Hal —5H 39
Whitley La. S'wram —2G 57
Whitley Rd. Kei —6C 6
Whitley St. Bgly —2F 15
Whitley St. B'frd —2C 36 (4G 5)
Whitley St. Hal —1B 56
Whittle Cres. Cytn —4H 33
Whitty La. Sower B —1D 54
Whitwell Av. Ell —2H 61
Whitwell Dri. Ell —2H 61
Whitwell Grn. La. Ell —3H 61
Whitwell Gro. Ell —2H 61
Whitwell St. B'frd —4C 36
Whitwood La. Brigh —6G 51
Whytecote End. Wyke —1G 51
Wibsey. —2G 43
Wibsey Bank. B'frd —2H 43
Wibsey Pk. Av. B'frd —3D 42
Wicken Clo. B'frd —1E 29
Wicken La. T'tn —2D 32
Wickets Clo. B'frd —3H 43
Wickham Av. B'frd —3G 43
Wickham St. Schol —4B 52
Wide La. Oakw —2E 11
Wigan St. B'frd —2H 35 (3B 4)
(in two parts)
Wightman St. B'frd —6C 28
Wignall St. Kei —1D 6
Wilby St. Cleck —6F 53
Wilday Clo. Bgly —5E 9
Wild Gro. Pud —2H 37
Wilfred St. Cytn —5B 34
Wilkinson Fold. Wyke —2G 51
Wilkinson Ter. B'frd —4D 34
Wilkin St. Kei —4D 6
Willgutter La. Oakw —3D 10
William Henry St. Brigh —4E 59
William Henry St. Shipl —5D 16
Williamson St. Hal —5A 48
William St. B'frd —3A 36 (6C 4)
William St. Brigh —6E 59
William St. Butt —4D 42
William St. Denh —6F 23
William St. G'lnd —3D 60
William St. Tong —2F 45
Willington St. W. Hal —1B 56
Willow Av. B'frd —1C 28
Willow Bank. Hal —2A 56
Willow Clo. B'frd —4G 43
Willow Clo. Hal —1F 55
Willow Cres. B'frd —1C 28
Willow Cres. Sower B —2E 55
Willowcroft. Cleck —6E 53
Willow Dene Av. Hal —2F 55
Willow Dri. B'frd —4G 43
Willow Dri. Hal —1F 55
Willow Field. —1F 55
Willowfield Av. Hal —2F 55
Willowfield Clo. Hal —1F 55
Willowfield Cres. B'frd —2C 28
Willowfield Cres. Hal —1F 55
Willowfield Dri. Hal —2F 55
Willowfield Rd. Hal —1F 55
Willowfield St. B'frd —2F 35
Willowfield Ter. Hal —2G 55
Willowfield Vw. Hal —1F 55
Willow Gdns. B'frd —1C 28
Willow Gdns. Hal —2G 55
Willow Gro. B'frd —1C 28
Willow Gro. Kei —2C 12
Willow Hall Dri. Sower B —2F 55
Willow Hall Fold. Sower B —2F 55
(off Bairstow La.)
Willow Hall La. Sower B —2F 55
Willow Houses. Sower B —2F 55
(off Rochdale Rd.)
Willow Mt. Hal —5B 42
(off Witchfield Hill)
Willow Mt. Sower B —2E 55
(off Overdale Mt.)
Willow Pk. Dri. Hal —5B 42
Willow Ri. Hal —1F 55
Willows, The. H'den —4B 14
Willows, The. I'wth —4G 39
Willow St. B'frd —1D 34
Willow St. Cleck —4F 53
Willow St. Hal —1A 56
Willow St. Sower B —3F 55
Willow Ter. Sower B —2E 55
Willow Tree Clo. Kei —6F 7
Willow Tree Gdns. Bgly —6H 9
Willow Vw. Sower B —2F 55
(off Bairstow Mt.)
Willow Vs. B'frd —1C 28
Will St. B'frd —5F 37
Wilman Hill. B'frd —2F 43
Wilmer Dri. B'frd —3E 27
Wilmer Dri. Shipl —2E 27
Wilmer Rd. B'frd —4E 27
Wilmur Mt. L'ft —1A 54
Wilsden. —2C 24
Wilsden Hill Rd. Wilsd —2B 24
Wilsden Old Rd. H'den —4B 14
Wilsden Rd. All —3E 25
Wilsden Rd. H'den —4B 14
Wilson Fold. Low M —6H 43
Wilson Grn. Sower B —3D 54
Wilson Rd. Bgly —1F 15
Wilson Rd. Hal —2H 55
Wilson Rd. Wyke —1H 51
Wilson Sq. B'frd —6G 27
Wilson St. B'frd —6G 27
Wilton St. B'frd —3H 35 (6B 4)
Wilton St. Brigh —4D 58
Wilton Ter. Cleck —6F 53
Wimborne Dri. All —6A 26
Wimborne Dri. Kei —3B 6
Winbrooke Ter. B'frd —2E 43
Winburg Rd. B'frd —4E 35
Winchester Ho. Sower B —3E 55
(off Church Vw.)
Windermere Rd. Bail —4D 16
Windermere Rd. B'frd —6C 34
Windermere Ter. B'frd —6C 34
Windhill. —6G 17
Windhill Old Rd. B'frd & Shipl —4B 18
Winding Rd. Hal —6C 48
Windle Royd La. Hal —6E 47
Windmill Cres. Hal —3G 49
Windmill Dri. Hal —3G 49
Windmill Hill. B'frd —2E 43
Windmill Hill. Hal —4G 49
Windmill La. B'frd —2G 43
Windmill La. Hal —3G 49
Windsor Ct. B'frd —4A 36
(off Swarland Gro.)
Windsor Cres. Hal —4G 47
Windsor Cres. Oakw —3F 11
Windsor Gro. Oakw —3F 11
Windsor Gro. T'tn —3D 32
Windsor Rd. Oakw —3F 11
Windsor Rd. Shipl —6F 17
Windsor St. B'frd —4C 36
Windsor St. Hal —1C 56
Windsor Wlk. Hal —1E 59
Windy Bank La. Q'bry —5B 40
Windy Gro. Wilsd —3D 24
Windy Ridge. T'tn —2C 32
Winfield Dri. E Bier —5G 45
Wingate Av. Kei —5B 6
Wingate Way. Kei —5B 6
Wingfield Ct. Bgly —1G 15
Wingfield Mt. B'frd —1D 36
Wingfield St. B'frd —1D 36
Winrose Clo. Wyke —1G 51
Winslow Rd. B'frd —3G 29
Winston Ter. B'frd —4E 35
Winterburn La. Warley —6C 46
Winterburn St. Kei —3E 7
Winter Ct. All —4G 25
Winter St. Hal —2H 55
Winterton Dri. Low M —6G 43
Winton Grn. B'frd —5F 43
Winton Ho. B'frd —5H 35
(off Hutson St.)
Winton Mill. Sower B —3E 55
(off Wharf St.)
Wistons La. Ell —2G 61
(in two parts)
Witchfield. —5B 42
Witchfield Ct. Hal —5B 42
(off Shelf Moor Rd.)
Witchfield Grange. Hal —5A 42
Witchfield Hill. Hal —5B 42
Withens Hill Cft. Hal —4F 39
Withens New Rd. Hal —1B 38
(in two parts)
Withens Rd. Wains —1A 38
Within Fields. Hal —3G 57
Withins Clo. B'frd —1F 43
Woburn Ho. B'frd —5H 35
(off Park La.)
Woburn Ter. Cytn —5H 33
Wold Clo. T'tn —3D 32
Wolseley St. Cytn —4A 34
Wolston Clo. B'frd —1G 45
Womersley St. Hal —6H 47
Woodale Av. B'frd —4B 26
Woodbine Gro. B'frd —6D 18
Woodbine St. B'frd —2C 36 (3G 5)
Woodbine St. Hal —2A 56
Woodbine Ter. B'frd —6D 18
Wood Bottom La. Brigh —2B 58
Woodbrook Av. Hal —6E 39
Woodbrook Clo. Hal —6E 39
Woodbrook Pl. Hal —6E 39
Woodbrook Rd. Hal —6E 39
Wood Clo. Bail —3F 17
Woodcot Av. Bail —3H 17
Wood Cft. Brigh —6D 58
Wood Cft. Sower B —4A 54
Woodend. —6H 17
Wood End Clo. Hal —4B 56
Woodend Ct. B'frd —1B 44
Wood End Cres. Shipl —5H 17
Woodfield Av. G'lnd —2B 60
Woodfield Dri. G'lnd —3B 60
Woodfield Rd. Cull —6G 13
Woodford Av. Hal —3D 56
Woodford Clo. All —1G 33
Woodgarth Gdns. B'frd —6H 37
Woodhall. —5H 29
Woodhall Av. B'frd —1G 37
Woodhall Cres. Hal —4A 56
Woodhall Cft. S'ley —5H 29
Woodhall Hills. —4H 29
Woodhall Hills. C'ley —4H 29
Woodhall La. S'ley —4H 29
Woodhall Pk. N'wram —1G 49

Woodhall Pl. *B'frd* —6G **29**
Woodhall Rd. *B'frd* —1G **37**
Woodhall Rd. *C'ley* —3H **29**
Woodhall Ter. *B'frd* —6G **29**
Woodhall Vw. *B'frd* —6H **29**
Woodhead Rd. *B'frd* —4F **35**
Woodhead St. *Hal* —5G **47**
Woodhead St. *Mar* —6G **53**
Woodhill Ri. *App B* —5G **19**
Woodhouse. —6E 7
Woodhouse. *Bgly* —3G **15**
Woodhouse Av. *Kei* —6E **7**
Woodhouse Clo. *Kei* —6E **7**
Woodhouse Dri. *Kei* —1E **13**
Woodhouse Gdns. *Brigh* —6G **59**
Woodhouse Gro. *All* —3G **25**
Woodhouse Gro. *Kei* —6E **7**
Woodhouse La. *Brigh* —6G **59**
Woodhouse La. *Hal* —4A **56**
Woodhouse Rd. *Kei* —6E **7**
Woodhouse Ter. *B'frd* —3A **44**
Woodhouse Wlk. *Kei* —6E **7**
Woodhouse Way. *Kei* —6E **7**
Woodkirk Gro. *Wyke* —4G **51**
Woodland Clo. *B'frd* —3A **26**
Woodland Ct. *Bgly* —6E **9**
Woodland Cres. *B'frd* —3H **25**
Woodland Dri. *Brigh* —4D **58**
Woodland Dri. *Hal* —2F **55**
Woodland Gro. *B'frd* —2A **26**
*Woodland Ho. B'frd —6E **19***
(off Garsdale Av.)
Woodlands. —4C 48
Woodlands. *Bail* —1A **18**
Woodlands. *Sower B* —5B **54**
Woodlands Av. *Gom* —4H **53**
Woodlands Av. *Hal* —4C **48**
Woodlands Av. *Q'bry* —2H **41**
Woodlands Clo. *App B* —4H **19**
Woodlands Cres. *Gom* —4H **53**
Woodlands Dri. *B'frd & Rawd* —4H **19**
Woodlands Dri. *Gom* —4H **53**
Woodlands Gro. *Bail* —3D **16**
Woodlands Gro. *Bgly* —6H **15**
Woodlands Gro. *Hal* —4C **48**
Woodlands Gro. *Q'bry* —2G **41**
Woodlands Mt. *Hal* —3C **48**
Woodland Sq. *Brigh* —6G **59**
Woodlands Ri. *Haw* —2G **21**
Woodlands Rd. *Bgly* —1A **16**
Woodlands Rd. *B'frd* —1E **35**
Woodlands Rd. *Ell* —1F **61**
Woodlands Rd. *Hal* —4C **48**
Woodlands Rd. *Q'bry* —2G **41**
Woodlands St. *B'frd* —1G **35**
Woodlands Ter. *B'frd* —6E **27**
Woodlands Ter. *Oaken* —6D **44**
Wood La. *Bgly* —4F **9**
Wood La. *B'frd* —3A **28**
(in two parts)
Wood La. *Hip* —4H **49**
Wood La. *Oven W* —4F **47**
Wood La. *S'wram* —4H **57**
Wood La. *Sower B* —4A **54**
Woodleigh Av. *B'frd* —2A **44**
Woodlesford Cres. *Hal* —3D **46**
Woodman Av. *Ell* —4F **61**
*Woodman Ct. B'frd —4D **42***
(off Pit La.)
Woodman Ct. *Butt* —5C **42**
Woodman Works. *Ell* —4F **61**
Wood Mt. *Hal* —3H **55**
Wood Nook La. *Sower B* —2E **55**
Woodpecker Clo. *All* —2H **33**
Wood Pl. *B'frd* —1G **35**
(BD8)
Wood Pl. *B'frd* —3G **27**
(BD9)
Wood Rd. *B'frd* —5A **36**
Wood Rd. *Friz* —3G **27**
Woodrow Dri. *Low M* —5A **44**
Woodroyd Av. *B'frd* —1B **44**
Woodroyd Dri. *Hal* —3H **47**
Woodroyd Gdns. *L'ft* —2B **54**
Woodroyd Rd. *B'frd* —6A **36**
(in three parts)
Woodroyd Ter. *B'frd* —1B **44**
Woodside. —5B 48
(nr. Halifax)
Woodside. —4E 43
(nr. Shelf)
Woodside. *Kei* —2C **6**
Woodside. *Shipl* —5H **17**
Woodside Av. *Bgly* —6F **15**
Woodside Av. *Shipl* —5C **16**
Woodside Ct. *Cull* —1F **23**
Woodside Cres. *Bgly* —6F **15**
Woodside Cres. *Hal* —4B **48**
Woodside Dri. *Bgly* —6F **15**
Woodside Gro. *G'lnd* —3C **60**
Woodside Gro. *Hal* —4C **48**
Woodside Mt. *Hal* —5B **48**
Woodside Pl. *Hal* —4B **48**
Woodside Rd. *Hal* —5B **48**
Woodside Rd. *Wyke* —2G **51**
Woodside Ter. *G'lnd* —3D **60**
Woodside Ter. *Hal* —4C **48**
Woodside Vw. *Bgly* —6F **15**
*Woodside Vw. G'lnd —3D **60***
(off Woodside Ter.)
Woodside Vw. *Hal* —4B **48**
Woodsley Rd. *B'frd* —1C **28**
Wood St. *All* —6A **26**
Wood St. *Bail* —4G **17**
Wood St. *Bgly* —5E **9**
Wood St. *B'frd* —1G **35** (1A **4**)
Wood St. *Brigh* —5F **59**
Wood St. *Cleck* —6E **53**
Wood St. *Ell* —3G **61**
Wood St. *Haw* —1G **21**
Wood St. *Low M* —5H **43**
Woodtop. *Brigh* —2C **58**
Woodvale Clo. *B'frd* —4G **37**
Woodvale Cres. *Bgly* —6G **9**
Woodvale Gro. *B'frd* —4C **34**
Woodvale Rd. *Brigh* —4F **59**
Woodvale Way. *B'frd* —4C **34**
Wood Vw. *B'frd* —4H **27**
Wood Vw. *Cull* —4E **23**
Wood Vw. *Oaken* —1C **52**
Woodview Av. *Bail* —1B **18**
Wood Vw. Dri. *B'frd* —5E **29**
Wood Vw. Gro. *Brigh* —3D **58**
Woodview Rd. *Oakw* —1B **12**
Woodview. Ter. *B'frd* —4H **27**
*Woodview Ter. Kei —1D **12***
(off Haincliffe Pl.)
Woodville Gro. *Cro R* —5B **12**
Woodville Pl. *B'frd* —3D **26**
Woodville Rd. *Kei* —3D **6**
Woodville St. *Hal* —4A **48**
Woodville St. *Shipl* —5H **17**
Woodville Ter. *B'frd* —4H **35**
*Woodville Ter. Cro R —5B **12***
(off Vernon St.)
Woodway. *Bgly* —6F **15**
Woodworth Gro. *Kei* —2D **12**
Wool Exchange, The. —4D **4**
Wooller Rd. *Low M* —6H **43**
Woolpack. *Hal* —6C **48**
Woolrow La. *Brigh* —1G **59**
Woolshops Sq. *Hal* —6C **48**
Wootton St. *B'frd* —5A **36**
Worcester Pl. *B'frd* —5C **36**
Worden Gro. *B'frd* —5C **34**
Wordsworth Way. *Bgly* —6G **9**
Workhouse La. *G'lnd* —3D **60**
Workhouse La. *Hal* —6C **46**
*Wormald Lea. B'frd —6G **37***
(off Stirling Cres.)
Worsnop Bldgs. *Wyke* —1G **51**
Worsnop St. *Low M* —5H **43**
Worstead Rd. *Cro R* —4B **12**
Worth Av. *Kei* —2G **7**
Worth Bri. Rd. *Kei* —4G **7**
Worthing Head Clo. *Wyke* —2H **51**
Worthing Head Rd. *Wyke* —2G **51**
Worthing St. *Wyke* —2H **51**
Worthington St. *B'frd* —1G **35** (2A **4**)
Worth Village. —3G 7
Worthville Clo. *Kei* —6E **7**
Worth Way. *Kei* —5E **7**
Wortley St. *Bgly* —2H **15**
Wren Av. *B'frd* —4C **34**
Wren St. *Haw* —6H **11**
Wren St. *Kei* —3E **7**
Wright Av. *Oakw* —2H **11**
Wright St. *Oakw* —3H **11**
Wrigley Av. *B'frd* —2D **44**
Wrigley Hill. *Hal* —6G **39**
Wroe Cres. *Wyke* —2G **51**
Wroe Pl. *Wyke* —2G **51**
Wroe Ter. *Wyke* —2G **51**
Wrose. —1H 27
Wrose Av. *B'frd* —2C **28**
Wrose Av. *Shipl* —1H **27**
Wrose Brow Rd. *Shipl* —5H **17**
Wrosecliffe Gro. *B'frd* —5B **18**
Wrose Dri. *Shipl* —1H **27**
Wrose Gro. *B'frd* —1B **28**
Wrose Gro. *Shipl* —1H **27**
Wrose Hill Pl. *B'frd* —2H **27**
Wrose Mt. *Shipl* —1A **28**
Wrose Rd. *Shipl & B'frd* —1H **27**
Wrose Vw. *Bail* —1G **17**
Wrose Vw. *Shipl* —1H **27**
Wycliffe Gdns. *Shipl* —5E **17**
Wycliffe Rd. *Shipl* —5E **17**
Wycoller Rd. *Wyke* —1G **51**
Wycombe Grn. *B'frd* —6G **37**
Wyke. —3G 51
Wyke Bottoms. *Oaken* —1B **52**
Wyke Common. —3H 51
Wyke Cres. *Wyke* —3H **51**
Wyke La. *Wyke* —3G **51**
Wykelea Clo. *Wyke* —2H **51**
Wyke Old La. *Brigh* —6F **51**
Wyncroft Ri. *Shipl* —2H **27**
Wyndham Av. *B'frd* —4B **28**
Wynford Way. *Low M* —3A **44**
Wynne St. *B'frd* —1H **35** (3A **4**)
Wyvern Clo. *B'frd* —4D **34**
Wyvern Pl. *Hal* —5G **47**
Wyvern Ter. *Hal* —5G **47**

Yarborough Cft. *N'wram* —1G **49**
Yardley Way. *Low M* —5A **44**
Yarwood Gro. *B'frd* —6C **34**
Yate La. *Oxe* —5G **21**
Yates Flat. *Shipl* —1H **27**
Yeadon Dri. *Hal* —3G **57**
Ye Farre Clo. *Brigh* —3E **59**
Yewdall Way. *B'frd* —1E **29**
Yew Pk. *Brigh* —2C **58**
Yews Green. —6E 33
Yew Tree Av. *B'frd* —6B **26**
Yew Tree Clo. *Shipl* —1H **27**
Yew Tree Cres. *B'frd* —6C **26**
Yew Tree Gro. *B'frd* —6C **26**
Yew Tree La. *All* —1D **32**
Yew Tree Rd. *Hud* —6G **61**
Yew Trees. *S'wram* —3G **57**
Yew Trees Av. *N'wram* —2G **49**
York Cres. *Bgly* —3G **15**
York Ho. *B'frd* —6E **19**
(nr. Billing Vw.)
*York Ho. B'frd —6E **19***
(off Fairhaven Grn.)
*York Ho. Ell —2F **61***
(off Gog Hill)
*York Ho. Sower B —3E **55***
(off Beech Rd.)
York Pl. *Cleck* —5F **53**
Yorkshire Car Collection Museum. —3E **7**
Yorkshire Dri. *B'frd* —2C **44**
Yorkshire Way. *B'frd* —6F **35**
York St. *Bgly* —3G **15**
York St. *B'frd* —2C **34**
York St. *Brigh* —6E **59**
York St. *Hal* —1B **56**
York St. *Q'bry* —2D **40**
York Ter. *Hal* —4B **48**
Young St. *B'frd* —1D **34**

Zealand St. *B'frd* —5F **37**